OLD GODS, NEW ENIGMAS:
MARX'S LOST THEORY
WRITTEN BY MIKE DAVIS

マルクス 古き神々と新しき謎

――失われた革命の理論を求めて

マイク・デイヴィス 著

佐復秀樹 訳
宇波 彰 解説

明石書店

マルクス　古き神々と新しき謎

——失われた革命の理論を求めて

◆目次

【凡例】

一　原著の引用符は「　」で示した。原著のイタリックのうち書名は『　』で括り、強調は傍点を付すか、ゴシック体で記した。（　）、［　］は原著のまま使用した。それに対して〔　〕はすべて訳者による補足を示す。

二　本書には多数の外国の固有名詞が出てくるが、著者名などで、すでに日本語で紹介されているものは原則的にはそれに倣い、地名などは一般に通用している表記を用いた。ただし、人名の中には、発音がわからないものもありその場合は訳者の推測で示した。またウ濁点は使用しない。政党名、会社名、団体名、その他の固有名詞等は〈　〉で括った。

三　原著者名の書誌情報としての表記は、日本でこれまで刊行されている翻訳書籍等の表記にしたがってマイク・デイヴィスとしたが、訳者は「デイヴィス」という表記を使用しておらず、「訳者あとがき」では欧文表記で記載している。

四　原注には1、2、3……を用い、巻末にまとめた。一、二、三……は訳者による注で原則として奇数頁のあとに入れた。

五　原著の引用文は、邦訳があるものはできるだけ参照したが、訳文は原著の英語から訳者が訳したものである。英語以外からの引用は、邦訳と本書中の英訳とのあいだに相違あるものも認められるが、これもすべて本書中の英語を尊重した。

なすべきことを誠実になし、自らの取り分を共通の基金へと寄贈した時にこそ人は生き始める。そうした時に、ホイットマンが言うように、人は自らの魂を取り出すことができる。

ユージーン・デブズ[一]

一　Eugene Debs（1855–1926）アメリカの社会主義者、労働組合活動家、アメリカ社会党の大統領候補。

序――〈チキン・シャック〉のマルクス(1)

マルクスを読め！

リー・グレゴビッチの言いつけが半世紀以上にもわたってわたしの頭の周りで響き続けてきた。彼は父の良い友人で、わたしの「赤いゴッドファーザー」だった、のだと思う。彼の家族は他の多くのダルマチア海岸出身者たちと同じく、第一次世界大戦の前にアメリカ南西部の銅鉱山に向けて移民してやって来た。そこで彼らは歴史的な労働争議に巻き込まれた。リーは若い頃の目の覚めるような話をしてくれた。彼は酒場や売春宿でＩＷＷ[一]の新聞売りとして『インダストリアル・ワーカー』を売っていて、それから父親とその他一三〇〇人のストライキをしていた鉱夫たち、そのほとんどはメキシコ人と南スラブ人だったのだが、彼らが〈フェルプス－ドッジ〉[二]の警備員たちに取り押さえられ、

一　Industrial Workers of the World：世界産業労働者組合。
二　Phelps-Dodge：一八三四年創業の、かつては世界最大級の銅生産会社だった。

床が糞まみれの家畜運搬車に押し込められ、ニューメキシコの荒涼たる砂漠へと「追放」されるのを見守っていたという話を。一九三〇年代にリーはサンディエゴの料理人組合の活動家となり、共産党に入党した。下院非米活動委員会は一九五四年にサンディエゴで審問をおこない、リーは召喚され、雇用主たちからブラックリストに載せられた。彼は最終的に、美しい山間の町ジュリアン近くにある古めかしいスタイルのロードハウス〈チキン・シャック（鶏小屋）〉で調理の仕事を見つけた。

わたしは高校二年生の時に父が深刻な心臓発作を起こし、半年間学校を休んで叔父の食肉卸会社で配送トラックを運転した。〈チキン・シャック〉はわたしたちの一番遠い顧客で、週に一度かそこいら、〈ラリアット（投げ縄）〉とか〈レイジー・Ｊ〉とかいった名前の田舎のレストランに配達をしたあと、わたしはよくジュリアンへの長い道を車を急がせたものだった。そんな日にはリーとわたしはある儀式をおこなった。注文の品が大きな冷蔵庫に収められると、彼はわたしに小さなグラス一杯の赤ワインを注いでくれ、短い時間、父の健康状態とか公民権運動とかについて話をし（彼はわたしがサンディエゴのＣＯＲＥ[三]で活動していることを誇りに思っていた）、そしてわたしが帰ろうと立ちあがると、パシンと背中を叩いて「マルクスを読め！」と言った（わたしはいつも好んでこの話をしてきたから、リーはあやしげなソビエトのスパイだったと仄めかす、この話の改竄版がわたしに関するＦＢＩのファイルの中にあったのを知っても驚きはしなかった）。

リー自身は、他の何百万もの一般の社会主義者や共産主義者と同様に、ほとんど、あるいはまったく、マルクスを読んでいなかった。おそらく『賃労働と資本』、そして間違いなく何冊かのレーニンは読んでいた。レーニンの『カール・マルクス』はマルクスその人を読む代わりとして人気のある本だった。しかしながら、普通の読者はほとんど、理論的エベレストである『資本論』に面と向かうのはひるんでいた。これに挑んだ数少ない人々は、たいていが第一章にある最初のいくつかのクレバスの一つに落ちてしまい、引き返して二度目の試みをおこなうことはなかったのである。もちろんこのことはただ、マルクスの非凡な才能の神秘性を増大させ、登頂を果たしたと主張する党の知識人たちの威信を高めるだけだった。ウィルヘルム皇帝時代のドイツの労働者たちの図書館に関するある研究によれば、まじめなプロレタリアの読者たちが特に興味を抱いていたのはダーウィニズムと博物学の唯物論的解説であって、経済学の批判ではなかったということだ。カウツキーの『マルクスの経済学説』は「多く借りられはしたがあまり読まれはしなかった(2)」。『カール・マルクス　人と戦士』――革命家としての思想家に見事に焦点を当てた伝記――を書いたメンシェビキたちは一九三六年に、「おそらく千人の社会主義者のうちの一人しかマルクスの経済学の著作を読んだことがある者はなく、千人の反マルクス主義者のうちには一人もいないだろう(3)」と推定している。

わたしが一九六八年に、プラハの春に対するロシアの弾圧に抗議した〈南カルフォルニア共産党〉に連帯感を覚えて入党した時でも事情はほとんど変わりなかった。新しい党員たちの政治的教育がただユリウス・フチークの『絞首台からの手紙』を読むことだけだったのにはびっくりしたものだった。この本は一九四三年に処刑されたチェコの若い共産主義者の感動的な遺書ではあったのだけれど到底マルクス主義の入門書とは言えなかった。わたし自身の知識は『パリ・ノート』といくらかの『ドイ

三　Congress of Racial Equality：人権平等会議。

ツ・イデオロギー』の断片に限られていて、それはマルクスと疎外に関して読んだ大衆向けの本の中で推薦されていたものだった。若いにしろ年寄りにしろLAの党の中でマルクスをまじめに理解しているように思え、そして実際に全集をドイツ語で読んでいたただ一人のメンバーは新入党員のアンジェラ・デイビス[四]で、彼女はあまりにも数多くの重要な闘争に係わっていて、他のわたしたちを教え導く時間がなかった。

　しかしながらマルクス主義運動に対してマルクスを部外者にしていたのは、単にあるキーワードや、文章の一節の難しさではなく、その他の一連の障碍だった。たとえば、どこから始めたらいいのか？　最初に弁証法から始めるとすればヘーゲルが睨みつけるのに耐えなければならないが、そうしているあいだに次第に困惑させられるだろう――少なくともそれが、わたしが昼食や夕食のための仕事の休み時間にマルクーゼの『理性と革命』を理解しようとしていた時の経験である。何年も後になって若きマルクスがこの大御所とその解説者たちに対する自身の失望を記した風刺詩を見つけてわたしは喜んだ。

「ヘーゲルについて」

わたしが教える言葉はすべてごちゃまぜになって悪魔のような混乱状態に陥り
誰でもが考えたいように考えて構わない。
一人一人が自分で知恵の滋養ある美酒を飲んでいい。

……

さて今やきみはすべてを知っている、なぜならわたしが意味もないことを大量にきみに語ったからだ。(4)

もしG・W・F〔ヘーゲル〕に回り道をすれば、当時流行していたマルクス主義ヒューマニストたちの解説の助けを借りて、パリおよびブリュッセル時代の感動的なマルクスを発見できたかもしれない（とはいえ、『聖家族』〔一八四五年〕は、それを読んだとわたしが知っている唯一の人が当時LSDをやっていたため、私の読書リストの中に入ることは決してなかった）。しかしそれから、人々が自分は歩き方を学んだと考えたらすぐにアルチュセールが現われて、若きマルクスはとつぜん悪しきマルクスになった。

それでも、ほとんど例外なしに、エルム街やその他のセミナーのマルクスは「人と戦士」という実体から切り離された。バリケードの情熱に最も満たされた諸著作、一八四八―五〇年の出来事の驚くべき政治的分析は通例哲学者には無視されていた。不成功に終わったわたしの独学時代にマルクスは、党の理論家たち（たとえばディアマット）から押しつけられた矛盾した諸理論の中で他とは混じり合わずに浮遊しているか、あるいは不可解な未訳の手稿の中に隠されるかしていたように思えた。それに加えて、英語版の著作集が出版されるのはまだ何年も先のことだったから、全著作の概観を得るこ

四　一九四四年生まれ。アメリカの黒人政治活動家。六九年に当時カリフォルニア州知事だったロナルド・レーガンの圧力により、UCLA助教授の職を解雇され、のちに白人判事殺害事件に関連したとして逮捕されるが、無実を勝ち取る。

とはほとんど不可能だった。マーチン・ニコラウスによる一九七三年の『経済学批判要綱』の翻訳――ニューレフト・リビューとペンギン・ブックスによる共同作業の画期的出版――はドイツ語を読めない読者のために相当にグラウンドを均《なら》したとはいえ、それはまた『資本論』四巻の数千頁に、九〇〇頁の必須の研究をつけ加えもしたのである。

この同じ年に、トラック業界で居心地のいい場所を失ったわたしは、歴史学部でおこなわれていたボブ・ブレナー[五]の『資本論』に関する精力的なセミナーの噂に引きつけられて、UCLAに成人の新入生として入学した。ブレナーとその一味（リチャード・スミス、ジョン・ブライドンバッハ、マリア・ラモス、その他）は『資本論』を、農業における階級闘争と、封建制から資本主義への移行に関する英国マルクス主義内部での議論を背景として読んでいた。のちにこのセミナーは危機論と二十世紀の経済史へと移っていった。これは浮き浮きするような経験で、経済学、労働史、都市生態学といった、自分自身の興味のある課題をあれこれ追求するという知的満足を与えてくれた。ハル・ドレイパーの『カール・マルクスの革命論』（Hal Draper, *Karl Marx's Theory of Revolution* 1977-1990）とマイケル・レービの『若きマルクスの革命理論』（Michael Löwy *The Theory of Revolustion in the Young Marx* 2003[六]）も不可欠なのだが、これをのぞけば、マルクス研究が生産様式の議論から価値形態、転換理論、そして『資本論』におけるヘーゲル的論理の役割に関する極端に微視的な争いへと変わってゆくにつれて、わたしはマルクス研究に興味を失っていった。「理論」一般は、それが現実生活の闘争からも大きな歴史的問題からも等しく切り離されるようになるにつれ、世紀末にかけてひどい反啓蒙主義的な転換をおこなったように思えた。わたしはリー・グレゴビッチが誰かに「ジェイムソンを読め、デリダを読め」などと頼んでいるのは、ましてや『帝国七』の泥沼を骨折って切り抜けるよう頼んでいるのは、想像もできなかった。

全集サーフィンをおこなう

何年にもわたって、わたしのマルクス主義は、控えめに言っても、錆びついてしまっていた。ところが古き学徒たちが、誰も自分たちの運転免許を書き換えるかどうか決定しなければならない時がやって来た。そしてダニエル・ベンサイドの目覚ましいまでに想像力に富み、あまりに詳細で微妙な鎖から人を解き放ってくれる再解釈、『われらが時代のマルクス』(二〇〇二)〔*Marx l'intempetif*, 時ならぬマルクス、一九九六八〕を読むことで、ベンサイドが提唱した「非直線的マルクス[5]」を新しい目で見てみたいという欲求が刺激されたのだった。教職を退き、長く患っていたことで、ついに私は、今や英語で、そしてネット上で無料で手に入る海賊版で『マルクス・エンゲルス全集』を手当たり次第にあちこちと読む暇ができた[6]。『全集』を素晴らしく見事に使いこなしてきた最近の著者の一人は

五　Robert Paul Brenner (1943-):アメリカの歴史学者。
六　Michael Löwy:一九六四年のソルボンヌの博士論文'Young Marx's Theory of Revolution'(邦訳はミシェル・ロヴィ『若きマルクスの革命理論』一九七四年、福村出版)がある。
七　*Empire*, Michael Hardt & Antonio Negri, 2000.
八　邦訳:佐々木力監訳『時ならぬマルクス　批判的冒険の偉大さと逆境(十九-二十世紀)』二〇一五年、未来社。

『マンスリー・リビュー』の編集者であるジョン・ベラミー・フォスターで、彼はマルクスの資本主義に対する力強い生態学的批判——これはとりわけ後期社会主義の大規模農業へのフェティシズムという見地から、新しく興奮させられるテーマである——を注意深く再構築してきた。またもう一人はエリカ・ベナーで、マルクスのたいていは誤り伝えられているナショナリズムに対する見解の、彼女による貴重極まりない修復は本書第二章（「マルクスの失われた理論」）で論じられている。そして主鉱脈はまだほとんど採掘されていない。たとえば一九世紀のヨーロッパ政治の難解なゲーム、とりわけ英国とロシアという二帝国間でかわされた地政学的チェスの試合についての何百頁にもわたる辛辣な論評は明らかに大きな新しい解釈を保証している。同様に、経済学に関する理論的著作を、通例は脚注に割り振られている、一八五七年および一八六六年といった同時代の経済危機への具体的分析と対照してみれば大いに蒙を啓かれるだろう。「危機についてのマルクス」というのは、マルクス研究者の新しいスローガンになるのではないだろうか。

今や手に入れられるようになった全著作のパノラマ的眺望はまたマルクスとエンゲルスの共同作業における盲点や見当違いを見つけるのを容易にもしている。たとえばマルクスは都市について一言も書いていないし、民族学や地質学、数学への熱烈な興味は（エリゼ・レクリュやピョートル・クロポトキンら、のちのアナーキストたちが得意とする）地理への類似した関心よりもはるかに大きい。彼は旅行をすることが比較的少なく、人生の終末になってはじめて、絶望的な病に苦しみ、太陽を求めて、思い切って西欧の外に出て行った。アラブ人たちの文化と威厳とを称賛するアルジェリアからの手紙は、ヨーロッパ中心的な諸範疇を超越し、他の世界の新しさを大いに楽しめる能力を示している（ああ、病気と家族の悲劇とであれほど打ちひしがれてさえいなければよかったのに)。合衆国はもう一つの逆説だった。その変幻自在な将来はしばしば彼の念頭にあった――何といっても『ニューヨーク・トリビューン』の通信員だったのだ――そして彼とエンゲルスは英国の労働運動の中で、リンカーンと奴隷解放への支持を勝ち取るために奮闘した。それでも、トクビル[九]を読んでいたにもかかわらず、その政治制度の他に類をみない特徴、とりわけ初期の白人男性参政権が労働運動の発展に与える衝撃に焦点を当てることはなかった。

マルクスが自分の世紀の地平をはるかに超えていたということには何の疑問もあり得ないし、『エコノミスト』[一〇](マルクスがまじめに読んでいた)が数年前に指摘したように、『資本論』がウォルマートとグーグルの時代においてさえも驚くほど現代的であることにも何の疑問もない。しかし他の事例においてはマルクスの洞察力は彼がおかれた歴史の生態的地位の例外的特徴によって制限されていた。すなわち、それはヨーロッパ史の千年のうちで間違いなくいちばん平和な時期だったのである。植民地的干渉を別にすれば、ロンドンを中心にした自由主義的資本主義は、その再生産の条件として、あるいはその矛盾の避けがたい結果として、大規模な国家間の戦争を構造的に必要としているようには見えなかった。もちろんマルクスは、一八八〇年代後半と一八九〇年代の新たな帝国主義が、主要列強間で世界市場のシェアを求めるゼロ-サム闘争へと至る以前に死んでいた。また、コミューン参加

九　Alexis-Charles-Henri Clérel de Tocqueville(1805–1859):『アメリカのデモクラシー』を著した。

一〇　創刊は一八四三年。

者たちが虐殺された後になっても、テルミドール的スターリニズムも含めた次の世紀の反革命が一般の無政府主義者、社会主義者、共産主義者から取り立てることになる恐ろしい代価（少なくとも七、八百万人の死者）を予見することもできなかった。[7] 最も若く、最も政治的意識の高い者たちがいつでも最前線に立ちがちだから、こうして繰り返される前衛の大量虐殺は数えきれないほどの重大な結果を必然的に伴ってきた――歴史家たちにはほとんどすべて無視されてきた結果を。

同様にマルクスの時代におけるすべての兆候は、信仰の継続的浸食と産業社会の世俗化を指し示していた。初期の著作以降宗教は、まったく当然のことながら、彼の予定表中のテーマではなかった。しかしながら一九世紀が終わるまでにはこの流れは逆転し、政治的カトリシズムが、萌芽的なキリスト教的民主主義から〈中央党〉〔一〕そしてファシズムへと向かう連続体に沿って、ヨーロッパの大部分で社会主義／共産主義との競争相手になり、一九一〇年代－二〇年代、そして一九五〇年代－七〇年代には左翼の選挙投票者の大多数にとって大きな障碍となった。ほとんど第二の反宗教改革ともいえるこの驚くべきカトリック信仰の復活は、過度なマリア崇拝の広まりと、プロレタリアの母親たちに対する教会の積極的な訴えかけに多くを負っている。マルクスとエンゲルスが決して異議申し立てをすることのなかった、労働運動の家父長的性格が、作用している力を見えなくした。親譲りで傑出した革命家となった三人の娘を含めて、強く、ラジカルな女性たちが大勢いた一家だったにもかかわらずマルクスは決して *pater familias*〔家長〕として揺らぐことはなく、彼の名前が組み入れられた運動も、バーバラ・テイラーやその他の人々が指摘してきたように、多数の空想的社会主義党派が、目覚ましいフェミニズム運動から現実に退行を示したのである。[8] 実際、フローラ・トリスタン〔二〕からクララ・ツェトキン[一三]までのあいだ、女性は誰一人として、どんな労働ないしは社会主義組織の中でも指導権を主張できなかったのだ。

要するに、たとえ最初は飲み込みがたくとも、重要なのは、マルクスの経済学批判という鎧を比類なくまとっていても、社会主義者はまた、マルクスや彼のビクトリア朝的な思い込みに対する批判からも学ぶべき何かがあるということである。わたしは「マルクスに対する批判者」ではなく「マルクスに対する批判」と言うが、それはバクーニンやクロポトキンといった、紛れもなく気高い革命的人物たちの場合であっても、マルクスの考えに対する誤った特徴づけは極めて途方もないものであったからである（そして逆もまた真だった）。ドイツの労働運動においてはラサールの崇拝に続くマルクスの崇拝は、人間の解放へのほとんど自己犠牲的な献身ともいえる生涯を正当にも讃えたのだが、その他に、すべての崇拝がおこなうこともおこなった――彼の生きた思想と批判的方法を硬直化させたのである。彼はもちろんこの危険に気づいていて、そのことが彼がジュール・ゲード[一四]と、フランス〈労働党〉内の「正統的マルクス主義」派に見事にこう言った理由である。“Ce qu'il y a de certain c'est que moi, je ne suis pa marxiste.”（「確かなのは［彼らがマルクス主義者ならば］私自身はマルクス主

一一　ドイツのカトリック政党。
一二　Flora Tristan（1803–1844）：フランスの作家、社会主義者、フェミニスト。ペルー人の父親とフランス人の母親の間に生まれ、画家ポール・ゴーギャンの祖母である。
一三　Clara Zetkin（1857–1933）はドイツの社会主義政治家、フェミニスト。女性解放運動の母と呼ばれる。
一四　Jules Guesde（1845–1922）はフランスの社会主義者。

義者ではないということだ」)。二〇世紀だったらいったい何度、彼はこう言わなければならなかったことだろう?

章立て

わたしは二〇〇六年の本『スラムの惑星』のエピローグでこう問うた。どの程度まで非正規のプロレタリアート、最も急速に成長しつつある世界的階級は、あの最も強力なマルクスの護符、すなわち「歴史的主体(性)」を所有しているのだろうか? その当時わたしは気づいていなかったのだが、エリック・ホブズボーム[一五]が一九九五年のインタビューの中でまさしく同じ問いを発していた(彼は次の章の冒頭で引用されている)。過去一世代にわたるネオリベラル・グローバライゼイション(新自由主義的全地球化)は「地に呪われた者」の意味を新たに充塡しなおしてきた。ホブズボームの言う「非正規経済のグレイ・エリア」はインタビュー以来ほとんど十億人も拡大し、われわれはおそらく「非正規プロレタリアート」を、日雇いや、「極零細企業」、そして生活のための犯罪で何とか生き延びている者たち、法律や組合や労働契約に守られることなくあくせく働く者たち、工場や病院、学校、港湾その他といった社会化された複合体の外部で働く者たち、あるいは構造的失業という砂漠の中をただただ迷い歩く者たちをすべて含む、より広い範疇の中に包摂すべきなのだろう。そこで三つのきわめて重大な疑問がある。(1)こうした経済機構の非正規的ないしは周辺的分野において階級意識の可能性はいかなるものか?(2)例えばスラム住人の、あるいは、もはやその技術を必要とされなくなった者や失業者たちの運動はいかにして、社会的変革にむけて首尾よく闘うための力の源泉――例えば正規労働者が生産の大きな部門を閉鎖することができるのと同等な――を見出せるのか？（3）従来の労働者階級組織と「グレイ・エリア」の多様な人間との間でどのような統一行動が可能なのだろうか？ それでも、比較史および今日の非正規経済における行動主義の事例研究に基づいて『スラムの惑星』の続編について考える時に、わたしは最初に、古典的社会主義の時代――つまり、マルクスの存命当時から、一九二一年の若いソビエト国家の孤立に至るまで――に「主体」がどのように解釈されたのかを明らかにする必要があることがわかった。

誰でもがプロレタリアの主体（性）が革命理論の核心にあるということには同意していても、どんな拡張された定義を探し求めても無駄で、正典的扱いされたものを探求することはもっとむなしい。こうした理由から、第一章では間接的な戦略を採用する。つまりマルクスの『全集』と一九世紀と二〇世紀初めのヨーロッパとアメリカの労働運動史の研究を何十冊も並行して読むことである。目標は一貫して、階級能力[一六]と意識がどのようにして生じたのかを見つけ出すことだった。社会的対立という主要な領域において、また社会化された工場とその内部での尊厳と賃金を求める闘いにおいて、労働過程をめぐる時として目に見えない闘争を通して、地主制度と高い生活費に対して労働者階級の家庭が闘う中から、普通選挙権を求め戦争に反対する聖なる闘いから、他の国の労働者や政治犯とし

一五　Eric Hobsbawm（1917–2012）はイギリスの歴史学者。
一六　長期的利害に対する意識を発達させ、そうした集合的利害のために闘争を組織する労働者階級の能力。

て囚われた者たちと連帯する運動の中で、そして産業資本主義のまさに中心で社会主義的そして無政府主義的な対抗文化を建設しようとする動きの中で。一連のテーゼとして提示された結論は、何か西洋の労働者階級がいかにして意識と力を獲得してきたかということについての歴史社会学のようなものである。これらの事例研究から姿を現わす執拗なテーマは、活動家が実際と理論の双方において様々に偏った要求と利害を調和させるにつれ、より大きな規模で階級能力は絡み合って発生するということである。言い換えれば、まさに様々な闘争（賃金と選挙権、近隣地域と工場、工業と農業その他）――そして時には階級内部の反目（熟練・対・半熟練）――の合流点でこそ、組織化という創造的な仕事が最も重要で、根底的に変形力に富むものとなったということだった。言い換えれば、歴史的主体は、特定の状況の絡み合いと危機において示されるような、プロレタリアの不満と願望の全領域を結びつけ戦略的に統合する能力から派生した。そして雇用主の攻撃と反革命の新機軸に首尾よく対応するために、とつけ加えることが必要だろう。

何年も前にロビン・ブラックバーン[一七]は「マルクスとエンゲルスの真の独創性は政治の分野にあるのであって、経済学や哲学にあるのではない」という驚くべき主張をおこなった。わたしはこれを訂正して「政治と経済学の双方」と言いたいと思う[9]。第二章の「マルクスの失われた理論」はエリカ・ベナー[一八]による、マルクスのナショナリズムの政治に関する研究に影響を受けて、フランスにおける失敗に終わった革命へのマルクスの挽歌（『ブリュメール十八日』と『フランスにおける階級闘争』）は知的達成としてまさに『資本論』に次ぐもので、その上、革命的行動主義の緊急性に基づいているものだと論じている。マルクスは、言ってみれば、同時代の出来事のエンジン置き場の蓋を開けてアントーニオ・ラブリオーラ[一九]がのちに経済的利害の「内部の社会的伝動装置」と呼ぶことになるものを、どんな階級も政治的多数派を形成することもできなければ先頭に立って国家的危機から抜け出すこともできないような状況の中で暴いて見せ、また執行〔委員会〕国家の自律的な役割も明らかにしている。フランスに関する諸論文は唯物論的政治理論の先ぶれであり、通例はマルクス解釈者たちによって十分に認識されていない中景を踏査しているが、そこでは税金、信用、通貨をめぐる「副次的な階級闘争」が典型的に政治的現場の直接的組織者なのだ。それらはまた全世界的な経済的要因が政治的対立と指差的な階級能力にしばしば影響を与えるリレー（継電器）でもある（言い換えれば、ヘゲモニーの理論は政治の基礎利害を伴ってここから出発するが、それは少なくとも長い目で見た生産諸関係と、指導者、組織者そして仲介者の巧妙な活動によって二重に決定されている）。マルクスは、どんな将来の革命においても労働者の運動は搾取のすべての形態（例えば小作農の酷使や零細企業の金融引き締めなど）を扱うのに熟達していなければならないし、万一、外国からの干渉があった場合には――彼はそれをプロレタリアのヘゲモニーにとってほとんど前提条件であるとみていた――国民の名において抵抗を率いなければいけないと論じた。これらの論文は最終的にはラジカルな革新を示していた。レーニンとトロツキーが熟達することになる戦略的批判の遡及的な「バランスシート」方式で

一七　Robin Blackburn（1945–）：イギリスの歴史学者で『ニューレフト・リビュー』のかつての編集者。
一八　Erica Benner：政治哲学者。
一九　Antonio Labriola（1843–1904）：イタリアのマルクス主義理論家。

ある。

第三章はマルクスの批判者クロポトキンに焦点を当てるが、彼は科学者として、気候変動に関する大きな国際的論争を巻き起こしたのである。この貴公子はもちろん、少なくともロンドンの中産階級の急進派や学者たちの客間で出会う者としては、ビクトリア朝後期のアナーキストたちの中でもっとも愉快で魅力的な人物で、たいていは、息をのむほど美しい娘のソフィアを伴っていた。しかし年じゅう彼を監視していたロシア帝国内務省警察部警備局は、この裏切り者の貴族でかつての探検家を、世界で最も危険な革命家のひとりとみなしていた。彼の知的興味は、マルクスおよびエンゲルスのそれに似て、雑食性のものであったが、マルクスが科学者を遠くから称賛していたのに対して、クロポトキンは自らが科学者であった。すなわち、傑出した自然地理学者で、満州およびアムール川流域の探検はその重要性と大胆さにおいて、アメリカ西部でのジョン・ウェズリー・パウエル[20]やファーディナンド・ヘイドゥンといった同時代人の探検に比肩するものである。彼は後にしばしば『ネイチャー』に寄稿し、また著書『相互扶助論』は現代生物学の「相利共生」を見事に先取りしているが、氷河地理学や氷床の後退に関する彼の主要な科学的研究（最初の一冊は地下牢で完成された）は、これまで翻訳されたこともなく、ごく最近になってロシア語で再出版されたばかりである。

シベリアおよびスカンジナビアでの実地調査から彼は気候変動について数多くの推論をおこない、それらは何十年もたって一九〇四年に『ジオグラフィカル・ジャーナル』の論文で一般に広まった。この記事の重要性、そして第三章の主要な話題は、クロポトキンが、自然な気候変動が人間の歴史を大きく動かしてきたと示した最初の科学者だったということである。これはものすごく独創的なことだとは思えないかもしれないが、実はそうだったのである。現在、ホワイトハウスの強引な否定がまかり通っているのと対照的に、一九世紀においては教養ある人々の見解は、人間の活動、とりわけ森林の乱伐と工業による汚染が、農業や、あるいは人間の生存そのものさえも脅かしかねない形で気候を変動させつつあるという考えを広く受け入れていた。クロポトキン以前に見出せなかったのは、自然な気候の経過での、重要な周期的ないしは長期的な動向に対する観測に基づいた十分な実例であり、またそうした動向が歴史を必然的に形作ってきたという証拠だった。『ジオグラフィカル・ジャーナル』の論文の中で彼は氷河期の終わりというのは依然として継続中の過程であり、また進行中の乾燥化がもたらす影響はユーラシア大陸を横断して目に見え、アジアの遊牧民がヨーロッパにときおり猛攻撃をかけることを含めて、一連の破滅的な出来事を引き起こしてきたと論じた。

残念なことに、彼の調査研究は、あの赤い惑星上で観測されたと思われた精巧な「運河」網によって明らかにされた、火星の「滅びつつある文明」に関する議論と即座に結びつけられた。これらの運河を最も熱心に支持したパーシバル・ローウェル[二一]は、火星は単に地球の未来をあらかじめ物語っているに過ぎないと主張する本を書き、ユーラシアで進行中の乾燥化についてクロポトキンやその他

二〇 John Wesley Powell（1834–1902）：ロッキー山脈、グリーン川、コロラド川周辺の学術調査をおこなった。Ferdinando Hayden（1829–87）：地質学者でロッキー山脈の調査探検をおこなった。

二一 Perceval Lowell（1855-1916）：アメリカの実業家・天文学者で、火星人の存在を唱えた。また冥王星の存在を予想した。

を引用した。しかし『ジオグラフィカル・ジャーナル』の議論による衝撃で生命を得た、クロポトキンが生んだ真のフランケンシュタインの怪物はアメリカの地理学者で、以前に宣教師だったエルスワース・ハンティントン[二二]で、積極的に自分を売り込むことにたけていた彼は、直線的な乾燥を自然の周期、有名な「アジアの鼓動」として解釈しなおした。文明の興亡についてであれ、単に人間の気分についてであれ、気候が決定するという彼の信念はすぐに歴史についての奇怪な人種的理論へと変態し、ほとんど二世代にもわたって歴史的気候に関する調査の源泉を汚染したのだった。

　第四章の「誰が箱舟を作るのか？」を書いた時、「人新世 Anthoropocene」[二三]、つまり先行する類似物を持たない、産業資本主義の生物地球化学的な衝撃によって定義されるものとして提案された地質年代、についての議論は、まだ大部分は地球科学の範囲内に限定されていた。それ以降、この言葉はミームの速度でもって広がり、こうした議論ばかりではなく事実上ほかのすべてを包含するようになっている。「人新世」という見出しにまとめられた新刊・近刊書籍を見れば『人新世における世界政治』、『人新世における終活』、『人新世における愛』、『人新世における浮かれ騒ぎ』、『人新世における美徳』、『人新世における詩』、『人新世における希望と悲嘆』、『人新世におけるサンゴ礁』などといった表題が見つかる。言い換えれば、人新世は、地球システムの過程にして層序学的指標といった本来の限定要因をはるかに超えて、すべての新しいものの上に投げかけられる広大で、時として意味のない覆いという意味と、「ポスト‐ナチュラル」な存在論についての、でたらめで無規律な憶測の許可証という意味の二重の意味でポストモダニズムの後継者になった。ラジカルな批評家たちは、当然のこととして人新世のごた混ぜの議論と融合した偽りの普遍的特質に焦点を当ててきた。たとえば

「地質学的主体としての人間」（資本主義に代わって）とか、「人間の生存への脅威」（金持ちは間違いなく生き残るだろう。存在の脅威は貧しい多くの者たちに向けられている）、「人間の化石燃料のフットプリント」（「あんた、何言ってんだ、キモサベ？」）などなどである。

「箱舟」は自分自身との論争である。前半ではわたしは悲観主義を擁護する。つまり、豊かな国々（あるいは階級）に「自分たちの生態学的負債」を、豊かな国々の歴史的排出物の破滅的な結果の大きな部分を引き受けることになる貧しい国々に対して、返済させるようないかなる前例も、合理的行為者の論理も存在しないのである。同様に人新世の混沌は、資本主義のより広い文明的な危機と分離しがたく繋がっているのだ。この惑星の労働力の大きな部分は、例えば、いまだ対処されていない貧しい都市の住宅及び環境的要求と、極端な気象現象へ適応することに専念する必要がある。しかしグローバル資本主義はもはや仕事製造機ではない。全くその反対で、地球上で最も急速に増大している社会階級は失業者と非正規雇用労働者である。市場の力がこの膨大な余剰労働力を動員して人新世の難題に対処するといった現実的なシナリオはまったくないし、大干ばつと上昇しつつある海面によって余儀なくされる人間の移動を受け入れるような政策が採用される見込みはまるでないのである。これらはマルクスとエンゲルスによって思い描かれたどんなことをもはるかに超える範囲の、下からの革

二二　Ellsworth Huntington（1876-1947）：アメリカの地理学者、環境決定論者。
二三　Anthropocene：ノーベル化学賞を受賞したオランダの大気化学者パウル・クルッツェンの造語で、更新世以後の、人類の重要性を強調した新しい地質年代を表わす。

命を要求することだろう。

「箱舟」の後半では、例外なしの高い生活水準を持続可能性の要求と一致させる希望はないと論じる環境問題研究家たちによって限定された、偽りの選択肢に焦点を当てる。たとえ資本主義の都市化がそれほども多くの面で大きな問題で、排出物の大部分や、地下水の不足、汚染物質の大きな流出に対して責任があるとしても、わたしは都市をそれ自体の考えられる解決策として提案する。われわれはゼロ炭素の足跡（カーボン・フットプリント）でもって、私的な、を公的な豊かさに変えなければならない。もし個々に区切られた私的な消費でなく、進んで民主的な公共空間、すなわち持続可能な平等性の原動力、を作ろうとするなら、「環境収容力」の地球規模での不足はまったくない。われわれは一八八〇年代と一九三〇年代初めとのあいだに社会主義者や無政府主義者の思想を形作ったユートピア的アーバニズムの中にこうした驚くべき議論――そしていくつかの場合では具体的な実験――を再発見することで想像力に火をつける必要がある。われわれすべてが新たなる暗黒時代に対する唯一可能な代替物であると信じる *alter monde*〔もう一つの地球〕は、古い夢を新しく夢見ることを求めているのだ。

第一章　古き神々、新しき謎——革命的主体についての覚え書き

『両極端の時代』〔『20世紀の歴史―両極端の時代―』ちくま学芸文庫〕が出版されたすぐ後、一九九五年のインタビューでエリック・ホブズボームは社会主義思想が将来通用するかと問われた。それは「歴史的力」が依然として存在して社会主義者の計画を支援するか否かにかかっている、と彼は答えた。「歴史的力は必ずしも思想に支えられているのではなく、ある特定の物質的状況に支えられているとわたしには思える……左翼の大きな問題は、主体の問題である」。現代的生産における可変資本率の減少、そしてそれゆえ産業プロレタリアートの比率が減少していくのに直面して、

われわれはある異なった形で前資本主義的社会へと引き戻されているのに気づくかもしれないが、そこでは最も多くの人々は賃金労働者ではなくなるだろう——彼らは何かほかのもの、第三世界の大きな部分で見られるように、非正規経済のグレイゾーンで働いていて、賃金労働者ともあるいは他の何とも単純に分類できない者になるだろう。現在こうした環境のもとにあって、問題は明らかに、この一群の人々が、疑いもなくまだそこにあり、今では形式上はある程度までより緊急になっている目的を実現するために、いかに動員されうるかということである。(1)

ホブズボームはもちろん世界の製造業が東アジア沿岸へと移動していて、過去一世代で中国の工場労働者階級（二〇一一年で二億三二〇〇万人）がほとんど指数関数的に増大していることにすべての原因を見出していたわけではなく、従来の労働者階級の経済的・政治的な力——現在では、打撃を受けたブラジルや南アフリカなどのBRICSを含めて——の低下が実際空前のものであったことに原因を見たのだ。[2]合衆国のみならずヨーロッパにおいても、低賃金の国々への職の流出、アウトソーシング、オートメーションなどを通じた、産業雇用の浸食が、サービス労働の不安定化やホワイトカラーの仕事のデジタル産業化、そして労働組合に組織化されていた公共雇用の停滞ないしは衰退と手に手を取って進行してきた。[3]労働協約がマクロ経済を調整していた半世紀前だったら高い賃金と労働時間の短縮として労働者と共有されていたかもしれない生産性の革命的増大は、今日では単に、大多数者の経済的安定がさらに低下する前兆となっているに過ぎない。労働統計局によれば二〇一三年におけるアメリカの経済は一九九八年に比べて四二パーセント多くの商品やサービスを生み出しているが、それでも総労働時間（一九四〇億時間）は二〇一三年には一九九八年とまさに同じである。[4]製造業自体を見れば実質GDPに占める産出割合は一九六〇年以降おどろくほど安定しているのに対して、その雇用割合はロナルド・レーガンの就任以来急激に低下している。絶対的規模では、一九八〇年におよそ二〇〇〇万人だった生産労働力人口は、二〇〇〇年代に入ってからほとんど六〇〇万の職が失われ、二〇一〇年には一二〇〇万人へと減少している。[5]

アンドレ・ゴルツ[1]は二〇年前に「新しいシステムが確立され、『労働』を大規模に消滅させている」と警告した。「このシステムはそれが消滅させせつつある『労働』を手に入れるために一人一人を全員と戦わせるよう仕向けることで支配、征服、搾取という最悪の形態を復活させせつつある」[6]。職に対するこの増大した競争（あるいは少なくともそうした競争の認識）は新しく認定されたエリートたちやハイテク長者たちに対する労働者階級の憤りに火をつけているが、それと同じようにこの新しいシステムは団結という伝統的行動規範を萎ませ、害し、グローバライゼーションに対する反乱を、反移民という敵意に満ちた反動に変形させている[7]。旧来の社会民主的ないしは中道左派的政党はどこでも、ネオリベラル・グローバライゼイション〔新自由主義的全地球化〕に対する代案を描き出すことにも、ラスト・ベルト（斜陽工業地帯）で、埋め合わせとなる高賃金職業を生み出すための戦略を広めることにも失敗してきている。たとえ新自由主義の嵐が通り過ぎるとしても――そういうことが起こりそうな気配はほとんどないが――単に生産と日常的管理だけのではなく、可能性としては起こりうるOECDブロック内の全仕事の半数ないしはそれ以上のオートメーション化は、中核的経済における職の安定の最後の名残を脅かすことだろう[8]。

オートメーションというのはもちろん、何世代にもわたって、接近しつつあるデス・スター[二]で、近代のあらゆる時代において科学技術による失業に関する大きな議論を伴ってきた。世に入れられない予言者たちの中には、一九三〇年代のスチュアート・チェイス[三]とテクノクラシー運動、一九五〇

一　André Gorz（1923–2007）：オーストリアの社会学者、ジャーナリスト。
二　スター・ウォーズに出てくる宇宙要塞。

年代のノーバート・ウィーナー[四]とベン・セリグマン、一九六〇年代の〈三革命特別委員会〉[五]、とその有名な後継者たる、〈科学技術、完全自動化、経済的発展に関する全国委員会〉、そしてそれに続く五〇年以上にわたる何百もの研究や、本や、記事が含まれている。[9] 左翼の側ではハーバート・マルクーゼ[六]とアンドレ・ゴルツが、オートメーションは不可避だから、「労働に基づく」マルクス主義を捨て去り、プロレタリアートにさよならを告げる（後者の一九八〇年の本の表題）時だと論じた。しかし最近まで省労働技術の雇用への衝撃は、新しい製品や産業（典型的に、軍事支出によって資金を供給される）や、行政機関および公共部門の職の増大、そして消費者信用と家計負債の情け容赦ない膨張によって鈍らされてきた。しかしながらすべての証拠が、今や実際に戸口に、特に低賃金労働者の戸口にいる（ロボットの）狼を指し示している。二〇一六年の『経済諮問委員会年次報告書』は一時間当たり二〇ドル以下の賃金しか支払われない職の優に八三パーセントは近い将来オートメーションの脅威に直面すると警告した。[10] 直接的な結論として、「プレカリアート」[七]には素晴らしい将来があるのである。

　次世代の人工知能システムとロボット、いわゆるデジタル技術の「第三の波」、が人間の労働力に取って代わるのは、工業化された東アジアでも例外ではないだろう。[11] 実際、ジョブ・キラーは既に到達しているのである。世界最大の製造業者ですべてのエレクトロニクス製品の推定五〇パーセントを引き受けている〈鴻海科技集団／富士康科技集団〉は現在、深圳工業団地その他で組立工を一〇〇万台のロボットに置き換えつつある（ロボットは労働条件に絶望して自殺しはしない）。[12]〈フィリップス〉は、「世界中のどんな消費者向け装置も作ることができ」、安価なアジアの労働力への需要を代替するロボット化された生産システムの登場を宣伝している。その原型はオランダのフリースラントにある完全自動化された工場で、それは十倍もの数の労働者を雇っているマカオ近郊の珠海市にある姉妹工場にやがて取って代わるだろう⒀。同様にＧＥは何十億ドルもつぎ込んで産業用インターネット、すなわち「ＩｏＴ（もののインターネット）」を開発し、機械と製造システムを、安価なデータ・クラウドを利用して、ネットワーク化されたセンサーや自動化された設計工程と合体させようとしている。究極的にＧＥは、その製品すべての「事実上の双子」を作り、製品が作られる前に技術者たちにテストさせ、またそれらをしてバーチャル・モデルに実世界のデータを供給させ、性能を向上させたいと思っている。この製造業の鏡の世界では、コンピューターの助けを借りた設計は、コンピューターに指揮された設計に取って代わられ、ヨーロッパおよび北アメリカだけでなく、アジアの工業技術と組み立てラインでの職の双方をさらに摩滅させるという結果をもたらすだろう⒁。

その一方で、南の発展途上国の多くでは、都市化に伴う工業化と、有給の職で暮らしを立てること

三　Stuart Chase（1888–1985）：アメリカの経済学者。
四　Norbert Wiener（1894–1964）：アメリカの数学者、哲学者。Ben B. Seligman（1912–1970）：アメリカの経済学者。著書に『コンピューター文明とは何か』など。
五　Ad Hoc Committee on the Triple Revolution.
六　Herbert Marcuse（1898–1979）：ドイツ出身でアメリカに帰化した哲学者。
七　precarious（不安定な）とproletariatを組み合わせた言葉で、不安定な雇用・労働状況における非正規雇用主および失業者の総体を表わす言葉。

表1.1　世界の職業危機[15]

世界の有効労働力人口（2015）	30億人
「脆弱な労働者」（非正規／失業中）	15億人
日給5ドル以下の労働者	13億人
労働市場にない生産年齢の人々	20億人
非活動の若者（働きもせず学校にも行っていない）	5億人
児童労働者	1億6800万人

の分離という一九八〇年以降の構造的潮流が、「経済成長の諸段階」についての教科書的な考えを覆してしまった[16]。インドやナイジェリアといった最近のGDP成長率の高い国々でさえ失業と貧困は減少するどころか急速に増えており、それが二〇一五年の〈世界経済フォーラム〉での協議事項のトップに「職なき成長」が所得格差と並んだ理由である[17]。その一方、とりわけアフリカの田舎では貧困は急速に都市化されていて――あるいはおそらく「閉じ込められている」という方がより良い言い回しだろう――移民たちが現代的生産諸関係の中に再編入される見込みはほとんどない。彼らの行く先はごみごみした難民キャンプと職のない周辺のスラムで、子供たちがそこで夢見ることができるのは売春婦になることとか自爆テロである。

貧しい地域だけでなく豊かな地域でもこうした変化が最終的に意味するのはプロレタリアート化の前例のない危機なのだ――あるいは、その意識と、変化を成し遂げる能力とが依然として大きな謎である主体によって体現された「資本に対する労働の真の従属」という危機と言ってもいい。ニールスンとスタッブスは『資本論』第二三章の言い回しを使って「資本主義の、長期的に矛盾した労働市場の変動の不規則な展開は、世界中の国々に非常に不均一な形態と数とで分布した、大量の相対的過剰人口を生み出しつつある」と主張した。「それは既に現役労働者よりも数が多く、中期的将来においてさらに増大させられようとしているのである」。どこを向いてもわれわれはマルクスの警告を思い出させられる。「生産的労働の目的は労働者の生存ではなく剰余価値の生産であるから、剰余労働を生み出さないすべての必要な労働は資本主義的生産にとっては余分であり無価値である」。[18]

臨時の、ないしは集産主義化されていない労働としてであれ、零細起業家ないしは生活のための犯罪者であれ、あるいはまた単に永久の失業者としてであれ、この「余分な」人間の運命は二一世紀のマルクス主義にとって中核的問題となった。共通の感情と共有の運命という古い範疇は依然として「民衆の諸階級」という考えを明確に定義しているのだろうか、とオリビエ・シュバルツは問うている。[19][20] ホブズボームが警告したように、この非正規労働者階級の大きな部分が集団的な力の源泉を、権力の梃子を、そして国際的な階級闘争に参加するための舞台を見出さない限り社会主義にはほとんど将来はないだろう。古典的社会主義の見地からは、プロレタリア的主体の消滅以上に大きな歴史的破局はあり得ないだろう。「[仮に] 来るべき社会革命の原動力としてのプロレタリアートという概念が捨て去られるなら」と一九〇六年にカール・カウツキーは書いた、「そうしたら、わたしは終わりだと、わたしの人生にはもはや何の意味もないと、認めなければならなくなるだろう」。[21]

しかしながら、ポスト－マルクス主義者たちがそうしているように、理論的再生のための出発点は「古い労働者階級」の葬儀でなければならない（「今日では、従来の革命の主体はもはや存在しない」とスルニチェクとウィリアムズ、そしてその他大勢は宣言した）[22] というのは大間違いだろう。荒っぽい言い方をすればそれは集合的主体（agency）の中で降格されたのであって、歴史からお払い箱になったわけではない。機械工、看護師、トラック運転手、教員は依然として労働の歴史的遺産を守る組織化された社会基盤として、西欧、北アメリカ、そして日本では残っている[23]。いかに弱体化し、意気消沈したとはいえ、労働組合は、「他者の尊厳と、世界の中の一つの場所という首尾一貫した感覚の周囲に基礎を置いた」生活様式を明確に表現し続けている[24]。しかし従来の労働者やその組合のメンバーはもはや数が増えていないし、世界の労働力の増加数の大部分はますます非給与所得者か失業者になっている[25]。近ごろクリスチャン・マラッツィがこぼしたように、「階級構成」というような範疇を使って、「雇用と非雇用の世界のなかで構成されている主体の断片化によってしだいに特徴づけられつつある状況を分析する」ことはもはや容易なことではない[26]。

高度に抽象的なレベルで、グローバライゼーションの現今の時期は理念型的経済の三部構成によって定義される。すなわち超工業的（東アジア沿岸）、金融／第三次産業（北米）、超都市化／資源抽出可能（西アフリカ）である。「雇用なき成長」は第一においては初期の段階で、第二においては慢性で、第三においては事実上絶対的である。われわれは、戦争と気候変動の万力に絞めつけられて、その主要な潮流が難民と移民労働力の送り出しになっている、崩壊しつつある社会という第四の理念型をつけ加えてもいいかもしれない。いずれにしろわれわれはもはや一個の典型的な社会ないしは階級に依拠して歴史的発展の危機的なベクトルのモデルを作ることはできない。「大衆」といったような抽象概念を軽率に歴史的主体として据えることは実証的研究の貧弱さを明確に露呈するだけだ。正統的ならざる社会的諸範疇が、資本主義に対する一致した抵抗のなかにどのように組み合わせられるかという謎を解きたければ、現代のマルクス主義は深圳、ロサンゼルス、ラゴスからの同時的展望で将来を精査できなければならない。

普遍的階級

どれほど予備的な仕事であっても、ひるんでしまいそうだ。革命の新しい理論は、まず第一に、古いものの中に基準を請い求め、古典的社会主義思想の「プロレタリア的主体」を明確にすることから出発する。最初の段階では、もちろん、主体（性）の自覚が理論に先行していた。「労働が地球を相続する」、そして「インターナショナルは我らがもの」という信念は、理論に依拠していたのではなくパンと威厳を求める闘争から火山のように激しくわき上がってきたのだった。自分たちの持つ、ラジカルな変化をもたらす集合的な力に対する労働者の確信は、その根っこを一八世紀後半の民主的革命に突き止められ、ビクトリア朝のブルジョアジーの恐れや悪夢によって十分に追認されていた（これは明白な事実だったが、少なからぬ数のマルクスの批判者たちは、折に触れては、革命的主体（性）とは単に形而上的な作り物、ヘーゲル的な妖怪で、その行動が実際には単なる功利主義的な計算によって規定されている労働大衆へ押しつけられたものに過ぎないと非難してきた）。

マルクス主義者たちのあいだの一般的意見を要約して、エレン・ウッドは主体（性）を、「物質的生活の特定の条件に基づいた集団的行動のための戦略的能力と可能性の所有」と簡潔に特徴づけた。わたしは「可能性」とは、意識的で必然的な行動のための、すなわち自己形成のための展開可能な潜在的能力であって、社会的条件から自動的かつ不可避的に生じる傾向ではないとつけ加えたいと思う。また、プロレタリアートの場合、可能性とは資本家が単に生産手段の所有から受け取る雇用し解雇する権力というような自然に与えられる力と同義語でもない。古典的社会主義の意味する主体（性）とはまたヘゲモニーを考慮に入れていた。つまり、社会の広い部門を一新する転換計画を開始する、ある階級の政治的、文化的能力である。「ただ社会の一般的権利の名においてのみ、ある特定の階級は普遍的支配権に対する権利を主張することができる」と若きマルクスは書いた。[27]

マルクスがモデルとしたのはもちろん、一七八九年の革命的中産階級で、彼らの歴史的使命はアベ・シエイエスによって見事に告知されていた。「第三階級とは何か？　すべてである。これまで政治体制の中で何であったか？　無である」[28]。人間の権利を財産の権利と同一視することによって、そして政治的平等を自由な経済競争と同一視することによって、この革命期フランスの偉大なイデオローグは階級の利害を普遍的な自由という驚くべき展望へと移し替えたのだ。ブルジョアジーを革命的階級として、進歩と人間の解放の推進者として、はっきりと認めることは、結果的に、王政復古期の有名な自由主義者トリオ――オーガスティン・ティエリー、フランソワ・オーガスト・ミニェ、フランソワ・ギゾー（「ブルジョアジーのレーニン」）――によって書かれた歴史書の中で祀り上げられることになった[29]。一七八九年は封建主義に対するブルジョア革命であり、貴族たちと興隆しつつある第三階級との数世紀にわたる闘争の頂点である、とする彼らの解釈は、一八三〇年の薄められた自由主義革命への強力なイデオロギー的正当化を提供したばかりではなく、こうした出来事に対する同時代の考えを形作ったのだった[30]。「マルクス自身が何をはばかることもなく認めているように」とホブズボームは強調する、「この人たちから彼は歴史における階級闘争という考えを引き出したのである[31]。要するに、彼らがすでに、革命的主体（性）という理論に対するすべての予備的な概念上の採寸をおこなっていたのだ。

新しい第三階級

マルクス自身がたどった道筋は簡単に述べることができる。ドイツ観念論哲学が大きくは一七八九年に対する複雑な反応だったのと同様に、彼のその哲学からの最終的決別は必然的に革命、そしてその意味と究極の目的とをめぐる現在進行中の闘いへの回帰を伴った。革命でまとまった政治的諸集団は、プロシアの独裁政治に対するヘーゲル左派の反対を含めて、一八四〇年代を通じてヨーロッパの政治的構想力の主要な地平を構成し続けた。レオポルド・フォン・ランケがかつてこぼしたように、「これまでしばしば終わったと宣言されてきたこの革命は、決して終了しないように思える。それは常に新しく、敵対的な姿で再び現れる[32]」。マルクスの場合は、すでに『ライン新聞』——ライン地方の自由主義の代弁者——の革新的編集者としての最後の日々をすごしていて、民主的な改革主義から、ジャック・ルーと一七九三年の〈アンラジェ宣言〉流の社会共和主義への一線を越えていた。「社会問題に直面して」とスタティス・コウベラキスは言う、「マルクスはフランス革命の伝統と、ロベスピエール支持者たち、都市のサンキュロット、そして農民運動の最過激派によって擁護された『大衆的経済学』という計画——財産権を生存権に従属させることを中心に据えた計画——の中に身を置いた[33]」。

一八四三年夏のイェニー・マルクスとのスパ・クロイツナハでのハネムーンから、パリに移住した後の一八四四年の春までずっと、マルクスはフランス革命の歴史的文献、とりわけ、以前のサン＝シモン主義者であるP．＝J．＝B．・ブーシェとP・C・ルーによって注釈をつけられ、全四〇巻で刊行された記念碑的文献集の研究に没頭した[34]。（彼の読書ノートの一部分は『クロイツナハ・ノート』として保存されている）。彼の協力者であるアルノルト・ルーゲはある友人にこう書いている。「マルクスは国民公会の歴史を書きたがっていて、すでに大量の本を読んでいる[35]」。やがてこの本は放棄されるものの、革命の歴史についての彼の研究は、「ヘーゲル法哲学批判序説」（一八四三−四四）から『哲学の貧困』（一八四七年）に至る最初の重要な理論的著作群にとって必要不可欠であった。政治のフォイエルバッハ〔すなわち、ヘーゲルの国家概念の批判者〕になろうと出発した若きマルクスは、その代わりに、最終的にはフランス革命の批判的理論の概要をスケッチすることになった[36]。これは、彼が今や「純粋に政治的な革命」というジャコバン党のモデルと、近ごろ彼がライン地方で唱えていた過激な民主主義との間の矛盾に直面していたという点で自己批判となった。

一七八九年の未完の仕事は、大陸のありとあらゆるところで再開をせがんでいたにもかかわらず、絶対主義の破壊も普通選挙権の勝利も、もはや、大衆的共和主義の真の目的である、あの小生産者たちの平等な社会を達成することはできないし、ましてや労働の疎外と、競争と所有欲の強い個人主義に基礎を持つ自由主義的秩序の根本的要素だった人間の「類的存在」に打ち勝つこともできないだろうとマルクスははっきりわかった。さらに七月王政でみずからの特殊な利害を祀り上げたフランスのブルジョアジーは「それ以後、人間の究極的目標を実現するという任務を課せられた、国家の普遍的理想を体現しているという見せかけを捨て去った[37]」。その代わりに、大規模生産者が小規模生産者から私有財産を取り上げることから生じてきた、工業および商業資本の権力の増大は、共有財産という制度内でのみ *liberté*〔自由〕は *égalité*〔平等〕として達成されうると論じていた本来のサンキュロットの共産主義者であるグラックス・バブーフとシルバン・マレシャルの予見が正しいことを確証した。

証拠は不吉でまたいたるところに存在していた。ウォーレン・ブレックマンはマルクスとヘーゲル左派に関する高く評価されている研究の中で、彼らが「一八四〇年代にフランス社会主義を受け入れようとしたのは……単に彼ら自身のイデオロギー的行き詰まりの表われだけ」でなく西欧で「極貧状態の危機」が悪化してゆくことに対する反応でもあった、と強調した。「一八四二年までに、多くのドイツの知識人たちは貧しい人々の窮状に鋭く気がついていたのだ」[38]。しかし当時のフランスの社会主義および共産主義の諸党派に関する詳細な記述でマルクスのような若いドイツの急進派の興味を生き生きと掻き立てていたローレンツ・フォン・シュタインは、実際には、一つはおなじみの、もう一つは狼狽してしまうほど新しい、二つの異なった貧困があると指摘していた。

それは単に労働者階級の一部の貧困だけでなく、そして産業の変化を通して人口の大きな部分を襲う貧窮化だけでもなく、それこそが産業による極貧状態を特徴づけている、産業上の諸条件によって家庭内で世代から世代へと再生産されている貧困でもある。単なる貧困と極貧状態との大きな違いははっきりと見て取れる。仕事と収入の欠乏は結果として貧困を生みだすが、極貧状態は仕事と賃金によってもたらされるのだ。産業社会においては貧困は慈善を通して対処できる。極貧状態と戦うためには産業の労働・賃金体系の全体が変えられなくてはならない……。極貧状態こそが実際的な人々を……社会主義の考えを採用しようという気にさせてきたのだ。[39]

言い換えれば、市民社会を一変させた社会革命だけがこのビクトリア時代の中心的パラドックスを正すことができたのだ。つまり、マルクスが「人為的な貧困」と呼んだ、前例のない生産力の成長と関連したこの根本的な新しい悲惨さというパラドックスを。しかし誰が〈蒸気の時代〉の第三階級、すなわち「普遍的階級」を構成することになるのか？

マルクスとイェニーがセーヌ川左岸のバノー通り三八に引っ越したときには答えに疑念はほとんどなかった。他の若い急進的知識人たちと同様に、マルクスはイギリスのチャーチスト運動に、当時のシレジアの織工たちの反乱に、そしてパリの職人や労働者のあいだで共産主義および社会主義思想が劇的に沸き上がったことに衝撃を受けた。新しい社会的力が目覚めつつあり、マルクスはモーゼス・ヘス、フローラ・トリスタン、フォン・シュタインらの例に倣って、資産を持たないプロレタリアート――伝統的な地所と私有財産制度から締め出され、そこに何の利害関係も持たないグループ――を革命的ブルジョアジーの後継者に指名した。もちろん、元のヘーゲル的制約の中ではマルクスのプロレタリアートは一つの抽象概念――あるいはむしろ抽象的解答――で、フランス革命史とヘーゲルの国家論の並行した批評から姿を現わしてきたものであった。パリ時代の著作の中でマルクスは同時に以前の「哲学的良心」と対決もし、また最近のドイツ自由主義の失敗のバランスシートを書き上げてもいた。コウベラキスが指摘するように「マルクスは現実の（とりわけパリの）労働者運動と接触する前に理論的・象徴的レベルでプロレタリアートと出会うが、それは彼が、前から存在していた政治的疑問（危機をすぐさまドイツ革命に転換する道筋をどう構想するか）への回答を（文字通り）探していたからである」。

「哲学的プロレタリアート」は、マルクスがパリの職人たち、とりわけ地下組織である〈義人同盟〉（彼の隣人はその指導者たちの一人だった）のドイツ人の仕立屋や家具職人たちと関係してゆくにつれて、急速に血肉を獲得していった。「パリの社会的テキストは、彼がフランスに向かう前に読んでいたほかのテキストの理解を大きく拡大した」とロイド・クラマーは述べている。[40] 一八四四年の春までにはマルクスは大っぴらに共産主義者を名乗っており、その夏にはルーゲがシレジアの織工たちが六月に蜂起したのをもはや意味のない自暴自棄の古めかしい行動だとけなしたことで、不運な『独仏年誌』の、この共同編集者と決別している。「ドイツの貧民は貧しいドイツ人以上に賢いわけではない」とルーゲは主張した、「つまり、かれらは自分たち自身の暖炉と家庭を越えてはどこも見ていない」。マルクスは猛烈な反論で答え（「『プロイセン国王と社会改革――プロイセン人』に対する批判的論評」）、プロレタリアートの「ダイナミックな能力」――とりわけ一般的な利害を組織立て、それに基づいて行動する高度な力――をブルジョアジーの「政治的無能力」と対比している。

> 『織工たちの歌』、戦いへのあの大胆な呼びかけ、を思い出してみるがいい、そこには暖炉や家庭、工場や地域に対するひとことの言及もなく、そこにおいてプロレタリアートは即座に、鮮烈で、明確で、何の抑制もなく、力強い形で私的所有の社会に対する反対を宣言している。シレジアの蜂起はフランスとイギリスの労働者の蜂起がそれと共に終わるもの、つまりプロレタリアの本性の意識、から始まる。……単に機械、すなわち労働者たちのあの競争相手、ばかりでなく、元帳、財産所有権も破壊される。そして他のすべての運動が主に産業会社の所有者だけに向けられていたのに対して、この運動は同時に

銀行家、すなわち隠れた敵にも向けられている[41]。

マルクスはパリの共産主義者のサークルで強烈な教育を受けたあとすぐ、一八四五年の夏（七月一二日—八月二一日）に新しい協力者フリードリッヒ・エンゲルスと共にマンチェスターおよびロンドンへ調査旅行に行ったのだが、エンゲルスの『イギリスにおける労働者階級の状態』は共産主義へと向かうマルクスの路上の燃える柴[八]だった。ニール・デイビッドスンは次のように指摘している。「エンゲルスはイギリス労働者階級の存在的悲惨さ——すでにトーマス・カーライルなどの著名な非革命的人物たちの心を煩わせていた——を越えて、それが持つ潜在的な力に注意を払った最初の評者の一人で、この点でマルクスその人の先を行っていた[42]」。ランカシャーはもちろん第一次産業革命の火床であり、「人民憲章」の大運動の震源地でもあった。「チャーチスト運動は何よりもそれに基づいてマルクスとエンゲルスが階級意識を分析した運動だった」とドロシー・トンプスンはわれわれに思い出させる[43]（マンチェスターについてのマルクスの知識は次第に深いものになる。「マルクス—エンゲルス年表」によれば、マルクスは生涯を通じてエンゲルスを二五回訪ね、この産業の中心地で一年半を過ごした[44]）。

遅くとも一八四七年までには革命的勢力としてのプロレタリアートという、急速に熟しつつあった彼の概念は、少なくとも三つの大きな点で空想的ないしは「ブルジョア的社会主義」（エンゲルスの言葉）のそれとは異なっていた。第一に、ハル・ドレイパー[九]とマイケル・レービが、マルクスの初期の著作の詳細な注釈の中で示したようにマルクスは道具である行為主体という前提を避けた。すなわち、誰かある改革家によって企図された新しい社会を達成するための単なる選挙民で暴力的手段としての労働者である。それに代わって、フローラ・トリスタンがもっと前にそうしていたように、いわゆる「唯物論的共産主義者」たちによって急進的職人の仲間内で唱えられていた、独立独行、そして自己解放としての行為主体という解釈を取り入れた。この視点の最も雄弁で熱烈な擁護者は学校教師のテオドール・デザミ[一〇]で、彼はブランキのもと戦友であり、伝説的な一八四〇年のベルビルでの共産主義者の宴会の主要な組織者だった。マルクスに影響を与えた論争の中でデザミは、金持ちと貧乏人の和解というイカリアニスム的[一一]な空想を拒絶し、プロレタリアの団結を最優先としていて、以前の仲間であったエチエンヌ・キャベが、「プロレタリアは誰かブルジョアを、誰か有名人の名前を、先頭にすることなしに、勝手に自分で共産主義の旗を掲げている」という理由で宴会に参加しなかったことで彼を蔑んでいる(45)。

レービはこの時期を証拠に基づいて解釈する中で、自己解放という考えをマルクスが手直しした二つの里程標を提出している。マルクスは、「非常に過小評価されている」『前進《フォアベルツ》』の論文「プロイセン国王と社会改革」（一八四四年八月）の中で、シレジアの織工たちの蜂起を称賛し（「序説」中の）能動的力としての哲学と受容的な力としてのプロレタリアートのあいだのヘーゲル左派的な区別を修正し

八　「出エジプト記」第三章。モーゼが近づくとそこから神の声がきこえ、イスラエルの民をエジプトからカナンへ導けと告げる。

九　Hal Draper（1914–90）：アメリカの社会主義活動家。Michael Löwy（1938–）：マルクス主義社会学者、哲学者。

一〇　Théodore Désamy（1808–50）.

一一　一九世紀後半にエチエンヌ・キャベの信奉者たちによって打ち立てられた空想的社会主義。

た。「社会主義はもはや純粋理論として、『哲学者の頭の中で生まれた』考えとして、提出されているのではなく、実践として提出されている［そして］プロレタリアートは今や明らかに解放の能動的要素となる」。一年後、フランスから追放されたすぐあとに、マルクスは『フォイエルバッハ論』を執筆し、レービはそれをエンゲルスに倣って「マルクスの最初の「マルクス主義的」著作」とみなした。とりわけ第三テーゼは「恩着せがましい救済者」を追放し、プロレタリアート自身の革命的闘争を通した自己教育を、自己解放の「理論的基盤」としている。「環境の変更と、人間活動の変更すなわち自己変革の一致はただ革命的実践としてのみ考えられ合理的に理解できる」。この明確な記述はまさに「超越、一八世紀の唯物論（環境の変更）とヘーゲル左派主義（意識の変更）との対置の止揚」を表わしているとレービは論じている[46]。

第二に、プロレタリアートは——貧しい職人や機械化されていない工場の手仕事労働者といったような未成熟ないしは過渡的な姿であっても——今や民主主義を求める闘いを最後まで追求する潜在的意思と根底的必要の双方を備えた唯一の階級である。『ライン新聞』——ブルジョア階級に属すその後援者たちはプロイセン王国による検閲の最初の一撃で腰が砕けてしまった——の編集者としての波乱に富んだ経験は、ドイツの自由主義的な中産階級が一七八九年の第三階級の断固とした態度で旧体制《アンシャン・レジューム》に反対する運動を導くことができるという幻想を粉みじんに打ち砕いてしまっていた。ドレイパーやレービ、その他の人々が強調しているように、すでに一八四四年の「序説」の中に、「永久革命」という理論の核は存在している。プロレタリアートという姿を現わしつつあった脅威を理解して脱ラジカル化されたドイツのブルジョアジーは民主的共和国を求める闘いを放棄する。プチ・ブルジョアジーや農民といった部分と一緒になってそれに取って代わったプロレタリアートは、単に憲法を勝ち取っただけでは革命的進行を停止しようとはしない。一八四八年に、〈共産主義者同盟〉の指導者、そして『新ライン新聞』の編集者としてラインラントに戻ったあと、マルクスは、ドイツ民主革命を生かし続けるための、日々の闘いにおけるプロレタリアートの指導的地位をめぐる考えに磨きをかけた。その後の追放中にドイツおよびフランスの出来事について熟考し、そしてこうした経験を体系化した。

第三に、マルクスはプロレタリア化に抵抗したり、あるいは、プルードンや彼の多数の信奉者によって提唱されたような職人‐協同組合的原理に基づく代替的社会を建設したりすることに対する当時の見通しについては比類なく悲観的だった。[47] 産業革命は当時の何百万もの職人や農民にとっては大きな不幸ではあったものの、工場労働者という無産者階級を生み出していたばかりでなく、いつの日か彼らが人類すべてを解放するために摑むことになる生産力を発達させもしていた。歴史は巻き戻すことも停止させることもできないだろうが、早送りさせることはできるだろう。共有財産に対するプロレタリアートの物質的利害と、彼らの労働によって生み出されるプロメテウス的な生産力との最終的融合というのが解放の主体に対するマルクスのすべての言及に暗に示された公式だった。それが、プロレタリアートは自らの解放だけでなく「人が身を貶められ、従属させられ、見捨てられた、卑しむべき存在であるようなすべての状況を覆すという絶対的義務[48]」を負わされているという彼の有名な主張をはっきりと説明している。

失われた環

ハイデッガーの弟子であるカール・レービト[一二]をはじめとして多くの批判者が、マルクスがプロレタリアの主体（性）を受け入れたのは、新しい世界を築くことができるという確信ですでに満たされていた労働運動と次第に関わりを深くしていったことの素直な結果であるというよりは、彼の歴史理論の下に横たわる隠れたユダヤ‐キリスト教的終末論の証拠であると説明してきたのは、穏やかな言い方をすれば、常に奇妙なことだった。確かに一八四〇年代の多くのパリの社会主義党派、とりわけイカリア派はメシア的スローガンとプロレタリアートのキリストを待望する声とでいっぱいだったのだが、これは自由主義的ブルジョアジーが唯物論を受け入れたことに対する特にフランス的な反応だった。実際には左翼には二つの陣営があった。デザミや新バブーフ主義者たちのように、共産主義者で唯物論の誇り高き後継者たちと、唯物論を〈総裁政府〉や自由主義のイデオロギーと同一視し唯物論の伝統を拒絶したより大きなグループとである。「社会作業場」運動の父であり一八四八年の革命の第一段階で影響力の大きかった人物ルイ・ブラン[一三]は「宗教的モデル」のとりわけ熱心な提唱者だった。「十八世紀のフランス哲学者たちの世俗的唯物論はフランス革命期及びその後のブルジョア支配を正当化する個人主義理論を作り出した」とブランは論じた。「その一方、フランス民主主義は唯物論的（個人主義）哲学の伝統に反対し、団結と自由そしてキリスト教的福音の友愛の原理に賛成するルソー主義的遺産から生じた[49]」。

しかし、福音から説かれようと、「批判の批判」の厳しい結果から提示されようと、プロレタリアートという主体の普遍的な姿は、自由主義者によっても急進主義者によっても広く理解されていたような民主的革命という古典的範例における主体の代替物から生じたのである。ユダヤ－キリスト教的な解放の概念はただ大衆的なレベルで、そして主として職人や貧しい農民のあいだでだけ影響力があったに過ぎない。しかし革命的社会主義者は、唯物論的な革命の主体性の表現と、大衆的至福千年論的なそれの間を行ったり来たりすることに慣れていった。かつてジノビエフは共産主義インターナショナルの議長だった時に次のように説明した。

経済学者である批判者たちはよく「それでは、あなたの意見では労働者階級とは何なのです、救世主ですか？」と言ったものだ。これに対してわれわれの回答は次のようであったし、今でもそうだ。すなわち、救世主とか救世主信仰とかはわれわれの用語ではないし、われわれはそういった言葉を好まない。だがそれらの言葉に含まれている概念は受け入れる。そう、労働者階級はある意味で救世主でありその役割は救世主的なものである、というのは、これが全世界を解放する階級だからである……。われわれは救世主とか救世主信仰とかいった神秘主義がかった用語は避け、科学的な用語を好む、すなわちヘゲモニーを持つプロレタリアートである。(50)

革命的主体の三つの重要な要素——組織化の可能性、構造的な力、ヘゲモニーを持つ政治——は、

一二　Karl Löwith（1897–1973）：ドイツの哲学史家。
一三　Louis Blanc（1811–1882）：フランス第二共和政期の政治家、歴史家。

第二章で論じられる一八四八年についての著作の中で、系統立ってはいないにしても注意深い取り扱いをマルクスから受けている。それ以後マルクスはイギリス資本主義の記念碑的分析に集中するためにフランスの革命的歴史にはほぼ別れを告げる。ベンサイドが強調しているように『資本論』は生産(第一部)及び流通(第二部)のレベルで階級意識の構造的決定ないしは前提条件を分析しているが、具体的社会編成のレベルで直接に主体(性)を扱った彼の「成熟期」の正典的テキストは存在しない。[51]よく知られているようにルカーチはこう嘆いている。

マルクスの主著は、まさに彼が階級の定義に乗り出そうとするところ[『資本論』第三部第五二章]で断絶する。この脱落は理論にとってもプロレタリアートの実践にとっても重大な結果を持つことになる。というのは、この決定的に重要な点でのちの運動は、解釈と、マルクスとエンゲルスによる折に触れての発言の校合と、彼らの方法を独自に推測し適用することを基礎にせざるを得なかったからである。[52]

ルカーチが『歴史と階級意識』(一九二三年)において最初にこの「脱落」を正そうとして以来、マルクスの未刊の著作や草稿が、『一八四四年の経済学・哲学草稿』、『ドイツ・イデオロギー』、『経済学批判要綱』、『一八六一–六三年の経済学草稿』、重要な断片「直接的生産過程の諸結果」(『資本論　第一部』第六章)、そして『資本論　第三部』のもとの草稿を含めて回復され、解釈され、議論されてきた。しかし鍵となる大きな概念——階級、歴史的主体、国家、生産様式、等々——の道のりをたどるには、依然として三つの非常に異なった出所を注意深く開拓する必要がある。すなわち、主に一八四三－四七年の明確な哲学的陳述（エチエンヌ・バリバールが適切にも「プログラム・テキスト」[一四]と呼んだもの）、一八四八－五〇年に書かれた政治戦略的解説、そして以前の考えを拡大ないしは修正する経済的草稿の拾遺集である。[53] しかし断片的資料からのそうした再構成は、どれほど厳密な解釈をしようとも「真のマルクス」と解されるべきではない。それは単にまことしやかな、あるいは、もっとよく言えば、便利なマルクスに過ぎない。

　マルチェロ・ムストは、マルクスが自分の考えを新しくし体系化するのに失敗したのは、単に病に体を蝕まれ、また、たえず『資本論』を改定していたからだけではなく、図式化に対する彼の「本質的な嫌悪感」の必然的な結果でもあると言った。つまり、「年月が経ても変わることない、知識に対する消し難い情熱が、再三彼を新しい研究へと導き、最終的に彼は、晩年になって歴史の複雑さを理論的研究の内部に閉じ込めることの困難さの自覚へと到達し、こうしたことが未完成であるということを［彼の］誠実な友としたのだ[54]」。同じ調子で、バリバールはこう述べている。

> ほかの著作家たち以上にマルクスは状況の中でものを書いた。そうした選択はヘーゲルが言った「概念の忍耐」も論理的帰結の厳密な比較考察も排除しはしない。しかしそれは確かに安定した結論とは相いれない。つまり、マルクスは永遠にあらたなる始まりの哲学者で、数多くの未刊の草稿や研究課題を後に残したのだ……。彼の思考の中身は、立場の変化と分かつことができない。それだからマルクスを研

一四　政治的・革命的プログラムという意味と、研究プログラムという意味で（バリバール一一頁）。

究するにあたっては彼の体系を抽象的に再構成することはできない。断絶と分岐を伴った彼の発展をたどり直さなければならないのだ[55]。

マイケル・レボウィッツによれば、マルクスの沈黙のうち最も大きな損失は、企てられはしたが決して書かれることはなかった〈賃金‐労働〉——元の一八五七年の『経済学批判』構想の第三巻——だという。「その欠落が」、「全体としての資本」に焦点を当てる「『資本論』で詳細に述べられている体系が偏っていることの根本にある」。「全体としての資本主義」の理論は、しかしながら、「その闘争を通して発達する主体としての労働者」に対するもう一方の焦点を当然のこととして仮定しており、それは『資本論　第一部』で弱々しく展開されているに過ぎない。言い換えれば、失われた巻は資本の対抗者としての労働者が自己形成をするために不可欠の側面であるプロレタリアートの主体（性）の理論を示しただろう。マルクスによって意図されていた巻の諸断片は『資本論　第一部』に組み込まれ、レボウィッツは資本と労働という二面的な理論の断片を繋ぎ合わせるという健気《けなげ》な努力をしてきたのだが、〈賃金‐労働〉は部分的にしか再構成できない[56]。

このことを心に留めて、この章では正統的なマルクス理論の行使であるというふりも、『資本論』という未完の著作から主体の規定を導き出そうとする厳密な試みであるというふりもしない——そんなことは不可能なことだとわたしは考えている。そうではなく、ルカーチの推定を全面的に、無差別にまで使って、第一および第二インターナショナル期における社会主義労働者階級の理念型と一致する歴史社会学を提案する。とりわけ、一九世紀および二〇世紀初頭の労働者階級の歴史に対するわれわれの現今の理解――一九六〇年以来の、何千とは言わないまでも何百もの研究の成果――を掘り起こし、そうすることで、それを通して階級能力が生み出され、社会主義という企てが自らを組織した闘争の条件と形態を浮き彫りにする。社会主義者の意識と歴史を変える力は主として経済的階級闘争から現われ出るという（マルクスによって掲げられてはいない）過度に単純化された考えに対抗して、重層的決定（例えば、参政権運動による賃金闘争、およびその逆）を強調するが、それはローザ・ルクセンブルクが「大衆ストライキ」一五の輝かしい分析の中で階級意識と革命的意思の最も強力な発生装置とみなしたものである。

さらに、この再構成は第一に、現在の階級矛盾という根底的に変化してしまった条件下で主体について考える、比較の基盤として企図されていて、また将来の研究が、革命的主体に対する古典的反論を考えに入れなくとも済むようにする。それらのうちで最も注目しておかなければならないのはおそらくウェルナー・ゾンバルトの『なぜ合衆国には社会主義がないのか？』（一九〇六年）とロベルト・ミヘルスの『現代民主主義における政党の社会学　集団活動の寡頭制的傾向についての研究』（一九一一年）である。[57]言い換えれば、資本主義の墓掘人としての伝統的な労働者階級のための、理想化された最大限の議論――テーゼの形で提出された――を提案する。プロレタリアートは全世界の解放という仕事に必要な資格の履歴書を世界精神によって求められていると想像してみてもらいたい。[58]

一五　massstrikeの訳語は、従来の大衆ストライキという言葉をそのまま使った。このばあい、大衆とは、「人びとの大集団という意味をもった、あくまでも量的な概念である」（『ローザ・ルクセンブルク選集2』（現代思潮社））。

資格／能力（capacities）のこうした列挙はさまざまな形で修正され拡張されうるが、マルクスの中心的前提は変わっていない。闘争の中で獲得されるこうした資格／能力の総計は自己解放と革命のための現実的可能性だということである。資格／能力を与える条件は構造的でも状況的でもありうるということは思い出しておかなければならない。前者は生産様式におけるプロレタリアの位置から生じる。例えば、ただの可能性以上のものではないとしても、すべての都市、すべての産業、すべての国家においてさえも生産を停止するゼネストを組織する可能性である。後者は歴史的段階ないしは挿話的事件だけに限定されていて、究極的には一時的である。すなわち、ビクトリア朝後期の工員や造船技師などによっておこなわれ、第一次世界大戦とあたらしい生産方法の採用まで生き延びた、労働過程の非正規的管理の頑なな維持のような。状況的なものはまた、工業化の真っ最中に絶対主義がしつこく存在し続け、それがヨーロッパでは参政権闘争と産業的矛盾の力強い集中へとつながったが、アメリカではそうならなかった、というような非同期的歴史の交差も示す。

さらに、注意深いマルクスの研究者がやがては発見するように、資本主義の「運動法則」は多数の細目を伴ってやって来るのだ。マルクスの歴史的分析や経済学草稿の中には純粋な方向づけや単純な恒常的傾向はほとんどない。実際、蓄積過程にはニュートンの第一法則[一六]を当てはめたいという誘惑にかられるが、それはその動力学がしばしば傾向と反対傾向を同時に生み出すからである。たとえば「工場の形態は所有関係の資本主義的概念を体現しており、したがってそれを教える。しかし、マルクスが指摘するようにそれはまた生産の社会的・集団的な性格を必然的に教えることができ、それによって私有財産という資本主義的概念の土台を掘り崩すことができる」[59]。同様に『資本論』においては、生産の増大してゆく有機的組成（資本集約度）は資本財の価値減少によって金額ベースにおいて曖昧に相殺される。同じく、資源は代替的で、正反対の目的にさえ配分されうる。たとえば、技術的・科学的知識に対する渇望は労働者が生産を管理するための前提条件であるが、またいつかは経営者ないしは所有者になりたいと望む上流労働者の野望に奉仕しもする。自己組織化されたプロレタリアの市民社会も同様に階級的帰属意識を従属的で協調組合主義的な意味（ブルジョア的制度の周りを回るサブカルチャーとして）で強化することもできれば、（対抗的なカウンターカルチャーとして）主導的、先取り的な意味で強化することもできる。

さらにまた、自己形成と行動の源泉、およびその源泉を結集させる利害と、それを必要とする歴史的任務について焦点を当てるに際して、アレックス・カリニコスが『歴史を作る』において見事に扱った、社会理論家や歴史家たちのあいだの最近の主体／構造の論争のみならず、社会的存在論および意識についてのより抽象的な議論もわたしは回避する。[60] 危機理論のいばらの藪も避けて通るが、しかし主体は究極的には蓄積と資本家間の競争の動力学に条件づけられているのだ。実際、景気循環の螺旋状進行が周期的にプロレタリアートの前進の可能性を開いたり閉じたりするというのはマルクスの素晴らしい洞察だった。たとえばカリフォルニアのゴールドラッシュと東太平洋が世界の通商に開かれたことによる一八五〇年代のにわか景気は英国での労働争議を鎮静化させ、その一方で、一九〇九

一六　わかりやすい例は等加速度直線運動。しかしここでは第三法則（作用–反作用）のことを言っているのではないか。

—一九一三年のインフレと実質賃金の低下は世界的な規模での階級闘争を燃え上がらせた[61]。『資本論』は、失業率によって調節される階級の力のバランスを伴った生産と交換の必然的な危機という点から、革命の「客観的条件」に新しくより力強い意味を与えた。しかしヨーロッパ史の最も平和だった時期にその政治的・知的生活をおくったマルクスは戦争の経済学も、全世界的な規模での蓄積における戦争の役割も論じなかった。このことは『資本論』の基本計画の、理解可能だとしても大きな隙間だった。帝国主義間の戦争を、構造的変化および／または最大の経済・貿易の危機に匹敵する革命的機会の温室だとして思い描くことは、資本財の価値が増加することの継続的要求としての本源的蓄積に関するローザ・ルクセンブルクの著作に、そしてルーデンドルフ[一七]のドイツ戦争経済によって例証される、国家資本主義に関するレーニンの論文に託された[62]。

　最後に、われわれは実際の墓掘りをどのように特徴づけるのか？　これらの覚え書きのための「古典的プロレタリアート」は、一八三八年—一九二一年のあいだで考えられたヨーロッパおよび北アメリカの労働者階級である[63]。労働者の世界はもちろん構造的かつ社会的に不均一で、数多くの過渡的で矛盾した階級的位置づけを含んでいる。大都市の労働者階級の大雑把な類型論は、公式的なプロレタリアート（すべての無産賃金労働者）、貧窮化した職人たちという旧プロレタリアート、下働きや囚人そして賃金を支払われていない家族労働者などを含めしばしば法令で規制されている半奴隷労働者、その多くがまた貧農ないしは小作農でもある農業プロレタリアート、そして中核的な産業プロレタリアート（工場労働者、鉱夫、輸送労働者）を含むだろう。最後のタイプは機械化された生産——労働の真の包摂と呼ぶもの——によって客観的に社会化され、一八八〇年代まで、あるいはもっと後になっても労働運動の主力となることはなかった。この階級全体（公式的な労働階級）は、核に主発電機を備え、資本に対する抵抗を生み出し、他の諸部門の弱い経済力に梃入れする一つの巨大な配電網として思い描けるかもしれない。

革命的文献の中でプロレタリアートの「前衛部隊」ということがよく言われたが、この言葉は二つの異なった方法で適用されうる。（1）最大の経済力を行使し長い周期に渡って闘志を維持できる核となる労働者階級の部分、そして（2）経済力は小さくとも、社会主義的・無政府主義的考えの浸透によって区別される特定の職業グループ。第一次世界大戦までは、印刷工や、パン職人、仕立て職、石切り工、葉巻作り、そして船員はその仲間内の気風の中にはっきりとした革命的なイデオロギーを最も組み込みやすかった。[64] さらにペイル地方[一八]やシシリー島では村の職人が二〇世紀に入ってもずいぶん経つまで、都市の急進主義と農村の不満のあいだの決定的に重要な伝動ベルトとして残っており、一八九〇年代からは港湾労働者、木こり、収穫労働者、建設工といった臨時ないしは季節雇いの労働者がサンディカリズムや無政府主義の主要な地盤となった。[65] 一九一六年になって初めて革命的な金属労働者が階級闘争の舵を握り、一九三〇年代の大規模ストライキの中で初めて「フォード主義」工場の組み立てラインのプロレタリアートが中心的な役割を引き受けたのだ。

一七　1865–1937。ドイツの軍人、政治家。ヒトラーと共にミュンヘン一揆をおこす。
一八　アイルランドの旧英国王直轄地。ダブリン周辺。

本章はテーマにそって組み立てられているとはいえ、階級形成・闘争の特定の歴史的パターンを明らかに仮定している。「階級とは分離可能な実態として存在しているのではなく、ただ階級闘争の弁証法の中に存在しているのだ」とダニエル・ベンサイドは書いた[66]。したがってわたしの概念上の年代的ブックエンドの片側は一八三八年の人民憲章（デビュー）であり、もう片側は一九二一年のいわゆる三月行動（フィナーレ）である。この短い一世紀のあいだにプロレタリア化に対する職人たちの抵抗は彼らの孫たちである工場プロレタリアートの運動のためのイデオロギー的な土台を据え、一方で、小生産者たちの社会共和国という初期の夢は労働者評議会による産業労働者の共和国という構想へと変形していった。どちらの未来も短いあいだ存在した。前者は一八四八年及び一八七一年のパリの急進的な職人のコミューンとして、後者は一九一七－一九年の様々な「ソビエト」都市国家として（ちょうどパリ・コミューンが一八四八年の最終幕であったように、一九三六－三七年のバルセロナにおけるアナルコ－サンディカリストの革命は一九一七年のペテログラードへのアンコールとみることができる）。一九二一年のザクセンで準備不足の共産主義者の反乱が失敗し、ほとんどの国で労働運動が鎮圧されるにつれて、ソビエト連邦は致命的なまでに孤立し、まるまる一世代にわたって包囲され、一九一七年一〇月のスモルニーで思い描かれたものとは似ても似つかない独裁主義的な社会体制へと変化した。同時にヨーロッパ労働運動内部での古い社会党とあたらしい共産党とのあいだの対立は統一行動への永く続く障壁となった。その結果、コミンテルンのマルクス主義は、元来のマルクス・エンゲルスの理論的視野には含まれていなかった歴史的問題——反植民地主義、「代理の」プロレタリアート[一九]、農民、失業者、イスラム教徒、アメリカ農民まで——へと向かった。

階級闘争の時代区分　一八三八－一九二一年

（1）一八三八－四八年。プロレタリア化と産業化による貧困に対する反乱の真っただ中で社会主義・共産主義の教義の急速な拡散。ヨーロッパ大陸においては典型的な革命的主体は、機械化前夜の大量手工業生産のなかで生き残るために戦っていた自学自修の職人だった。しかしこれはまたチャーチスト運動の一〇年間でもあった。これは北部の工場労働者を数多く含めた初の全国規模の労働者大衆の運動だった。この時期は『共産党宣言』が刊行されて四か月とたたない一八四八年六月に、国立作業場の閉鎖に続くパリでの「社会主義者」の反乱の敗北と共に終わった。ヨーロッパからの革命論者の大量の移民は空想的社会主義にアメリカ西部での第二の生活を与えた。

（2）一八四九－六四年。鉄道や汽船の建設、都市の再生、綿織物の輸出に導かれたビクトリア朝中期の大好況は階級意識と社会革命にとっては後退であった。英国ではほとんどの伝統的手工業（建設業を除く）は衰退を続けたが、金属労働者という新しいエリートがチャーチスト運動期の広範な団結

一九　イスラム社会の女性たち。

を犠牲にして地位を固めた。合衆国では若い労働運動が、アイルランドおよび南ドイツからのカトリックの移民に対する「ノウ・ナッシング［二〇］」という反動によって分裂させられた。フランスではサン-シモンの以前の取り巻きで、〈クレディ・モビリエ〉を設立したペレール兄弟によって企まれた巨大な金融バブルが、第二帝政の興奮状態の真ったただ中で、職人たちの繁栄の小春日和を生み出した。地平線上のどこにも革命が見えなくなって、マルクスは大英図書館へと退却し、ブランキは地下牢で憔悴し、共産主義者の亡命者たちは苦々しい思いをかみしめつつ、次第に影の薄くなる諸党派へと分裂していった。一九世紀のチェ・ゲバラであるガリバルディですらが一時的に剣を捨て、ペルーから広東へグアノ（鳥糞化石）の積み荷を運ぶ船の船長を務めて借金を払うことを余儀なくされた。

（3）一八六五-七七年。第一インターナショナルの興亡。アメリカの南北戦争と一八六三年のポーランドの一月蜂起は英国とフランスにおける労働者階級の団結の力強い表現を引き出し、それによってやがて両国から労働組合指導者たちが結集し、一八六四年九月に〈国際労働者協会〉を結成する。二年とたたないうちに新世界も旧世界も、ホブズボームが「労働闘争の最初の国際的高揚」とみなしたもの、つまりパリ・コミューンの敗北に続く反動的な跳ね返りの後でさえも続いたストライキの波に摑まれていたが、それはそのあと一八七三年の不況によって崩壊した。労働運動の構成は急速に変化していた。「コミューンの敗北は職人の前衛の多くを殺し」、とロジャー・マグローは強調している、そしてフランスでは、英国と合衆国ではさらにそうであったのだが、炭鉱夫と鉄道員が前面に立つようになった。(67) 〈ボルチモア-オハイオ鉄道〉が一八七七年の夏に賃金の大幅削減を始めると、それは北部を横断する四五日間の労働者反乱に火をつけ、すぐに市街戦の様相を呈し（一〇〇人が死亡）、鉄道ストライキの参加者とその労働者の盟友たちは警察、民兵、連邦軍と戦った。セントルイスでは、大部分がドイツ系アメリカ人のマルクスおよびラサール信奉者からなる社会主義の〈労働者党〉が合衆国史上最初の全市にわたるゼネラルストライキを組織する手助けをした。階級戦争は大西洋を越えたのである。

（4）一八七八－八九年。これはヨーロッパと北アメリカの労働運動の「疾風怒濤」の一〇年だった。経済の回復と、組合及び労働者政党双方の組織的成長のあと、景気の後退と抑圧が続き、そしてこの周期が繰り返された。かつては織物と靴に限られていた工場制度が機械製造や資本財にまで拡大され、ドイツおよびアメリカの製鋼業者は新しいベッセマー製法によって英国の熟練工たちに追いつき、追い越すことができた。フランスと合衆国における近代的な大規模生産法はル・クルーゾやプルマンなどの企業城下町で習慣とされた「新産業封建主義」と手に手を携えて推し進められることがしばしばあった。[68] メーデーと八時間労働を求める運動はシカゴで無政府主義的共産主義者の移民の指導のもとで生まれたが、彼らのうち七人は素早く死刑台に送られた（ヘイマーケットの殉難者）。非革命的な〈労働騎士団〉はとりわけカトリックの労働者階級に気に入られ、ほとんど一〇〇万人のメンバーを

二〇　'Know Nothing'：アメリカで一八五〇年代に移民排斥を唱えた政治運動／団体。

有するに至ったが、そのあと急速に衰退し、この領域を、新しい〈アメリカ労働総同盟〉とそれが継承した八時間労働制を求める運動に対して開いた。急速に工業化するドイツ帝国では〈ドイツ社会民主党〉（一八七五年にゴータで新たに結成された）が劇的に成長し、かつてはラサールとなれ合っていたビスマルクをしてほとんどの形態の労働組合と共にそれを禁じさせるに至った。こうした地下組織化の「勇壮な時代」には「迫害は党を打ち倒すのに失敗したばかりでなくそのメンバーを急進化させ、理論的解明の過程へとつながり、カウツキーによって書かれた明白にマルクス主義的な綱領が一八九一年のエルフルトの党大会で採用されることで頂点に達した」。英国では非熟練、低賃金、臨時雇いの労働者を組織した〈新組合主義〉が、一八八九年の港湾労働者ストライキ――イーストエンド全体の反乱でありブルジョアのウェストエンドじゅうに衝撃波を送った――のあいだに華々しく登場した。

（5）一八九〇―一九〇六年。これは社会主義の長い春であった。都市化と工業化はヨーロッパで最高速度に到達し、工場労働者階級の社会的な重みと潜在的投票権を劇的に増大させた。ドイツではビスマルクの「社会主義者鎮圧法」が一八九〇年に廃止されたことで〈社会民主党〉とそれと同盟した〈自由労働組合〉の爆発的な成長に道が開けた。ヨーロッパじゅうから社会主義者のグループが一八八九年のパリ万博に結集し、フランス革命百周年を祝い第二インターナショナルを設立した。彼らはまたメーデーを八時間労働獲得闘争のための――そしてベルギー、オーストリア、スウェーデンでは普通選挙権獲得のための――国際デーとして採用した。労働組合は、〈フランス労働総同盟〉（一八九五年）、〈スウェーデン労働総同盟〉（一八九八年）などの同盟の創設に伴い、その範囲がより純粋に全国的なものとなり、その一方で団体交渉が、とりわけ熟練労働者の組合で広がっていった。しかしながら重工業では雇用主たちは――イギリス人という一部の例外はあったものの――依然として組合化と団体交渉に激しく抵抗した。純粋な産業別労働組合はまだ極めてまれで、合衆国では〈アメリカ労働総同盟〉の組合がほとんど例外なしに、工場や鉱山にどっと押し寄せてきた新しい移民たちを組織化することを拒んだ。その一方、世界経済は不況（一八九三年の恐慌）と熱にうかされたような拡大〈ベル・エポック景気〉との間を激しく揺れ動いたが、労働組合は初めて高失業率の時期を切り抜けた。

ゼネラルストライキ、海軍の反乱、都市の暴動、国民的蜂起、そして地方の大規模な農民反乱を伴うロシア帝国の一九〇五年の革命はヨーロッパのすべての時計をリセットした。この爆発は完全に予想外のものではなかったとはいえ、都市労働者と左翼諸党派が果たした中心的な役割は、ヨーロッパの他の君主国のみならず労働運動の修正主義者たちにとっても激しいショックだった。それによって即座に、ドイツおよびオーストリア–ハンガリー帝国で平等な選挙権を求める巨大なデモンストレーションは拍車をかけられ、そしてロシアで例証されたように「大衆ストライキ」を社会主義移行の議論の中心に据えた。工場を接収する労働者と直接民主主義（ソビエト）を通して統治する民衆階級の目を見張るような光景は、ヨーロッパの労働者の左派をとりわけ活気づけた。すなわちフランスとスカンジナビアの革命的サンディカリスト、スペインとイタリアのアナーキスト、そして〈社会民主党〉内の左翼反対派である。

（6）一九〇七–一四年。ロシア革命と選挙権を求める大ストライキの航跡の中で、一般的に階級闘争の困難化が起こり、それは雇用主たちのより大きな団結、工場のロックアウト、ストライキ制圧のための軍隊の広範な使用、そして自由主義的中流階級政党と社会民主主義とのあいだの選挙提携の決裂で特徴づけられる。労働者は全ヨーロッパで一連のゼネラルストライキで反撃するが、すべて敗北する。一九〇七年が転換点だった。ロシアの首相ストルイピンは第二国会を解散し急進的労働者や農民に対するテロ支配に乗り出した。ドイツではフォン・ビューロー首相のいわゆる「ホッテントット選挙」、本質的には帝国主義に対する国民投票、がすべての中流階級政党を〈社会民主党〉に対抗して団結させ、その結果〈社会民主党〉は国会での議席の半数を失った。これは社会主義の前進は押しとどめられないという信念に対する厳しい反駁だった。パリでは五万人の軍隊が八時間労働を求めるメーデーのストライキを押しつぶし、秋にはクレマンソーが政権を握り〔二〕、〈フランス労働総同盟〉の首を鋼のかかとで踏みつけておくと誓った。一九〇九年のメーデーにオスマン帝国の一〇万人ほどの工場労働者（主にテッサロニキにいた）の四分の三が公然と警察に反抗して職場を立ち去った[69]。八月には三〇万人のスウェーデン労働者が、雇用主のロックアウトの波に応えて、不成功に終わったが一か月間のゼネラルストライキに乗り出した。その一方、北アフリカの植民地戦争に対する労働者階級の抵抗は一九〇九年のバルセロナにおける「悲劇の一週間」、そして一九一四年のロマーニャにおける「赤い一週間」へとつながった。チャーチスト運動以降初めて英国陸軍（および海軍）が大規模に配備され、ウェールズ（トニーパンディ暴動）、マージサイド（「血の日曜日」）、ダブリン（「ダブリン・ロックアウト」）を弾圧した。

労働運動の改革主義的指導部は左からそして下から異議を唱えられた。議会主義と、次第に官僚化してゆく組合とに対する幻滅は次第に増大し、合衆国の〈世界産業労働者組合〉（一九〇五年）、〈フランス労働総同盟〉（一九〇六年のアミアン大会）、スペインの〈全国労働者連合〉、イタリアの〈イタリア・サンディカリスト連合〉（一九一二年）などに代表される革命的サンディカリズムに対する労働者の支持の力強いうねりが生み出された。彼らの共通の目標は、資本と積極的に闘い、やがては産業労働者の自治機関として働く、全職級の産業別ないしは一般労働組合の創出だった。サンディカリストたちもまた、ストライキ運動が広がり、以前は組織化されていなかった移民労働者や女性の衣料労働者、船乗りたちのグループをも含むようになれば究極のゼネラルストライキを無敵のものとすることができるだろうと信じていた。サンディカリズムが小さな潮流にすぎなかった英国やドイツにおいてさえも、一九一〇－一九一三年の山猫ストや一般大衆の反乱の波は、この階級の戦闘的な部分——とりわけ鉱夫や沿岸労働者、鉄道員——に対する労働運動指導者たちの統制力のショッキングな喪失を如実に物語っている。サラエボ事件以前に、すべての兆候は、労働と資本との間の、最終決戦ではないにしても、より大きくより激しい衝突が次の経済的沈滞のあいだに起こることを指し示していた。

（7）一九一六－二一年（第三次ヨーロッパ革命）。ヨーロッパのプロレタリアートは、非常に多くの「戦争熱」の説明の中でそう戯画化されてきたように一九一四年に大喜びで大虐殺に突進していったわけではない。また、ケビン・キャラハンによれば「社会主義者はその大衆的メンバーを飲み込んで

二一　これは一九〇六年。

ゆくナショナリズムの波に圧倒されたわけでもない……。フランスとドイツだけで百万人近い反戦活動家が、勢力が衰えつつあった七月の日々に通りへと向かい、大多数の労働者は歓喜ではなく観念をもって戦争という運命と向かい合った」[70]。しかし戦争が始まった後は、有意義な反対を組織できた第二インターナショナルの政党は（一九一五年までのイタリアと、一九一七年までのアメリカを含めて）中立国の政党か、あるいは（ロシア、オーストリア、ドイツのように）大政党の地下反戦少数派に代表されるだけだった。二つの出来事が、階級闘争が一九一七年から巨大な規模で再出現するための基礎を準備した。一番目は一九一六年のベルダン（死傷者七〇万人）、ソンム（一一〇万人）、西ウクライナでのブルーシロフ攻勢期間（二三〇万人）の大虐殺だった。二番目は主要な工業中心地と首都における労働および生活条件の悪化だった。徴兵年齢の労働者たちが、最熟練の代替不可能な者たちをのぞいて虐殺へと徴兵されるにつれて、主に若い女性ばかりでなくティーンエイジャーや外国からの移民が、軍需産業の辛く危険な労働条件へと雇用されていった（生産の規模はぎょっとするようなものだった。一九一四年から一九一八年のあいだに西部戦線だけで推計一五億発の高性能爆薬砲弾が発射された）。新しい労働者たちは高い生活費と自分たちの子供をやつれさせている食糧不足に対する痛切な懸念とを伴ってやって来た。四万人のフランス軍の反乱、ドイツとロシアの広い範囲にわたるパンを要求する暴動、ベルリンその他における大規模な金属労働者のストライキに続いて、工業化された殺人の鎖は一九一七年二月にペテログラードでその最弱の輪が破れた。それからは協商国と中央同盟国はお互いを打ち倒すためだけでなく、前線が革命へと雪崩落ちてゆくのを防ぐためにも戦わなければならなかった。

ロシアの労働者が戦争支持の臨時政府から権力を奪って一年後、ロシアの例に鼓舞された水兵たちに率いられた、一九一八年一一月のドイツ海軍の大反乱で西部戦線での戦闘は突然の終結を余儀なくされた。ベルリンの革命的金属労働者の力を背景にした社会主義共和国がドイツで宣言され、その一方、他の社会主義諸政党がフィンランドとハンガリーで、そして短いあいだオーストリアで、権力を握った。都市のみならず田舎もボルガ川からドナウ川まで反乱の中にあった。第三インターナショナルは新しいヨーロッパの革命を調整しようというかなわぬ望みを抱いて一九一八年に誕生した。しかし古い反動的な地主エリートたちはドイツでは強力な産業ブルジョアジーと同盟し、ベルサイユに集まった戦勝国からの政治的是認と軍事的支援を得て素早く反撃した。内戦がロシアを、それから中央および東ヨーロッパを飲み込み、その一方でフランス、イタリア、スペイン、英国、カナダ、合衆国では産業争議が一九一八-二〇年のあいだに空前の高まりを見せた。しかし一二五万の赤軍兵士が社会主義を救うために死んだロシアを除いてはどこでも、協商国軍隊やドイツ義勇軍、そしてその他の準軍事的組織に後押しされてヨーロッパの反革命が成功した。[71]「一九二〇年の終わりと一九二一年の初めまでには」とチャールズ・メイヤーは書いた、「左翼はあらゆる場所で後退し……全世界的なテルミドールだった[72]」。

命題

I　ラジカルな鎖

現代のプロレタリアートは、「ヘーゲル法哲学批判序説」の言い回しを使えば、「ラジカルな鎖」を身につけている。**それから逃れるためには私有財産の廃止と階級の最終的な消滅とが求められる。**

しかしながら、一八四三－四五年の著作に現われるマルクスの「哲学的プロレタリアート」が身につけている鎖と、のちに『資本論　第一部』の工場労働者階級を束縛する鎖とを区別することは決定的に重要である[73]。前者は絶対的窮乏、搾取、排除によって作り上げられ、「市民社会の一階級ならざる市民社会の一階級、すべての身分の解消である一身分、その普遍的苦難によって普遍的性格を持つ一領域」を生み出す。若きマルクスによれば、その存在は、ただ単に人間性の「否定」だけでなくそれ自体の否定が「ラジカルな革命」、すなわち「これまで存在してきた世界秩序」の転覆、を要求するような条件である[74]。マルクスはここで、「ヘーゲル法哲学批判序説」を書くに際して、ローレンツ・フォン・シュタインを反響させているが、彼は、すでに見てきたように、一八四二年の著作『現代フランスの社会主義と共産主義』の中で、「働くことができない結果として窮乏が生じる」前産業時代の貧民と、生産手段を持たないために貧窮化させられる現代のプロレタリアートを対比させている。フォン・シュタインは（ジンゲルマン兄弟によって言い換えられたように）「資本との本質的な構造的矛盾の中に閉じ込められたプロレタリアートは、今や人間の束縛のよって来るところをその根源において認識する歴史上最初の階級になる。自由を求める彼らの闘争は、したがって、彼らの時代の支配者階級だけでなく、束縛の構造的条件そのものに対して向けられる[75]」と論じた。マルクスもフォン・シュタインも、当時のフランスの経験が、階級意識はプロレタリアが置かれた条件からほとんど自動的かつ三段論法的に生じると証明したと信じていた。マルクスは『聖家族』（一八四五）の中でこう述べているのである。

社会主義の著作家たちがこの世界史的役割をプロレタリアートに帰するとき、それは批判的批判［左派ヘーゲル主義］が信じているふりをしているように、彼らがプロレタリアートを神だとみなしているからでは全くない。むしろ逆である。完全に形成されたプロレタリアートにおいては、あらゆる人間性の捨象は、たとえ人間性の見せかけの捨象であろうと、実際的には完了しているから、そしてプロレタリアートの生活条件は今日の社会の生活条件を最も非人間的な形で要約しているから、また人は、プロレタリアートとして自分自身を失ってしまい、それでも同時に単にその喪失の理論的意識を獲得するばかりでなく、緊急で、もはや除去不可能で、もはや誤魔化すことはできない、完全に厳然たる窮乏――必然性の実際的表現――を通してこの非人間性に対する反乱へと直接に駆り立てられるから、プロレタリアートは自らを解放できるし、しなければならないということにつながるのだ。しかしプロレタリアートはそれ自体の生活条件を廃絶しないでは自らを解放できないのである。[76]

しかし、社会主義・共産主義の思想に社会的重みを与えた、フォン・シュタインと若きマルクスの当時のプロレタリア的主体は、実際には近代的工場労働者ではなく、半プロレタリア化した職人で、それをドイツ人は手工業プロレタリアートと呼んだ。すなわち、他の一ダースもの人々と共にパリの屋根裏部屋に押し込まれた肺病やみの仕立屋、カートライトの忌々しい自動織機と競い合う、ランカシャーやエルツ山地の命運つきかけた手織り機《ばた》の織工、そしてエリートとしての地位とプロシア国家による保護とを剝ぎ取られたルール地方の農民‐鉱夫。逆説的に言えば、カール・カウツキーが一八九二年の「エルフルト綱領」に対する注釈の中で強調したように、「生産手段の私有は物質的悲惨さだけでなく、小規模事業者の依存をも増大させる……。圧倒的な資本と必死に戦っている小企業家や零細農家の存在ほど悲惨で惨めな存在はない[77]」。それだから、リヨンの名高い絹布職工やニューイングランドの靴職人たちは何よりも「プロレタリアートの奈落へと押し込められる」ことを恐れた[78]。第一段階の社会主義はプロレタリア化と職人の生産手段からの分離に対する反乱だった。その元来の理想は共同の作業場としての社会だった。

その一方で、『資本論』においては、構造的な地位とそれが与える潜在的な力が、プロレタリアートの本質を定義するに際して存在の条件と同じくらい重要になった。マルクスは工場労働者の貧困は、飢えた田舎の貧困ほど極端ではないにしろ、前例がないほどの富の生産者という彼らの役割から生じるがゆえにその本質においてよりラジカルであると論証した。「資本に基づく生産様式においてのみ極貧状態は、労働そのものの結果として、労働の生産力の発展の結果として、姿を現わす[79]」。時代遅れの職人や貧農、あるいは奴隷とすら対照的に、工場労働者は、ジェファーソン〔二二〕的ないしはプルードン的懐旧の念を通して振り返り、小規模生産、自然経済、平等主義の競争のユートピア的恢復を目指したりはしない。マーク・マルホランド〔二三〕がマルクスを要約するように、「自分自身と自分のすぐ近くの環境を支配したいという人間の本能は、以前の諸階級にとっては本質的に、個々人の生活と、富の生産の手段を完全に私的に支配することに向けた本能的欲求を意味し、プロレタリアートにとっては、生産手段を集団的に支配し所有することに対する欲求へと転換された[80]」。プロレタリアートは、資本による小資産の大虐殺は逆転できないと認めているし、経済的な民主主義は大規模産業そのものの廃絶ではなく賃金制度の廃絶の上に築かれなければならないと認めている。豪家を焼き払い、自分たちのあいだで土地を分配できた反抗的な奴隷や農奴とは違って、工場労働者は簡単に機械を分割して家に持ち帰ることはできない。すべての隷従者（サバルタン）および搾取された生産者の中でただ一人プロレタリアートだけが生産手段の個人的所有を維持することにも経済的不平等を再生産することにも何の利害関係の名残も持たない。

マルクスは中心的ではあるがしばしば見過ごされる区別を、もっとも広い意味での賃労働者と、機械中心の生産においてなされる高度に社会化された工場労働者との間でおこなう。一九世紀の労働運動は工場プロレタリアートの素晴らしき新世界だけでなく手工業者の打ちひしがれた世界の異議申し立てでもあった。

農業・商業資本による小規模生産者の生産手段の取り上げから生じる生産の形式的諸関係（賃労働と資本）は、財産を持たずに商品生産をおこなう労働者階級の広い範囲を形作った。しかし、「賃金制度は歴史的に産業社会と同一の広がりを持っては来なかった」とデイビッド・モントゴメリーはわれわれに思い出させる。[81] 実際、労働の商品化は一般に産業化に先行し、マルクスは賃労働を「一八世紀の末には徒弟法の撤廃と共に……英国においては形態的に完全に実現されていた」と考えた。[82] それまでには商人が支配する投資制度（田舎の「プロト産業主義」）はびっくりするほどの割合に到達して

二二　Thomas Jefferson：時として理性的な無政府主義者とみなされることがある。
二三　Marc Mulholland：オクスフォード大学歴史学部教授。

いて、その一方で都市の製造業、とりわけ既製服や安い家具といった商品においては熟練技を必要とされなくなった職人が単に細かい仕事をおこなうだけの労働者になりつつあった[83]。職人たち自身がほとんど製造システムの可動部品に過ぎなくなるためには彼らの道具が機械へ姿を変える必要はなかった。一八三四年のリヨンの絹布労働者の大反乱について書いてサンフォード・エルウィットは「職人は自分の仕事場を離れて工場に向かわなくとも、仕事の仕組みに何の変化が起こらなくとも、プロレタリアートになりうるし、実際になる」と強調している。「実際に変わるのは、そしてこの変化が重要なのだが、彼らが多かれ少なかれ不本意ながら入り込む社会的生産のシステムなのである[84]」。

とはいえ、無理やり資本主義的生産様式に従属させられる職人たちは、単純で単一の階級ではない。「一九世紀フランスで共和国を支持していた多くの社会主義者である職人たちの階級的利害は相対立していた」とロナルド・アミンゼイドは書いている。「小親方である職人としては、生産内部での地位ゆえに、自らが雇っている労働者の要求に抵抗するのに余念がない雇用主となる。しかし、自らの徒弟や職人たちと共に手仕事に携わる生産者としては彼らは、その活動が自分たちの小さな仕事場を消滅させようとしている資本家の商人や製造業者の新制度に抵抗することに利害関係を有していた[85]。

さらにジャック・ランシエールがフランスの事例に関する議論の中で強調しているように、商業であれ工業であれ、資本主義の斧はすべての「職人」――彼が言うには、労働史家たちによって具象化されて、あるいは少なくともあまりに包括的に使われてきた範疇――の首に等しく落ちたわけではなかった。空想的社会主義を奉じ、一八四八年六月のバリケードへと不運な行進をおこなったのは、贅沢品を製造する統合された強力な同業組合員たちではなく、彼らの「貧しい親族たち」だったのだ。

すなわち、「仕立屋たち、しかし帽子製造者は含まず……靴製造者たち、しかし製革工は含まず……木工業者たち、しかし大工は含まず……」、知的世界との関係で彼らもまた追放された植字工たち。労働者たちの戦闘的なアイデンティティは集合的な職業的アイデンティティからは反対方向に向かうように見えることだろう……。戦闘的労働者である人々は有機的な職業共同体の世界の最も貧しい者たちの中に位置している」[86]。（そうだとしたらわれわれは初期社会主義、とりわけイカリア共産主義を仕立屋と靴修理屋のゴースト・ダンス[二四]とみなすべきではないのだろうか？）

『哲学の貧困』（一八四七年）の中で、マルクスはイングランドとチャーチスト運動の例を使って産業資本のもとにおけるプロレタリアの生活の均質化を描き出し、それと並行して、闘争を通して次第に団結し階級を意識するようになる労働運動の発展を描写した。しかしながら、『資本論』における階級形成の叙述ははるかに複雑で、経済成長とともに不均一な労働者階級が生み出され、工場労働者及び鉱夫といったその階級の近代的な核が、建設・輸送労働者、農場・搾取工場労働者、サービス・事務従業員、そして驚くほどの数の家内使用人の影に取り囲まれているのである。

伝説に反してマルクスは工場労働者が必然的に社会の多数を占めるようになるとは信じていなかった。その代わり、「他のすべての生産部門において、より徹底的でより広範な労働力の搾取を伴って

二四　白人が滅んで昔のような幸福な生活が戻るという予言と共に、アメリカ先住民のあいだで一九世紀末に広がった熱狂的な踊り。

大規模産業の生産性が驚くほど増加することで、労働者階級のますます大きな部分を非生産的に雇用することが可能になる」[87]。彼は明らかに「プロレタリア化」の二重の意味を認識していたが、アダム・プシェボルスキー[二五]は、他の点では啓発的な論文の中で、マルクスがそれを理解していなかったと主張した。「前資本主義的・初期資本主義的な生産機構における職の破壊という見地からは、プロレタリア化とは生産手段を所有することから、そして自主的に自然を変化させる能力から、切り離されることを意味する。しかし、前進する資本主義の構造内部での新しい職という見地からは、プロレタリア化は必ずしも生産的な手仕事という新しい職の創出に寄与しない」[88]。

最も説得力のある例——産業革命の直接の結果としての——は、一八六一年には英国には繊維工場および金属産業の労働者よりも多くの召使がいたということである[89]。マルクスはそれを正当にも「近代的家内奴隷」と呼んだ。〈主人および召使法〉は雇用主との契約下における不服従を、投獄でもって罰することのできる犯罪とした[90]（英国と初期アメリカ共和国の双方において、そうした法令を鉱夫や、職人、ないしは労働組合員一般に対して適用しようとする試みは労働者からの激しい反発を掻き立て、いくつかの大規模な法廷闘争へとつながった[91]）。同様に、ビスマルクのドイツでは「雇人法 *Gesindeordnung* が雇用主に対する無条件の服従を要求し、組織化を禁じ、農場の使用人ばかりでなく召使［ほぼ一〇〇万人］をも保護立法や社会保険計画から排除した[92]」（ブルジョアジーは貴族階級と同じく自らの地位を雇用人の数で測り、この奴隷的抑圧というなじみ深い権力を受け継ぎ擁護したのに対して、労働運動はほとんど例外なしに召使という身分をその従順な服従ゆえに軽蔑した）。

その一方で、大量生産手工業職や内職経済は工場制度と並んで一九世紀のほとんどのあいだ、そして次の世紀まで繁栄し続けた。一八五一年の大博覧会は蒸気力を使った機械の時代を賛美したかもしれないが、〈水晶宮〉を飾った一六エイカー（三〇万枚）のガラスは手で作られたのだ、とラファエル・サミュエル[二六]はかつて指摘した。実際、工場生産と輸入穀物が職人と農場労働者を退去させるにつれて、「労働力の過剰は……省労働のための投資よりは省資本のための投資に携わるよう資本家を促した」――機械化のペースを遅らせ、その一方で低賃金・臨時労働者層を著しく拡大させた負帰還の輪である。[93] 資本のもとにおける労働過程の発展は、最も先進的な社会においても不均一で複合的な進展という論理に従った。

マルクスが『資本論』の中で強調したように、ある鍵となる機械の発明が工場制度の中での労働の社会化にではなく、それから遠ざかる方向につながるということもまたそのとおりだった。農民‐職人の中には織工の小屋からまっすぐに紡績工場へと行進した者もいたかもしれないが、自らの手織り機《ばた》を、通例は工場に対して代替的でもあれば同時に補足的でもある新しい生産単位、すなわちスラムの内部で、ミシンと交換した者たちもあったのだ。マルクスに倣ってガレス・ステッドマン・ジョーンズ[二七]は『見捨てられたロンドン』の中でミシンと帯鋸の例を引いているが、これらは一八五〇年代から衣服、製靴、家具産業のいたるところで急速に採用された。手縫い・手挽きといった隘路を取

二五　Adam Przeworski：ポーランド出身の政治学者。
二六　Raphael Samuel（1934–1996）：イギリスの歴史家。
二七　Gareth Stedman Jones：イギリスの歴史家。

り除くことで既製服や家具が、古い労働区分の根本的な変更なしに大量に生産されるようになった。これらの発明は「下請けと、極端にまで推し進められた『生産の垂直的分解』に基づいた、前産業的と思われた製造業のパターンを強化した」とジョーンズは強調した[94]。

自らの雇用主たちに対して要求をおこなうことにほとんど成功しなかった家内及び農業労働者とは違って、搾取工場の労働者たちは、金属労働者、港湾労働者、そして鉱夫たちが持つ経済的中心性と影響力を欠いていたとはいえ、都市に集中し近隣と団結しているという利点があった。彼らはやがて国際的労働運動のもっとも名高い闘士たちの何人かを生み出した。アイルランド人とイタリア人をはじめとした多くの移民グループは、一八四〇年代、一八五〇年代に国外に追放されたドイツ人職人（パリだけで六万人！）の例に倣いはしたが、「搾取工場の社会主義」はその大部分がロンドンのイーストエンドやニューヨークのイーストサイド、そしてアントワープ、テッサロニキ、シカゴ、モントリオールのそれらと対応する場所のユダヤ人移民が作り出したものだった。エリノア・マルクスがたいへん熱心に支援した一八八九年ロンドンの仕立屋たちの大ストライキから、一九〇九年から一九一五年のマンハッタンの衣料業界の総反乱に至るまで、イディッシュ語二八は階級闘争の主要な通用語となった[95]。

産業革命とそれによる生産者の機械への従属は、新しい歴史的主体である「集団的な労働者」と、新たな搾取形態、つまり相対的剰余の抽出、そして階級闘争の新しい領域、つまり大量生産とを生み出した。賃労働者の生産手段からの分離は、蒸気力で動かされる工場の内部で新しい革命的な意味を帯びた。

織物や陶器などのような手作業に基づく輸出製品中心のマニュファクチャ制度が、規模の経済と労働のより複雑な分割を通してある程度まで生産性（そしてそれによって相対的剰余価値）を引き上げていたにもかかわらず、「それは決してそれ自体の土台の上で完全な技術的統一を達成することはない[96]」。対照的に、「機械の適用に基づいた近代的な作業場は……［明確な］一つの社会的生産関係」であり「生産様式そのものにおける、労働の生産性における、資本家と労働者の諸関係における、絶え間なくまた連続的・反復的な革命によって特徴づけられる[97]」（のちにマルクスは微妙な、しかし鍵となる修正をこの定義に対しておこなうことになる。すなわち「直接に……社会化された（共同的な）労働の生産力は、共働を通して、作業所内の労働の分割、そして機械の採用を通して、そして一般に生産過程を、自然科学を意識的に適用するよう変化させることを通して、発展させられる[98]」）。

職人-プロレタリアートや雑役夫と同じく、工場労働者は自らの労働力を個別に売るが、その前任者たちとは違って彼らはただ、ひとりの集合的労働者としてのみ価値を生み出す。（集合的労働者のドイツ語*Gesamtarbeiter*はまた「全体的」ないしは「包括的」労働者とも訳せる）。バリバールが『資本論を読む』の中で強調しているように、「生産手段の統一と関係した一人の集団的労働者は、異なった労働手段をもって職人-マニュファクチャ労働との特徴的な統一を形作った者たちとは、今や完全に異なった個人である[99]」。これは決定的な区別である。企業家は「彼らの個々の労働能力に対して賃金を支払うのであって、彼らの連合体や、労働力という社会的力に対して賃金を支払うのではない」とマ

二八　スラブ語・ヘブライ語が混じったドイツ語でロシア・東欧・英米のユダヤ人が使う言葉。

ルクスは言っている。工場の集団性、すなわち一つのより高度な労働の種類から生じる生産能力を企業家はただで盗み取るのである[100]。さらに、機械が支配し機械が集約された労働過程に労働力が次第に従属させられてゆくにつれて資本の力は生産過程の内部にも押しつけられるのであって、ただその外側に押しつけられるだけではない[101]」。「労働者が労働の手段の画一的な動きに技術的に従属することで……兵舎の規律が生じる」。これが「資本に対する労働の真の服従（ないしは包摂）」である[102]。

究極的には、マルクスはこう予言する。「全作業場の生きた結合はもはやここでは協同にあるのではない。それに代わり、機械のシステムが、**原動機**によって駆動され、仕事場全体を構成する統一を形作り、それが労働者から成り立っている限りにおいて、生きた作業場がそれに従属させられる。彼らの統一はこのようにして、明確に自律的で彼らからは独立した形態をとるに至ったのである[103]」。

個々人の多かれ少なかれ孤立させられた労働に対立するものとしての社会化された労働の生産力のこの増加、その他、そしてそれと並んで、社会的発展の全般的な産物である科学の、直接的生産過程への適用は、労働のではなく資本の生産力という外見を取るに至った……。一般的な資本‐関係にある神秘化は、以前に労働の資本のもとへの単に形式的な包摂の場合にそうだったよりも、またそうなりえた可能性をもはるかに超えて発展した[104]。

しかしまさにこのような一枚岩的な生産力は、プロレタリアートが工場労働者として大規模に団結し労働組合を結成すれば、資本家に背かせることができるのである。実際、労働運動があらゆる種類の賃労働を含めた普遍的な形態を獲得するためには、何よりも前進しつつある産業部門——織物、鉄鋼、石炭、造船、鉄道などなど——に力を蓄えなければならなかった。彼らだけが、『党宣言』の言葉を借りれば、歴史的主導権を手にしているのである。したがって、産業労働者（鉱夫と輸送労働者を含め）が、おおざっぱに一八八〇年から一九八〇年まで一世紀にわたって労働運動と政治的左翼の力強い核を形成したのである。職人や手工業者でなく工場労働者が労働運動で優位を占め始める変曲点は明らかに経済発展のレベルによって異なる。フリードリッヒ・レンガー[二九]は、英国ではチャーチスト運動の終了、合衆国では南北戦争、フランスではコミューン、ドイツでは反社会主義の諸法を示唆している[105]。しかし一八六五年には、マルクスがその「プチ・ブルジョア的視点」を飽きることなく嘲ったプルードンですらが、最後の著作（*De la Capacité politique des classes ouvrières*〔『労働者階級の政治的能力』〕［一八六五］）の中で、工場労働者、「とりわけ大企業の労働者」の主導的役割について極めてよく似た理解へと意見を変えた[106]。

アンドレ・ゴルツが主張したように、仮に貧困が社会主義への闘いの「自然な基礎」であるなら、工場労働者階級の「不自然な貧困」こそが集合的労働の生産力と歩調を合わせて成長するのである[107]。労働者は、とりわけ好況の時には、新しい「必需品」の成長を促すかなりの賃金の増加を勝ち取るかもしれないが、不況の時期には逆転させられるだろう。悪化してゆく貧窮化——いわゆる「絶対的窮乏化の法則」——が一般に革

二九　ドイツの歴史家。

命的衝動を生み出すのではなく、大量の失業と、苦労して手に入れて永久の利得と思われたものを突然に失うことがそうするのである。

マルクスが人を反乱に駆り立てる貧困について話すとき、ただ単に相対的欠乏や高いジニ係数〔所得不平等度指数〕ではなく、本当に悲惨さを意味していることを理解しておくのは重要である。この点に関してハーバート・マルクーゼは引用しておく価値がある。

> のちの再定義で、貧窮化が文化的な面になったり、それが自動車とテレビジョンその他を備えた郊外の家に当てはめられるまでに相対化されたりするようになりはしても、マルクス流の搾取と貧窮化の概念の内的なつながりは力説しておかなければならない。「貧窮化」は、存在の耐えがたい条件を転覆する絶対的な要求と不可避性を暗示し、そしてそうした絶対的な要求は、基本的社会制度に対するすべての革命の発端において姿を現わす。[108]

確かに、マルクスは、賃金という構造のなかに「十時間労働といったような労働者階級の政治経済的な」勝利のみならず、「歴史的・道徳的要素」の存在も認めた。同様に、マイケル・レボウィッツが正しくも主張するように「必要な要求」は「階級闘争の産物」であって固定された生理学上の最小限度ではない。そしてまた逆に、「必要性の水準」の質的増大は、経済的階級闘争を前進させる助けとなる。[109] しかしマルクスは、そうした増大とそれが生み出す新たなるニーズは恐慌によって周期的に失われると信じていたが、その傾向は時間がたつにつれてより一般的かつ破壊的になる。

『資本論　第一部』の一小節（「労働者階級中の最高給部分に及ぼす恐慌の影響」三〇）は、巨大な〈ミルウォール鉄工所〉が一八六六年の経済恐慌のあいだに潰れたあとでロンドンのエリート鉄船建造工たちがおかれた苦境をもってこの論題を例証している。(110) これら「労働者の貴族たち」はすぐに飢えに直面し、マルクスはコブデンとブライツの新聞『モーニング・スター』で報告された彼らが陥った状況の描写を長々と引用している。

ポプラー、ミルウォール、グリニッジ、デトフォード、ライムハウス、カニング・タウンといったイーストエンドの地区では少なくとも一万五〇〇〇人の労働者とその家族が完全に困窮した状態にあり、三〇〇〇人の熟練工が（半年以上にわたる貧苦の果てに）救貧院でこれ以上なく落ちぶれた生活をしている……たいへんに苦労してやっとわたしは救貧院の戸口にたどり着いた、というのは、飢えた群衆がそこを取り巻いていたからだ。彼らは配給券を待っていたのだが、配られる時間がまだ来ていなかった。(111)

マルクスがいかなる労働者のグループもそれから逃れられないと考えた、時折起こるこの貧窮化は、実際は一八七〇年から一九三八年の景気循環の動きのかなり正確な予想だった。「調整という重荷は古典的時期においては労働者にかけられる」と経済史家のジェフリー・フリーデン三一は書いている。

三〇　『資本論』第一部第二三章第五節（d）。
三一　Jeffry Frieden：ハーバードの政治経済学者。

「景気が悪くなれば、賃金は削られ、標準以下になった、つまり、賃金は輸出入市場における競争力を回復するために削られなければならなかったのだ」[112]。消費財のデフレーションがある程度は賃金の低下を相殺しはするものの、産業労働者が一般に経験したのは雇用と収入の不安定さだった。マルクスはこれを、有名な一八六五年の国際労働者協会（第一インターナショナル）中央委員会でおこなった報告（『賃金・価格および利潤』）の中で強調している。「市場価格の下落期および恐慌・停滞期には、労働者は完全に雇用から投げ出されはしないとしても、間違いなく賃金が引き下げられることになる」[113]。そのとおりのことがフランスと英国で一八九九年から一九一三年のあいだに起こったのだが、この時期に、ホブズボームが指摘するように、資本は、大きくは農産物価格の高騰によるより高い生産コストを実質賃金の低下という形で労働者階級に転嫁したのである[114]。マルクスがその役割をほとんど全面的に防御的であると考えていた労働組合は、穏やかな経済的下降のあいだはいくつかの例で賃金水準を守ることができたが、全面的な景気後退の時期にはそうはできず、この時期には失業が潜在的な交代労働者とスト破りの集団を膨れ上がらせた。とすれば一般に、急成長と進歩に対する妄信の時期が、突然の低迷と、戦争と崩壊の予測によって必然的に何度も区切られたのである。その結果として、同時代の歴史に対するヨーロッパ人の見通しは、ベル・エポック[115]と「西洋の没落」とのあいだを、そしてエドゥアルト・ベルンシュタインの社会主義への漸進的な道からトロツキーの装甲列車へと、激しく揺れ動いたのだ。

共産主義インターナショナルのために書いた「宣言」の中でトロツキーはあの *annus horribiliss*〔恐怖の年〕、すなわち一九一九年の視点から、貧窮化についての議論の結果を検討している。

戦争の結果として資本制度の矛盾は、飢えの苦しみ、寒さのための消耗、疫病の蔓延、そして道徳的野蛮さという形をとって人類に立ちはだかった。これが、社会主義運動の内部での、窮乏化理論と資本主義から社会主義への漸進的移行をめぐる観念的な論争のすべてにきっぱりと決着をつけた。統計学者と、矛盾が鈍化しているという理論を唱える空論家は、何十年にもわたって世界の隅々から、労働者階級のさまざまなグループや範疇の福利が増大しつつあると証明する実際の、あるいは架空の事実を探し出して来た。大衆窮乏化理論は葬り去られたものとみなされ、ブルジョア教授連や社会主義日和見主義の官僚といった宦官どもから軽蔑的な冷やかしを向けられた。現時点においては、この窮乏化はもはや単に社会的なものではなく生理学的・生物学的なたぐいのもので、われわれの目の前にそのあらゆる衝撃的現実性において浮かび上がるのである。[116]

Ⅱ　工場および組合

工場制度は自立した集合体として労働力を組織し、それは闘争と意識的な組織化を通して、団結した共同体となりうる。その上、工場そしてその他の、造船所や鉄道修理工場のような大規模な産業企業体はミニチュアの政治組織である。

『ブリュメール十八日』の中でマルクスはよく知られるようにフランス小農民という遅れた層を「ひと袋のジャガイモ」にたとえた。「その生産様式は、彼らを複雑な相互作用に引き込むのではなく、お互い同士を孤立させる」とマルクスは書いた。[117]その結果、小農民の意識は完全に地方に限定されるか、あるいは、しばしば至福千年信者の言葉で、都市に対する抽象的反対として形作られがちだ、とホブズボームはつけ加える。「かれらの組織立てられた行動の単位は教区のポンプ〔＝狭い共通利害の範囲〕か全人類かである。そのあいだには何もない[118]」。産業プロレタリアート（マルクスは工場労働者、建設労務者、鉱夫、資本制農業の働き手、輸送労働者を含めた）は、その一方で、労働の社会的区分内部で統合された集合体として、アンサンブルでしか構成されない。フランスの社会主義者コンスタンタン・ペクールは、蒸気の時代の革命的性格に関する一八三九年の著作の中で、すでに、驚くほどマルクスの言葉を先取りするような言い回しで、労働力を「次第に社会化」し、「プロレタリアの公的生活」を作り出していることで工場を称賛している[119]。

しかし団結は、早くから認められていたように、工場の生産諸関係によって直接与えられるものではない。同様に階級意識も、デイビッド・モントゴメリーがわれわれに思い出させるように、「常に一つの課題」である。新しい産業や工場の労働者は最初のうちは最小単位に分けられている。これは依怙贔屓や出来高賃金、そして性差／民族による労働の分割を通して資本家が長引かせようとする競争的状態である。場合によっては、製鉄工場主や造船所長などが「請負に出す」――つまり、熟練労働者のグループに仕事の入札と彼ら自身の労働者を雇うことを許す――場所で一九世紀にはよく見られたように、同業者の自治権が経営的側面を含み込み、極端な場合には肉体労働者と非熟練工の共同搾取へとつながった。社会学者のキャサリン・アーチボルドが『戦時下の造船所――社会的不統一の研究』のなかで忘れがたく論じたように、ホッブズ的〔三〕な工場や製作所が産業生活の既定〔デフォルト〕の条件だと考えられさえしたかもしれないのだ[120]。したがって、団結の極めて初期的な形態ですらが意識的に作り上げられなければならず、それは共通の仕事や技術で限定される非公式の作業グループから始まり、それを核として、工場共同体、あるいはむしろ反共同体、が築き上げられてゆく。

ラルフ・ダーリントンが強調するように、「一団の個人を集合的な行為者に変えるのは少数の、しかし必要なだけの数の、作業場の活動家の仕事で、労使関係における彼らの役割はこれまでひどく控えめにしか述べられてこなかった」[121]。こうした活動家は外部の組合や政治組織のメンバーであろうとなかろうと、作業グループの団結を組合化の基礎的要素として使い、その一方で、実にしばしば労働の分割の中に体現された民族的、性的、宗教的違いというハードルを乗り越えようとたえず努力をした[122]。たった一度の熱烈な演説で仕事仲間を立ち上がらせる、プロレタリア小説やエイゼンシュテインの映画の広い胸を持った英雄たちとは違って、一般大衆の典型的な組織者はむしろ、日常の工場生活（plant life〔＝植物〕）から、意見の違いや嫉妬といった雑草をたえず抜き取る辛抱強い庭師に似ている。大きな工場はしばしば一つの気難しい寄せ集めで、より大きな社会の民族的・地理的敵対を要約している。

例えば有名な〈モスクワ金属工業〉ではそれぞれの生産部門は特定の村ないしは地域から人を集めてきて、それが「仕事場への忠誠心（*tsekhowshchuna*）を養い……職種の分割を超越させたが、その理由は以前の農民たちが特定の仕事場と特定の村との間に強い絆を維持していたからだ」。こうした小愛国主義と仕事場間の対抗意識を克服することは〈社会民主労働党〉の活動家にとっては冒険的な

三二　主権者の意思に絶対的に服従することで公安が保てるという考え。

仕事だった。ケビン・マーフィーによれば、革命の後になっても「仕事場への忠誠心ははびこっていて」、老ボルシェビキたちは誰の生産部門が（ということは暗に村が）もっとも革命的かと言い争うのを好んだ[123]。同様に、一九三〇年代のデトロイトにおける〈全米自動車労働組合〉支部の創設に関する草分け的研究の中でピーター・フリードランダーは、民族的に分割され、それぞれが独自の「社会的個性」と不満とを持った、一ダースもの工場の部門を団結させるのに必要な複雑な駆け引きを詳しく語っている。転換点は、プレス部門の、以前は無関心だった若い労働者のグループ――恐れられていたポーランド人ストリート・ギャングのメンバーたち――が断固として組合に結集した時にやって来た[124]。言い換えれば、戦闘的な職場共同体は、搾取と雇い主の圧制に対する共通の抵抗を軸として、部分的な集団の利害を統合することから生み出されたのだった。組織（化）は自然発生的なものどころではなく、常に、どこかある職場の利害集団が、組合支部ないしは組織化運動をその集団の目的のために支配するかもしれないというリスクを覚悟したうえでなされたのだ。

組織化運動とストライキは政治‐道徳的な勢いを持ち、それが必然的に、最初の理由であった経済的な要求を超越する。マルクスはこの点を強く主張した。さらに「戦争の学校として、労働組合に勝るものはない」とエンゲルスはつけ加えた[125]。

古典的な時代にあっては包括的組織化への第一歩はほとんど常に防御的な性格のものだった――例えば、賃金や単価の突然の下落や、評判の良い仕事場仲間の解雇、危険な機械の導入、あるいは何かほかのとてつもない不満などに抗議するための。しかしマルクスが『哲学の貧困』の中で強調したように、労働組合（あるいは場合によっては秘密の職場組織）は、すぐにそれ自体が目的で、言ってみれば教会や村のようにその純粋に功利的な機能にまで還元することのできないものとなった。「これは全くその通りなので、イギリスの経済学者は、この経済学者たちの目にはまったく賃金のために設立されるとしか思えない団体のために、労働者たちが賃金のかなりの部分を犠牲にすることに驚くほどである[126]」。

ゲームの理論に基づく経済的計算とも呼べそうなものを、こうして集団として道徳的に超越することはストライキの中でいつも、そして生き生きと例証される。「ストライキという公共的儀式は労働者のあいだで団結心、つまり共通の目的のために闘う集団に属しているという感覚、を打ち固める。そうした儀式が武装した兄弟（あるいは姉妹）を作る。ストライキ行動は恩義と相互義務のきずなを作り上げる。ストライキにおいてこそ労働者は労働階級になるのである[127]」。長引くストライキはしばしば闘争の周囲を拡大し、共同体全体を含み込んだ――数えきれないほどの労働争議の話の中で物語られる、闘争の中で女性たちが、活動的でより平等な役割を男に対して要求するという古典的な対決へとつながった。同様に、ストライキの生死は一般的に、それが外側へ拡大し、ほかの工場や関連産業にまで至るか否かにかかっている。この意味で、あらゆるストライキはゼネラルストライキの種だともいえる。だから一八八八年に〈バウ燐マッチ工場〉で一五〇〇人の少女と若い女たちが職場を放棄したことがイースト・ロンドンの未組織労働者階級全体に衝撃を与え、一八八九年に一〇万人の港湾労働者のストライキが成功し、「新労働組合主義」が出現することにつながったのだった。こうした大衆的闘争性の爆発は、たとえ敗北したとしても、伝説を作り上げ、ある共同体の性格を明確にし、一世紀後に産業労働者の戦闘的精神の雛形となりうるのだ。それは労働者階級の文化的記憶における画期的な出来事だった。

その一方で十分に組織されていないストライキは、逆襲、分裂、そして絶望という長い尻尾を残しかねない。さらなる戦闘的精神に対する負の予防接種である。どの場合も一般組合員は組合のために高い代価を支払った。虐殺、投獄、国外追放、亡命に加えて以前のストライキ参加者は何万人もブラックリストに載せられた。ぞっとするような例がアメリカで最初の大きな産業労働組合である〈アメリカ鉄道組合〉の戦闘的組合員の運命で、彼らは一八九四年に〈プルマン社〉のストライキを支持して職場を放棄した。ニック・サルバトーレが〈アメリカ鉄道組合〉の指導者であるユージン・デブズの伝記の中で説明しているように、

鉄道会社は広範にわたり、かつ厳しいブラックリストを作り始めた。労働者がストライキ以前の雇い主から推薦状を求めたら、その労働者は技術的能力の通常の評価を受け取ることになっただろう。将来の雇用主は、応募者が部屋を離れると推薦状を灯にかざした。もし首を切られた鶴の透かしが見えたらストライキのあいだ活動的だったという意味で、その男は雇用されることはなかった。首を切られた鶴はこの国の西半分のいたるところで計り知れない苦しみを引き起こした。[128]

家族の激変と家庭解体の時代にあって、工場やその他の近代的仕事場の内部で性の平等を目指して団結することはしばしばもっとも困難だった。白人優越主義ともども、家長制度は労働運動の真のアキレスの踵だ

った。

織物産業における女性と子供の超搾取は、まったく当然のことながらビクトリア時代の恥辱であった。しかしあまりにしばしば、男の労働者階級の反応は、女性の労働条件の改善を目指すものではなく、むしろ工場からの女性の排除を求めることだった。実際、男である「パンの稼ぎ手」の賃金――専業主婦がいる中流階級の核家族と等しいだけの一家の物質的基盤――が、初期の労働組合運動、とりわけ給料の高い職種のあいだでは基本的な要求だった。「現代のハーキュリーズ」は独身の働く女を姉妹とも同志とも見ていず、スト破りで家族の敵だとみていたのだ。「労働運動は」とミシェル・ペローは書いている、「生産と、偉大なる男らしい職業――勇敢な鉱夫、肉体的に頑健な建設労働者、手際のよい機械工といった、第二次産業革命をもたらし、やがては世界を変えるであろう英雄たち――の賛美にそのアイデンティティの基盤を置き、フェミニズムを『ブルジョア的』だといって中傷した」[129]。現実は、家長たちは生活に必要なすべての金を稼いで家に持ち帰っていたわけではなかったのだ。真の「家族を支えるのに十分な賃金」はめったに達成されることはなく、ましてや職人にとって使用人などは程遠く、「きちんとした労働者階級の主婦」は洗濯を引き受け、家で縫物をし、あるいはパート・タイムで家政婦をすることを余儀なくされた。しかし女たちは、たとえ次第に女だけのものとされてゆく部門や産業――食品加工、洗濯業、マッチ、繊維、リボンづくり、婦人用帽子業、衣類製造――の中においてだとしても、資本主義的生産に必要不可欠だった。初期ビクトリア時代の工場争議において突出していた若い女性労働者は、第一次世界大戦に直接先行する、合衆国、英国、ロシアの大労働闘争の中で再び舞台の中央を占めたのだ（ニューヨークの輝かしいシャツブラウスを着たストライキ参加者――若いユダヤ人・イタリア人女性が腕を組みあった――は一つの有名な例である)。この時期、そしてまた戦争の後期や、その後の革命において、まともな賃金、手ごろな家賃、安全な仕事場を求める女たちの闘争は、しばしば完全な市民権――投票権ばかりでなく、政府・自治体の仕事、専門職、政治的官職につく権利――と結びつき、類を見ないような華々しい戦闘的な時期を生み出した。言ってみれば、社会主義運動がそうならなければならなかったのに、たいていはそうなり損ねていた、性差別なき解放勢力の予示だった。

「工場を『緩和された牢獄』と呼んだ時、フーリエは間違っていたのだろうか?」とマルクスは『資本論』の中で修辞的に問うた。[130] 仕事場の独裁(すなわち、懲戒規則、職長の専制的権力、理由なき解雇、セクシャル・ハラスメント、などなど)に対する抵抗は、常に近代的階級闘争の口火だった。工場の仕事場に権利を打ち立てるべく闘うことで、労働者たちは単に「経営者の特権」のみならず暗に賃労働の原則そのものに異議を申し立てたのだ。

ランカシャーにおける初期工場制度のもっとも衝撃的な側面の一つは、木綿では約四〇パーセント、亜麻、絹、羊毛、毛織物産業では五〇パーセントかそれ以上を占めていた児童・若者の労働者に対して日常的に加えられていた肉体的懲罰だった。[131] 成年労働者に対しては、降職、解雇、ないしは罰金で制裁が加えられたが、殴打、性的暴行がまれだったわけではない。実際、職長や監督の中には強姦を彼らの仕事の封建的特権だとみなしているように思える者たちもいた。キャサリン・キャニングはドイツの女性労働者についての著作の中で、こう言っている。

［彼女らは］しばしば自らの道徳律を強く主張し、守るための集団的行動に参加した。一九〇五年にボホルトのある工場で数人の女性従業員を強姦した監督の解雇を要求して男女の労働者がストライキに入った。強姦の問題はまた一九〇二年にデュッセルドルフの官庁街での激しい衝突につながったが、この時は男女労働者の怒れる群衆が女性の部下を暴行したある織工長の家の前に集まった。結果として起こった乱闘の中で一人の労働者が殺され、他の四人が懲役刑を受けた。[132]

職長は工場労働者の仕事場から直接昇進した者であっても専制的な圧制を好み、工場所有者たちは通例、彼らのこうした習慣に報酬を与えていた。バリントン・ムーアその他の研究によれば、ルールの製鉄工場では「労働者は職長が思いついたまさにどんな理由によっても解雇されかねなかった。多くの職長が明らかに自分の権威を利用して、労働者に向かってありとあらゆる憎悪、嫉妬、そして個人的嫌悪をぶつけた」。〈クルップ〉の工場で蔓延していた最も暴虐で最も強く憤慨されていた習慣の一つは、「長年働いた労働者を年金が受けられるようになる直前に解雇すること」だった。[133]

雇用主の一方的な力は、とりわけそれが生産のスピードアップ、熟練を不要とする科学技術の導入、あるいはより高度な分担を求めるときには労働者によって広い範囲にわたる痛烈な異議を唱えられるが、それは微妙な「怠業」（生産高の意識的な制限）から、機械の破壊、自然発生的なストライキ、そして一八八六年三月にベルギーのシャルロワ盆地で起こった若い鉱夫とガラス労働者に率いられた「産業時代のジャックリーの乱［三］」（死者二八人）にまで及ぶ。[134]ゲリラ戦争さえもが選択肢の一つであった。ペンシルベニアのワイオミング渓谷では、アイルランド移民の無煙炭鉱夫が故国の反地主秘密結社での経験を利用して「モリー・マグワイアズ」を作り、専制的な監督や鉱山の所長に対して復讐をした[三四]。一九〇五年に起きたルール地方での鉱夫の大ストライキは大部分が非暴力的ではあったが、移民、この場合はポーランドからの、を多く含む従業員たちの不満は再び、ペンシルベニアの場合と同様に、「個人的な虐待と結びついた専制的な当局者たちの一般的雰囲気」に集中した。その上、バリントン・ムーアが強調するように、このストライキは、以前は未組織だった者たちも含めて、怒った鉱夫たちが、文字通り組合に強制したものだった。いつもそうであるように「尊厳」が何よりの要求だった[135]。同様に、その年の大きなストライキの波のあいだにロシアでは、「労働者たちは自分たちを礼儀正しく扱うことを拒否した職長や監督にとりわけ激怒したのだった。工場から工場へと次々に、労働者たちは「人間の威厳に対する侮辱」に責任のある監督たちが態度を変えるか、さもなければ免職を要求した」。経営者が要求を拒否すると「労働者たちは嫌われていた者たちをネコ車に載せて工場の門の外に運び、路上に投げ捨てることで嘲った」。一九〇五年の革命の歴史を記した本の中で、エイブラハム・アシャー[三五]はペテルブルクの工場で三月だけで二〇件の「ネコ車での連れ去り」の例を引いている[136]。

家父長主義は工場の仕事場での虐待を緩和したかもしれないし、「工場家族」という見せかけを生み出しさえしたかもしれないが、それは通例、労働者の家族生活や私的習慣への不愉快な侵入を伴っていた。たとえば、初期の工業化されたニューイングランドのウォルサム-ローウェル制度[三六]は、貧しい農家の娘たちにとっての花嫁学校だと宣伝されていたが、それは情け容赦のない搾取だけでなくピューリタン的道徳取り締まりのモデルでもあった。合衆国は実際、工場労働者を支配する最も過激ないくつかの実験の試験場で、とりわけイリノイ州プルマンやペンシルベニア州ハーシーのような私的警察組織を持つ企業管理都市〔企業城下町〕では「半封建的」という名称は通例はまさにそのとおりだった。〔とはいえ、このタイプのもっとも極端なものとして、アウシュビッツが文字通り〈I・G・ファルベン〉の企業都市だったことは思い出されるべきだろう〕。かのもっとも「洞察力豊か」で近代的な雇用主であったヘンリー・フォードでさえもが、悪名高いごろつきハリー・ベネットが支配する野蛮な内部警察機関である〈フォード・サービス・デパートメント〉を持っていて、これは労働者を脅し、しばしば殴って組み立てラインのスピードアップを強要した——そして一九三〇年代にはストライキ参加者を殺した。

　第一次世界大戦の前夜にいくつかの企業は、科学的管理を実施するというより大きな動きの一部として「職能別職長制度」の実験を始めた。この考えは、詳細な規定と標準的手続きで指示を定式化することを通して仕事場での管理を非人格化しようというものだった。「一人の人が別の人に命令するのではなく、両者が状況から命令を受け取るということに合意すべきである」。しかしこの管理のテイラー主義[三七]化〔科学化〕と、それと相関した標準的作業手続きの盲目的信仰は、ただ職長とライ

三三　一三五八年に起こった大規模な農民反乱。
三四　一連の激しい衝突の後、一八七七年と一八七八年に二〇人のメンバーが殺人その他の罪で捕らえられ処刑された。
三五　Abraham Ascher：歴史学者、ニューヨーク大学の名誉教授。
三六　近在の農家の娘を会社の寄宿舎に入れ厳しい時間的・道徳的管理をおこなった。

ン監督者をより専制的にするだけだった[137]。そしてまた数もより多く。「一九〇〇年には労働者と職長との比は［合衆国では］一六：一だった。一九一〇年にはそれは一四：一にまで低下していて、一九二〇年には、なんと、一〇：一になっていた」[138]。一九三〇年代の大量生産工業で働く合衆国労働者の大反乱は、何よりも第一に、苦情処理手続きと職場代表制度――経営参加という危険な考えの種子――を通して専制的な権限を制限することを求めて引き起こされることになる。

混沌として、内部的に分割された工場から、労働者が団結し、職場で首尾よく力を行使するまでの道のりは、必ずしも常に英雄的な組合建設の物語の例にならったわけではなかった。人口統計学的ないしは労働市場の特別な条件が原因で、労働者が代替しがたい場合には工場内部での矛盾はよりさりげなく、目に見えないような形で作り上げられることさえあるかもしれない。

第三共和国下のフランスはまさにぴったりの例で、労働者は戦闘的だったが組合は比較的弱く、「労働運動と労働組織の分離は」多かれ少なかれ恒常的だった、とアレン・コテルーは論じている。彼が「静かなる階級闘争」と呼ぶものは、怠業によろうと、実際の破壊行為によろうと、深く広がって生産高の制限に成功し、フランスではまれに見る大きさになったが、その一つの理由は、一八八〇年のあとの農産物輸入の衝撃のもとで他国で起こったように、都市に人口が流入して田舎が空っぽになったわけではなかったからで、そのためフランスの雇用主にはスト破りや代替労働者のプールがより小さかったのだ。「『労働市場』という純粋に経済的な観点から考えてみると、フランスでは一八五二年以降、田舎でも都市の産業でも賃労働力がいつも相対的に不足していたというのが特徴だった」。

この「労働市場の構成のおかげでフランスの労働者は法的に認められた正式な組織に頼ることなく効率的に自らを守ることができた」。職業の世襲はドイツや合衆国よりももっと普通で、抵抗という職場の文化は、団結のための記憶と神話として一八四八年とコミューンがあって、より強固に確立されていた。「雇用主たちは、生産性競争［合理化、省技術化、スピードアップ］に対して加えられ、そして権威主義的なやり方では押さえつけることのできない密かな破壊行為によって縛られる、労働者から課せられた厳しい規則について手紙のやり取りの中で不満を漏らした」とコテルーは続けている。資本家が実際に労働者に対して厳しい取り締まりを試みた場合、ストライキはしばしば爆発的な形態をとり、軍隊の介入が必要となった。一八九〇年代の〈労働交換所〉運動の登場までストライキは一般に秘密の委員会によって組織され、部外者からは素朴な「自然発生的」ないしは「非合理的」な突発事件だと誤解されていた[139]。

「常に、政治的観察者によっては予想もされない突然の行動および爆発によって、フランス労働運動はそのもっとも『具体的な』経済的・政治的成功を達成したのだった」。フランス労働階級の伝統は、言い換えれば、サンディカリストの教義の明確な表現に先行し、あらかじめそれを示していたのだ。

二七　Frederic Taylor（1856–1915）が二〇世紀初頭に唱えた労働者管理の方法論。

「直接行動サンディカリズム」の制度化以前にさえも、労働者文化の中で「直接行動の実際論」とでも呼べるようなものが作用していて、その教義は以下のように表現できる。並行して発展する労働者権力からの特定の要請のための分離行動を避けること、公共圏（国家、選出議員、世論）と、議会民主主義によって提案された経済的ないしは「私的」圏のあいだの区分を拒絶すること、運動のあらゆるレベルにおいて、既成の社会的諸関係の非合法性を強調し、別の社会的諸階級によって承認される他の正当性を提案すること[140]。

発展途上国においてはプロレタリア化は時として爆発的な過程であり、まったくの田舎の住民たちを都市環境への順応も何もなしに工場へと移す。ロシアはそうした「非直線的」プロレタリア化の典型的な例で、その若き農民である労働者たちはしばしば職場での印象的な戦闘的精神と、最も遅れた田舎の偏見とを結びつけた。

トロツキーが「ロシアの発展の特異性」において説明したように、

ロシアの労働者階級が現われ出でた源泉は職業ギルドではなく農業で、都市ではなく、田舎だった。その上、ロシアにおいてはプロレタリアートは、イギリスのように何世代もかけて徐々に生じて、過去という重荷を背負っていたわけではなく、環境やしがらみ、様々な関係の際立った変化、そして過去とのきっぱりとした断絶を一足飛びに含んでいた。……「プロレタリアートは」その起源の、短い歴史をたえず繰り返していた。金属産業、とりわけペテログラードのそれにおいて、代々のプロレタリアートの層は結晶として分離したのに対し、ウラルにおいては主流をなしたのは半プロレタリアート、半農民だった。すべての工業地区で田舎から新たな労働力が毎年流れ込んでくることはプロレタリアートと、その本来的な社会的源泉との結びつきを更新させ続けた。(141)

トロツキーは「ツァーリズムの集中した抑圧」と共に、この産業的伝統の欠如を「ロシアの労働者に革命的思想の最も大胆な結論を快く受け入れさせた」ものとして例に挙げた。しかし、農民労働者の「混じり合った意識」には暗い面もあって、それをチャーターズ・ウィンはロシアのルール地方〔炭鉱・製鉄の中心地〕であるドンバスの重要な研究の中で探求した。二〇世紀の最初の十年間、ヨーロッパにおいて最も急速に成長した労働者階級は、ドニエプル川とドネツ川のあいだの樹木の生えない大草原地帯で石炭を掘り鉄鋼を作っていた。ドンバスはトロツキーの「不均衡かつ結合的発展」の法則の他に類を見ないような例だった。それはアメリカ、フランス、ベルギーの資本により開発され、そこの製鉄工場はヨーロッパでもっとも近代的だった。実際、一つの最新式パイプ工場は合衆国から直接船で運ばれてきた。しかしこの地域の先進的技術と巨大工場は、むさ苦しい労働者の宿舎や即席のスラムと対照的だった。ウクライナ人は大部分が工場や鉱山の危険な労働を避け、それだから雇用主たちはさまざまな地域のロシアの若い農民や、ユダヤ人居住区（the Pale of Settlement）のユダヤ人に頼った。超近代的科学技術を習得するために、少数の熟練した高給取りの冶金労働者の幹部も募集されたが、「この、何年もの徒弟期間を経験した者たちから、数週間ないしは数か月で技術を身につけた労働者たちは大きく隔てられていた」。「ごろつきの」一般労働者とウィンが呼ぶ者たちは内的区分によって引き裂かれた。「工場労働者内部のこうした地域的な違い……そして、もっと重要なことに、労働者と熟練工との間の民族的な違いが、激しい階級間抗争の原因となった」。外国人の上司に対する闘争の中でドンバスの労働者たちは見事なまでに戦闘的で、トロツキーが断言したように、改良主義に汚染されておらず、〈社会民主党〉や〈左派社会革命党〉の扇動を良く受け入れた。しかし一九〇七－一〇年のような挫折期には地域間の抗争と反ユダヤ主義が急速に表面化した。「多くの場合、急進的な党のインテリゲンチャを支持し称賛し、急進的なストライキ行動に参加した労働者たちはまた、ユダヤ人虐殺という野蛮で破壊的な暴力にも参加した。労働者の民族的な暴力を抑えつけようとするラジカルな活動家の試みはむなしいことが繰り返し判明した」。この場合には形成中のプロレタリアートのもっとも戦闘的な部分と最も遅れた部分とが同一だったのだ(142)。

Ⅲ　大衆ストライキと労働者の支配

産業資本主義が国内的に、そして世界市場を通して成長するにつれて、戦略的に配置された労働者は非暴力的に経済活動を混乱させ、生産手段を人質にとる、先例のない力を獲得した。しかしながら資本も労働もこの力の限界を知らなかったし、後者の側は、その完全な行使に直面して生産手段所有者がどこまでの力に訴えるかも知らなかった。ゼネラルストライキは後期ビクトリア朝およびエドワード朝のプロレタリアートの「原子爆弾」だった。

大衆ストライキは、一八四二年に五〇万人の英国の鉱夫および繊維労働者によって先鞭をつけられ（プラグ暴動）〔三八〕、マルクスの時代にはまれだったものの、世紀末に向かうにつれて次第に当たり前になってゆき、一八九三年のベルギーのゼネラルストライキ（選挙権を求めて）、一八九四年のエンゲルスが死ぬほんの数か月前の〈U・S・プルマン〉のストライキなどが起こった。労働者の指導者、そしてラジカルな理論家たちは階級戦争の武器としてのこうしたストライキの価値をめぐって鋭く意見が分かれた。ゼネラルストライキは究極的な革命的行為、改革を押しつけ選挙権を守るための有用な武器だったのか、あるいは全労働運動に対する軍事的抑圧につながる挑発だったのだろうか？　以下に続く議論は主体と階級的権力、とりわけ闘争の議会的および非議会的形態のあいだの関係、という根本的な問題を直接に扱う。

一八九五年に死ぬ少し前にエンゲルスは、マルクスの『フランスにおける階級闘争』ドイツ語版への新しい序文を執筆し、その中で彼が「ベルギー風愚行」と呼んだ、フランス、ベルギー、オーストリアの社会主義政党の中で提唱されたようなゼネラルストライキと、〈社会民主党〉の選挙での劇的進出を比較考量した。そうしたストライキは自殺的暴動となる危険を冒す、と彼は論じた。「権力者どもは積極的にわれわれを、銃が発射されサーベルが切りつけられる場所に追い込みたがっている」。近代的軍隊によって率いられる革命的な火力に直面して、「一八四八年の戦闘様式は今日ではあらゆる面で時代遅れとなっている」。どんなバリケードも近代的な高性能砲弾には耐えられないし、労働者の市民軍が、正規軍の元込め式連発銃と匹敵する武器を手に入れられる望みもない[143]。普通選挙権が何らかの形で獲得されたドイツのような国々では「プロレタリア闘争の完全に新しい方式が実施されるようにな」り、平和的な政治運動が、大衆ストライキの扇動よりもはるかに強力な組織化の武器だ

三八　スチームパイプから栓（プラグ）を抜き、圧力が上がらないようにして工場を停止させたことから名づけられた。

ということを示した。

労働者たちは各地の国会や地方議会、産業仲裁裁判所への選挙に参加した。彼らは十分な部分のプロレタリアートが発言権を持っている業務のあらゆるポストをブルジョアジーと争った。その結果、ブルジョアジーと政府は、労働者党の非合法的活動よりも合法的活動を、反乱の結果よりも選挙の結果をずっと恐れるようになった。(144)

ゼネストであろうとなかろうと、大衆ストライキは、組合をつぶし、選挙で得たものを逆転させるような軍事力をブルジョアジーに解放させる、制御できない闘争となりかねなかった。焼身自殺の恐れはドイツで一番大きかったが、それは世界でいちばん大きく、最先端で最も成功した社会主義運動だったからだ。

「ドイツにおける社会主義者の戦闘力の着実な上昇を一時的に停止させ、しばらくのあいだ後退させることさえできる唯一の手段がある。軍との大規模な衝突、一八七一年のパリでのそれのような流血である」(145)。こういう理由でエンゲルスと〈ドイツ社会民主党〉の議長ベーベルは、他の主要な社会主義政党から熱心に提案されていたメーデーのゼネラルストライキに反対し、その代わりに五月の第一日曜日を雇用主とも国家ともすべての対立を避ける陽気な祝賀会とした。このことが一八八九年にパリで集まっていた代表団の大多数がもともと抱いていた、このメーデーが革命的な闘争の日になるだろうという希望の土台を掘り崩した。のちの第二インターナショナルの大会での、メーデーのストライキを支持する諸決議もまた〈ドイツ社会民主党〉と〈自由労働組合〉[三九]によって回避された。〈ドイツ社会民主党〉のメーデーに関する政策に同調してはいたものの、すぐに党内「修正主義者」の指導者となるエデュアルト・ベルンシュタインは、ゼネラルストライキの防御的役割に対してもっと好意的な意見を持っていた。規律が保たれ、よく組織された組合の力は、社会主義に向けた平和な道が開いたままでいるための最善の保証たりうる。エンゲルスの反対に関してカウツキーからこの問題で『新時代《ノイエツァイト》』に寄稿を求められたベルンシュタインは、ゼネラルストライキ、ないしはそれが起こる確かな兆しでもって、改革の実施を、議会の社会主義多数派によって確実にすることができると論じた。それは反革命と民主主義の停止に対する必要な抑止力だった[146]。

この立場はのちのルドルフ・ヒルファーディングにも反映されている。彼はオーストリア派マルクス主義の経済学者で、〈ドイツ社会民主党〉の主要な指導者のひとりであり、「普通選挙権の背後にはゼネラルストライキへの意思がなくてはならない」と宣言した。しかしヒルファーディングは、ゼネラルストライキはそれ——防御の武器——以上のものとはなりえないと強調した。それは戦争を妨げ、労働組合闘争を前進させ、革命を成し遂げるためには使えない[147]。

その一方で他の穏健ないしは右派の社会主義指導者たちはゼネラルストライキを何よりも、大衆の怒りと夢想された戦闘的精神に対する有益な安全弁として見ていた。こうしてベルギーのバンダーベルデ[四〇]のもとで修正主義的社会主義の指導者たちは、選挙権を求める一九〇二年と一九一三年の、

三九　Freie Gewerkshaften：一八九〇－一九三三年のあいだドイツの社会主義労働運動を構成した。

巧妙に操作されあまりに早く終結したゼネラルストライキで前革命的な危機の緊張を和らげた。「ベルギー人は」とジャネット・ポラスキーは述べている、

階級闘争と革命に関するマルクス主義理論を、新しい社会民主主義の実践という定義のなかで拡大した……。第二インターナショナルの他のメンバーたちに対してベルギーの三つのゼネラルストライキ［一八九三年も含めて］はコントロールされた示威行為の可能性を見せつけていた。ゼネラルストライキは必ずしも大虐殺で終わる必要はなかった。平和的で秩序立つことが可能だったのである。それらはまた必ずしも革命につながるわけでもなかった。[148]

同様に、〈スウェーデン全国労働組合連盟〉の議長であったヘルマン・リンキビスト[四一]は以前はゼネラルストライキの行使を「自殺に等しい」として非難していたが、一九〇九年の行動には、「それがいかにも、サンディカリストやほかの左派の急進的な選択肢の腰を折りそうだ」という理由で、支持に回った。[149]

アナルコ−サンディカリストにとってはそれと対照的に、大衆ストライキは、社会主義の政治家や

四〇　Emile Vandervelde（1866–1938）：ベルギーの社会主義政治家。１９００年−１９１８年のあいだ、第二インターナショナルの議長を務める。
四一　Herman Lindqvist（1863–1932）：一九〇〇−二〇年までスウェーデン労働組合連合の議長を務める。
四二　これは一八九一年である。

表1.2　1890年以降のゼネラルストライキ

1890	フランス　メーデー（フルミー大虐殺の後）[四二] ベルギー（ワロンの鉱夫に率いられて）
1893	ベルギー（選挙権をめぐる自発的なストライキが全国的なストライキへと合体する）
1902	バルセロナ ベルギー（選挙権） ブエノスアイレス スウェーデン（選挙権）
1903	オランダ（港湾及び鉄道労働者によって率いられた二つの連続したストライキ） リオ・デ・ジャネイロ（連帯ストライキ）
1904	ブエノスアイレス イタリア（スト破りとしての兵士） サンクト・ペテルブルク
1905	フィンランド ロシア（数度）
1906	ハンブルク（選挙改革） イタリア ポルト・アレグレ（ブラジル）
1907	イタリア
1908	フランス（騎兵隊がドラベイユのストライキ参加者を襲撃したあと） パルマ（農業労働者の反乱）
1909	バルセロナ（悲劇の一週間） ブエノスアイレス テッサロニキ スウェーデン（賃金削除に対抗）
1911	リバプール モンテビデオ
1912	ブリズベン（労働組合の権利）
1913	ベルギー（選挙改革） ダブリン（ゼネラル・ロックアウト） ニュージーランド
1914	ペテルブルク
1917	オーストラリア（鉄道労働者と連帯） バルセロナ（暴動的） ロシア サン・パウロ
1918	オーストリア ドイツ（様々な都市で）
1919	ブエノスアイレス（悲劇の一週間―五万人の投獄） バルセロナ ベルファスト グラスゴー シアトル ウィニペグ
1920	フランス（大鉄道ストライキ）
1921	アルゼンチン

労働組合の支配者たちが導いたり制御したりできる能力を超えて戦闘的自発性と革命的実行力を解き放つ、最終的なゼネラルストライキのリハーサル――革命の訓練――だった。エンゲルスの悪夢は彼らの夢だった。サンディカリストの理論家たち、例えば〈フランス全国労働交換所連合〉の書記だったフェルナン・ペルーティエ、影響力の大きい雑誌『社会主義運動《ムブマンソシャリスト》』の編集者だったユベール・ラギャルデル、ペルーティエの死後〈フランス労働総同盟〉の新聞編集者となった炎のエミール・プジェは、労働交換所を社会管理の中心に据え、労働者の生産管理を樹立する、革命的なゼネラルストライキを心に思い描いた。その一方で、あらゆる種類の過激活動の同調者である、かの有名なジョルジュ・ソレルは、ゼネラルストライキを新世界への黙示録的扉、そして「そこにおいて社会主義の全体が構成される神話」の両者として理論化した(150)。

しかしながら、ローザ・ルクセンブルクは、二〇世紀初めのストライキの大波を修正主義者（とりわけベルギーの）のようにもサンディカリストのようにも解釈することを拒んだ。中央ヨーロッパで選挙権を求める当時の社会主義者の巨大なデモンストレーションのみならず、第一次ロシア革命を分析して彼女は、大衆ストライキは「孤立した行動ではなく階級闘争の全段階であり」、そこにおいては「政治的・経済的闘争の絶え間ない相互活動」が爆発的に予知不可能なシナリオを生み出し、それが一般大衆の驚くほどの独創性を引き出す、と書いた。彼女はプロレタリアがラジカル化する草の根の過程――トロツキーがのちに「革命的思想の分子作用」と呼ぶことになるもの――に深い注意を払った最初の社会主義知識人の一人だった。とりわけ、彼女はシレジアの織物労働者やルールの鉱夫（彼らはのちの一九一八－一九年に見事に彼ら自身の「赤軍」を組織することになる）など以前は組織化されていなかったドイツの社会層が突然活性化したことを示した。しばしばそうしたと非難されたような、自発性に対するカーゴ・カルトを打ち立てたどころか、労働者階級の自発性（つまり、公認されてはいないが指導されていないわけではない戦闘的精神）についての彼女の決定的に重大な洞察は、〈ドイツ社会民主党〉指導部が抱く、労働組合主義者と社会主義の投票者という従順な大群の幕僚という、「観閲式場」における自己イメージを赤面させるような批判の一部だった。「ロシア革命の未組織のエネルギー」を「ドイツの党と労働組合の組織された慎重さ」と対比して彼女は、「急進派も含めたドイツの党がそれに基づいて活動していた前提に対する左翼からの最初の大攻撃」を開始した[151]（皮肉なことにルクセンブルクではなくレーニンが一九〇五年の反乱に照らして、労働者は「本能的で自発的に社会民主主義者」だと断言したのだった[152]）。

こうした大衆ストライキで明らかになったように、目に見える公式な団体や支部などを越えたところにある労働運動の深層構造は、工場や鉱山、商船内部での非公式的でしばしば非政党の闘争組織だった。こうした内的ネットワークのおかげで、仕事場の労働者は非公式の活動に乗り出すことができ、敗退と抑圧の期間には自らの戦闘的精神の文化を保存することができた。

保守的な労働組合支配者や穏健な社会主義者たちが、工場占拠やゼネラルストライキといったラジカルな戦術に、時には暴力的ですらある反対をおこなったために、目立つことのない仕事場から新しい指導者層が形成された。場合によっては彼らのネットワークは並行した、ないしは代替的な組合へと成長することがあり、それらには組合費を天引きし、専従の指導者層を備えた制度化された組合の資金力はないが、工場内外の労働者階級の不満の全領域を横断して戦術的展開をおこなう、より大きな自由がある。このようにして〈世界産業労働者組合〉は、一九〇九年から一九一三年の鉄鋼、ゴム、織物、衣料産業の移民労働者——排外主義的な職業別組合からはじき出された——の大反乱の時期に活動したのだった。

全国的な反乱はピッツバーグ郊外のマッキーズ・ロックスにある〈U・S・スティール〉の子会社〈プレスト・スティール・〈レイルロード〉・カー・カンパニー〉で始まったのだが、ここでは十六の異なった国籍グループからなる五〇〇〇人の労働者が、ロシアの専制君主政府当局者ですらがぎょっとするような労働条件に耐えていたのだ。ピッツバーグの以前の検視官によれば、「〈プレスト・スティール・カー・カンパニー〉はスピードアップ・システムと、機械の防護をしていないことのために一日平均ひとりの人を殺していた」。一九〇九年七月に労働者たちが職場を放棄すると、会社の社長はこう宣言した。「われわれにとって連中は死んだ。あらゆる欠員を埋めるに足る以上の職にあぶれた者たちがピッツバーグにはいる」。会社は即座に武装したスト破りを導入し、州警察と自警団を見張りに立て、ストライキに参加していた少数のアメリカ人熟練組合員グループをパニックに陥らせた。しかし、フィリップ・フォーナーが〈世界産業労働者組合〉の歴史の中で説明しているように、「外国生まれのストライキ参加者のグループは……ヨーロッパで革命闘争や労働闘争を経験していた。彼らはストライキの早い時期に、ただ精力的で戦闘的な戦術だけが勝利を獲得するだろうと理解していた」。彼らは「無名委員会 Unknown Committee」を選出し、それがヨーロッパのベテランたちの経験を統合し、大量逮捕、「血の日曜日」の虐殺、ストライキ参加者の家族への追い立てがあったにもかかわらずストライキを継続させた。ストライキ参加者をほとんど無知で「ハンキー[四三]」な農民に過ぎないとして片づけていた会社は、実は以前のハンガリー人社会主義者、イタリア人アナーキスト、スイス人社会民主主義者、ブラックリストに載せられたドイツ人金属労働者、そしてロシアの革命家といった歴戦の指導者たちと戦っていたのだった。〈無名者たち〉はやがて闘争を〈世界産業労働者組合〉と提携させ、〈世界産業労働者組合〉は労働者のための輝かしい全国的な連帯キャンペーンに乗り出し、そして九月に会社は屈服した。[153]

もう一つの地下組合主義の例はベルリンの巨大軍需工場群（〈ジーメンス〉、〈AEG〉、〈ボルジッヒ〉など）の内部での反戦抵抗運動で、一九一六年六月に公に姿を現わし、この時は五万五〇〇〇人の労働者がカール・リープクネヒトの投獄に抗議してストライキに入った。「五〇人以上になることは決してなかった」指導者は熟練の旋盤工たちで、革命的左翼の支持者で、ピエール・ブルーエによれば、「他に類を見ないような組織で、労働組合でもなければ党でもなく、労働組合および党（〈ドイツ社会民主党〉）の内部でも秘密のグループだった」。一九一八年には彼らはドイツの首都の全軍需産業を事実上支配していた。

彼らは自分たちが直接影響を及ぼせる数百人の男たちの助けを借りて、労働者たちに自らの積極的な独創性を発揮させるようにすることで、何万人、そしてのちには何十万人もの労働者を動き出させた……。

四三　Hunkie：ハンガリーおよびスラブ系の人々に対する蔑称。

一九一四年には無名だったが、戦争が終わるまでには彼らはベルリンの労働者の指導者として認められることになり、比較的若かったにも関わらず、革命的社会主義運動の中核となることになった。

実際、ブルーエは彼らのことを「社会民主主義の最良の人々」だと考えた(154)。

半世紀後、姿を現わしつつあったイタリアの革命的左翼の理論家たちは、「民衆」とか「自然発生的」とかいった安易な抽象概念の背後に、ラジカルな一般大衆の似たような地下組織を発見した。セルジオ・ボローニャは一九六〇年代はじめの北イタリアの工業三角地帯で発生した騒乱の秘められた要因を思い返した。

〈フィアット〉、〈ピレリ〉、〈イノチェンティ〉、そしてすべての大工場における……最初の自主的で、独立し、自己組織化された山猫ストライキは……大衆的なものではなかった。それどころか、それらは労働者の中核と闘士たちの高度に洗練された政治的歴史の結果で、彼らは労働者のグループに確かな政治的文化という遺産を伝えて来ていたのだ……彼らは、たぶん非常に部分的で、非常に局所的な、しかしすでに成熟した有機的組織体であるような闘争のシステムを生み出すことに成功していた……これは政治的エリートを能動的主体、大衆運動を受動的主体とするようなビジョンを完全に変えてしまう。政治的エリートは知識を付与された層であり、それに引き換え大衆運動はただ願望を、欲望を、そして不安等々を付与されただけの層であるというような……。われわれが「自然発生的」と呼びえたものは、実際は、すでに政治的に非常に成熟した、闘争の微細組織の形態なのである、なぜならそれらはレジスタンス出身の世代によって決定されてきたのだから。

こうした古参の労働者たちが、今度は「真の酵母」となって、一九六九年のイタリアの「暑い秋」のあいだ、大部分はメッツォジオルノ（南イタリア）からの移民である若い労働者を立ち上がらせる助けとなったのだった。[155]

労働者たちは工場を経営し生産力を発展させることができる。第一次世界大戦まで、生産に関する応用科学の多くは、半ば金属労働者やその他の熟練労働者たちの財産であり続けた。

ビクトリア朝の工場での計画的な脱熟練労働化と「あらゆる知的発達の抑圧」の流れを考慮に入れれば、プロレタリアートは実際に生産を管理できるほど有能になれるのだろうか？『共産主義の原理』の中で、エンゲルスはぶっきらぼうである。

> それぞれの人が生産の一部門を割り当てられ、それに縛りつけられ、それによって搾取され、それぞれが自分の持つほかのすべての能力を犠牲にしてただ一つの能力だけを発達させてきて、一部門しか、あるいは全生産の一部門の一部門しか知らない現在の人々によっては、生産の共同管理は成し遂げられない。[156]

のちに『一八六一－一八六三年の経済学草稿』の中でマルクスは、産業資本の独特の業績である、物質生産への科学の絶え間ない適用は「この過程の知的潜在力を、個別の労働者の知識、理解、技術から完全に分離することにかかっている」と断言した。「……疑いもなく、高級労働者の小階級が実際に形を成しはするが、これは「非熟練」労働者大衆に対して全く釣り合いが取れていない」[157]。

しかし、一八六四年九月の「国際労働者協会開会の辞」の中でマルクスは、「労働の経済学の、所有の経済学に対する」勝利を一〇時間労働法の成立とともども祝ったが、しかしそれ以上に「いくつかの大胆な『働き手』の、独立した努力によって育てられた協同的な工場」という形態での勝利を祝ったのだった。「こうした偉大な社会的実験の価値はどんなに評価してもしすぎということはない。議論によってではなく、行為によって、それらの実験は大規模な生産が、現代科学の要請と調和して、親方階級の存在なしに遂行できることを示した[158]」。マルクスが矛盾したことを言っているように見えたとしても驚くべきことではない。彼の経済的著作中の科学技術の発展のモデルは先見の明はあるが大いに未来的なものだった。『資本論　第一部』（第13章4）の初期の「自動化工場」は、一八六〇年代には英国の木綿工場と、おそらくほかの少数の産業でしか目にできなかった傾向をもとにした推測をおこなっている。オートメーションの速度を過大評価し（機械による機械の生産）、手仕事を単純な機械の世話として再編成し、彼は同時に「高級労働者階級」の経済的存続と社会的重みを過小評価した。つまり、機械工や鋳型製作者、ボイラー製造者、組み立て工、旋盤工、そしてその他の、機械システムを作り、設置し、維持する精密金属労働者たちのことである[159]（一九世紀半ばの新しい「再教育を受けた」職業のリストの中には、鉄道および蒸気船技術者、そしてさまざまな等級の機械工をつけ加えるべきだろう）。

二〇世紀になって産業組合主義が台頭するまで、〈イングランドの〉〈合同機械技師協会Amalgamated Society of Engineers〉以上に強力で、広く手本とされていた組合は世界になく、一八九七年には九万人以上の組合員がいた[160]。実際、英国では「エンジニア」という用語は、金属構造物と機械の、設計者と製作者を意図的に合体させたもので、そのようにして熟練工たちが、自らの技術の概念的・実際的な中身のいかなる分離にも反対する頑なな抵抗を証明していた。製造業や鉱山の一部では、以前にも見たように、支配者が労働過程の一部を熟練労働者――ビクトリア朝中期の労働貴族――に下請けに出し、彼らが自分たち自身の助手として非熟練工を雇うというのは当たり前のことですらあった[161]。生産内部での自らの職務上の自治権（そして経営者側に対する不透明性）を守るために、金属同業組合は労働運動内部で保守的な、そして時としては反動的な役割を果たし、あまり熟練を要さない機械操作員を犠牲にして自分たちの部族的利益を増進させた。こうした「ビクトリア朝中期の労働貴族は」とジェイムズ・ヒントンは書いている、「しばしば『労働者階級全体の真正な代弁者だというポーズをとる』のが都合がいいということがわかった。しかしそれはポーズに過ぎなかった。彼らが自分たちの職能組合主義の排他的特徴を固守しようとする限り、貴族たちは決して全体としての労働者階級を真に包含することはできず、そしてそれゆえ、労働者階級主導の政治を発達させることはできなかった[162]」。

しかし彼らは、潜在的には技能資産と排他的組合主義という地平を超越しうる、労働者による支配というビジョンを確かに保存し、頑なに擁護したのだった。大学教育を受けた工業技術者や化学者、技手たちが、二〇世紀初頭に産業的階層秩序の決定的に重要な部分となるまで、そして科学的経営が職業知識を実質的に取り込み、分析的に分解してしまうまで、工場の労働過程の資本による完全な支配（「真の専有」）は不可能だった。[163] デイビッド・モントゴメリーが言ったように、金属技術のエリートは「労働者の帽子の下に管理者の頭脳」を隠していたのだ。[164] せいぜいのところで個々の資本家は、機械工、電気技師、鋳型製作者を職長や工場管理者に出世させ、職業技術をそれ自体に歯向かわせることしか望みえなかったのだ。[165]

一九一七―二一年のヨーロッパ革命の中で、巨大な戦時軍需工場と造船所に基盤を置いた金属労働者は、戦争と貧窮化に反対する一般大衆の労働反乱を率いた。技能による生産の規制が急速に減少してゆくのに直面して「労働貴族」の重要な一団はヨーロッパを横断した特別な職場代表運動を組織し、工場の労働者管理というラジカルなプログラムを取り入れた。

熟練金属労働者の階級闘争における主体的立場は、すでに見てきたように、非常に曖昧なものだった。ホブズボームによれば、彼らは「労働者の集団的自衛のもっとも活動的な中核」だったが、しかし（少なくとも英語を話す国々では）また、「中流階級の社会支配と産業的規律の主要な支え」でもあった。[166] 一九〇五年の革命以前のロシアの工場ではこれら将来のボルシェビキは、高給をとってしゃれた服をきこみ、「熱い職場（ホット・ショップ）」にいる以前の農民や労働者集団に対してとる傲慢な態度などから「男爵」と呼ばれていた。[167] 西ヨーロッパや北アメリカでは、彼らはしばしば大量生産労働者、とりわけ新しい移民グループの闘争を支援することを拒んだ。しかし彼らの「労働貴族」としての地位は、一八九〇年代から、一八九二年のアメリカの〈ホームステッド製鉄工場〉の製鉄所工員の壊滅、それに続く一八九八年の、強力な〈合同協会〉の敗北などにともなって、急速に侵食され始めた。[168] どちらのストライキも経営者の特権と労働過程の管理、とりわけ半熟練工によって動かされる新しい機械（研磨機、穿孔機、打ち抜きプレスなど）の導入、の問題をめぐって闘われ、その敗北は影響力を持つ若い熟練工の少数派を急進化させ、かれらは産業組合主義と産業の労働者支配というサンディカリスト的ビジョンを抱くようになった。[169] ドイツの巨大な金属労働者組合である〈ドイツ金属労働者組合〉も十年後に、その穏健な「科学的」政策がロックアウトとストライキの敗北の真っただ中でほころび、戦時中の職場代表運動を予想させるような一九〇九年の大衆反乱へとつながった時、[170] 似たような危機を経験した。レオポルド・ハイムスンによれば、ロシアでは「都市出身で……せっかちで、ロマンチックで、マキシマリズムに対して非常に敏感に反応する新しい世代の若い労働者」が、「父親殺しの戦いという雰囲気の中で」メンシェビキの保守派を拒絶し、一九一三年には〈金属労働者組合〉の指導者にボルシェビキを選び、第一次世界大戦の前夜である翌年七月のペテルブルクでの反乱的ゼネラルストライキを準備した。[171]

世界大戦は――ほとんど『資本論』によって台本を書かれたかのように――金属加工産業とその労働力の膨大な拡張を生み出した。たとえばトリノの〈フィアット〉は二年間でその名簿を一二〇〇パーセントも増加させ、またペテルブルクでは金属労働者は町の労働力の六〇パーセント以上を占めるようになった――驚くべき数字である。[172] ドイツでは九万人の熟練金属労働者が、ベルリンの大きな外郭工場群の生産を維持するために徴兵解除されなければならなかった。その結果〈ドイツ金属労働者組合〉の組合員は一九一八年には八〇万人、その一年後には一六〇万人へと急上昇した。[173] パリでも同じことだったが、ただ、一九一八年に約一五万人だった熟練労働者（*professionnels*）の数は、政治運動をしたりストをおこなったりしたら前線に送られるという脅しでもって、人為的に一定に保たれた[174]。参戦国のすべてで、そしてたいていは右翼ないしは中道派の組合指導者と共謀して、搾取は週七〇から七五時間労働という生理的限界まで増大し、容赦のないスピードアップと産業事故の急増が伴った。

その一方で、仕事場の状況は多数の女性および若者たちによって覆されたのだが、彼らは戦時労働のためにかき集められしばしば「薄められた」──すなわち、正式な訓練をほとんど受けずにおこなえ、「出来高」で支払われる単純な作業に分割された──仕事へと送り込まれた。一九一七年にはこうした、イギリス人が言うところの「水割り工」すなわち「軍需女工」が一〇〇〇万人以上も主要な参戦国の工場にはいて、ベルリンではそうした者たちが化学製品、金属製作、工作機械の労働力の半分以上を占めていた[175]。

その厳しく危険な仕事に、彼女たちはまた銃後の悪化してゆく条件、とりわけ食料と燃料不足に対する深刻な懸念を持ち込んだ。男の同僚たちとは違って水割り工たちは工場での戦闘的精神に対する罰として徴兵するわけにはいかなかった。バリントン・ムーアがルールの鉱山における移民の似たような例について書いたのを引けば、こうした「伝統の抑制から自由な『無責任』な社会的要素」は職人の足元に火をつけ、「そして彼らに共通する過去を、制限つきで保存し、そして破壊することの融合こそが、鉱夫［機械工］たちが新しい集合的なアイデンティティを作り出すのを手伝いもし強要しもしたのだ[176]」。クリス・フラーはこの「経済的なものと政治的なものとの融合、組織化された者と新たに産業化された者との混合」を、大多数の労働者の直接的利害を労働運動のサンディカリストないしは革命的左翼と次第に繋げてゆく、ヨーロッパの労働者階級の「再生」として適切に描き出している[177]。フランスのアルフォンス・メルハイムやドイツのリヒャルト・ミュラー、ロシアのアレクサンドル・シラプニコフ、スコットランドのウィリー・ギャラハーなどの急進的な金属労働者たちはこの大きく広がった戦争に対する嫌悪を、大衆ストライキや、やがては工場や造船所の占拠を伴った、積極的な反対へと変えていった。

工場評議会運動は、以前はばらばらだった労働闘争の二本の撚糸を統合した。すなわち、半熟練工が包括的な産業上の代表権を求めることと、金属熟練工の、労働過程内部における自らの特権の擁護とである。マルクスが五〇年前に称賛していたオーウェン主義者の産業の自己管理というささやかな実験は今や労働者による産業経済全体の管理という広範囲に及ぶ概念へと成長を遂げていた。

戦時中のサンディカリズムはほとんどの場合、やがては共産主義となり新しいインターナショナル創設の支えとなった。「第一次大戦中の技術者の職場代表と革命的急進主義は」とホブズボームは言う、「ちょうどチーズとピクルスのようによく調和した、そして金属労働者——一般的には高度な技術を持った男たち——はのちによく知られるように、共産党のプロレタリア部分で優位を占めるようになった[178]」。一九一八年にヨーロッパの一ダースの国々で、水割り工と半熟練労働者一般を合体させるために階級組織の新しい形態が姿を現わした。選挙で選ばれた工場評議会（*Betriebsrat*）である。政治的革命は、典型的に海軍の暴動と陸軍の反乱という形を取って、急速に地方の労働組合や労働者組織と提携してゆき、ある程度はパリ・コミューンのモデルをコピーした、「労働者と兵士の評議会」（*Arbeiter-und Soldatenräte*、そして*soviets*）という並行する制度を生み出した。規模と、他の組織（組合、政党、非産業的グループ）との節合はさまざまに異なれど、評議会運動の本質は主に、直接民主主義と、労働者の生産管理への参加および地方政府の大衆的管理という両面をもって表わされた[179]。

労働者評議会は、ペテルブルクの大工場の長老会議（*sovety starost*）、英国、フランス、ドイツの工場における職場代表制度、そして北イタリアの工場の「内部委員会」などの、既存の職場代表団制度のラジカル化から生じて来た。形式的には代表している組合の職場での政策に責任があったとはいえ、代表者たちはそのかわりに、困窮のために、しばしば戦時中に全国的な組合がおこなった妥協と対立する一般大衆の、独立した保護者となる傾向があった。同僚の技能管理の喪失、そして急速に悪化してゆく家族の生活という、ひとしく存在に係わる危機に代表者たちが日々直面している製造部門ではとくに、彼らはフランスの革命的サンディカリストやアメリカの産業組合主義者たち（とりわけ〈世界産業労働者組合〉）によってずっと前から唱えられていた自主管理という考えを取り入れるようになった。全国的な組合と労働／社会党の大部分が*unions sacrées*〔神聖なる同盟〕[四四]によって取り込まれるにつれ、また言論の自由が徹底的に制限されるにつれて、職場は戦時中の国家資本主義に対する抵抗の主要な中心地となった。

この下からの革命にもちろん単一の雛型はないが、四〇万人の工場労働者が巨大な金属工場、軍需工場、造船所に集められていた一九一七年春‐夏のペテルブルクは労働者による管理のもっとも進んだ実験室という評判通りだった。六万人以上の機械工や労働者が雇われていた〈プチロフ〉製作所の新しく選ばれた工場委員会が四月に、このリバイアサンを構成する四一の工場や部門のそれぞれの内部に大衆委員会を作るようにと指令を発した時、それは究極的な目標をはっきり示していた。

職場委員会を組織するという現実的な仕事は新しい作業であるという事実に鑑みると、草の根レベルで生活の世話をするこうした委員会はできうる限りの独立性と自発性を発揮する必要がある。工場内での労働者組織の成功は完全にこの点にかかっている。自主管理に慣れることによって労働者たちは、工場や製作所の私的所有が廃止され、生産手段が、労働者の手によって建てられた建物ともども、全体としての労働者階級の手に渡るその時のための準備をしているのだ。[180]

〈プチロフ〉の経験を再吟味して歴史家のスティーブ・スミスは、委員会は常に開会中の直接民主主義の手段として考え出されたと強調している。

工場委員会の憲法は、主権は総会にあるのであって委員会そのものにあるのではないということを強調しようと努めている。これは、今や権力は自分たちにあるのだと信じている何千もの労働者の気分に合致していた。一般大衆にとっての二月革命の意義は、まさにそれが自由と、人民に移転されようとしている権力への道を切り開くものとして見られたという事実にある。これは単に「民主共和国」のみなら

四四　第一次世界大戦がはじまると〈フランス労働総同盟〉は「祖国防衛」を唱え、社会主義の議員たちは戦時公債に賛成した。こうした労働運動・社会主義運動と政府との協力関係を言う。

ず「立憲的な工場」を意味したのである。[181]

ペテルブルク、モスクワ、ベルリン、トリノの有名な例に加えて、革命的金属労働者はまたブレーメン、ケムニッツ、ブダペスト、ウィーナー・ノイシュタット、ウィーン、ワルシャワ、ルブリンで評議会運動に指導権を与え、さらにまた対応するゼネラルストライキと反乱から急速に姿を現わしつつあった原（プロト）‐共産党に対しても指導権を与えた。権力の真空、あるいは資本家による生産の支配の中断がなかった国々では、戦闘的機械工、鉱夫、鉄鋼労働者たちは、今や復員した兵士であふれかえりつつあった労働市場で戦時中に獲得したものを守ろうとして大衆ストライキに向かった。一九一九年一月にシアトル、ブエノスアイレス（七〇〇人の死者を出したSemana Trágica〔悲劇週間〕）そしてグラスゴーで同時に起こったゼネラルストライキに、五月のウィニペグでの総罷業、六月の一七万人のパリの金属労働者による「準反乱的」山猫ストライキ、そしてサンディカリストにして将来の共産党指導者であるウィリアム・Z・フォスターに率いられた九月の〈アメリカ大鉄鋼ストライキ〉が続いた。

「労働者による管理」をいかに理解すべきなのだろうか？「労働者評議会は社会主義への移行であるとして、どれほど大きな意味でも認めた唯一のオーストリア派マルクス主義理論家」であるマックス・アドラーは、評議会を議会の第二院として、より強力で伝統的な国会に従属させることになる社会民主主義的な憲法をウィーンで提案した。[182] ベルリンでは職場代表制の指導者であるリヒャルト・ミュラーとエルンスト・ダウミッヒが工場評議会を戦闘的組織でもあり社会主義経済の核でもあると見た。「評議会組織の、下からの闘争はやがて、労働者を支配することを可能にしていた知識を資本家から奪い取り、それを自治権を持つ自主的組織のために使うだろうが、その組織を通して彼らは、将来の計画に従った全経済の管理へと一歩ずつ進む[183]」。突然「イタリアのペテルブルク」になったトリノでは、グラムシが『*L'Ordine Nuovo*〔新秩序〕』紙上で、「大工場、すなわちそこではそれぞれの人々、人類のそれぞれの部分が、特定の国境を持った国家としての組織によってではなく、生産の特定の形態を遂行することによって独特の個性を獲得する、一つのインターナショナルというモデルに基づいて組織された」新しい世界政府の中核として、よりサンディカリスト的で、より空想的な工場委員会のビジョンを提案した[184]。Consigli di fabbrica〔工場評議会〕は将来の社会主義国家の機関ではなかった。それは新しい国家だった[185]。

Ⅳ　産業都市

組合の戦闘精神はしばしば鉱山の村や織物の町で最高潮に達することがあるが、社会主義は究極的には都市——かの家父長主義と信仰の墓場——の子供である。都市において、プロレタリアートの広い公共圏が繁栄しうる。

『イギリスにおける労働者階級の状態』の第三章「大都市」の中で若きエンゲルスは、その「形成」が産業化と同じく都市化の結果でもあったプロレタリアートを描き出している[186]。

人口の集中化が有資産階級を活気づけ発達させるとしたら、それは労働者のさらに急速な発達を強要する……。大都市は労働運動の生誕地である。そこにおいて労働者は初めて自分自身の置かれた状況をよく考え始め、それと戦い始める。そこにおいてプロレタリアートとブルジョアジーの対立が初めて姿を現わす……。［さらに］大都市と、それらが持つ大衆的知性に対する強制的な影響力がなくしては、労働者階級はいまよりもずっと遅れていたことだろう……。［都市は］労働者と雇用主とのあいだの家父長的関係の最後の残滓を破壊してしまった。(187)

自らのブルジョア的背景にある、息詰まるような信仰心にしばしば不満を述べていたエンゲルスは、ロンドンの労働者たちが組織だった宗教や精神的なドグマに無頓着で、ほとんど例外なく無関心であることに仰天した。「すべてのブルジョア著述家は異口同音にこのことを述べているのだが、労働者たちに宗教心はなく、教会には通わない(188)」。その一方、一七九二年にノートルダムで短いあいだではあれ〈理性の女神〉が戴冠した[四五]パリでは、社会主義者の職人階級のみならず共和主義者の小ブルジョアジーのあいだでも戦闘的な反教権主義が深く根づいていた。しかし最も劇的で、おそらく驚くべき例はヨーロッパのシカゴであるベルリンで、そこでは一九一二年には社会主義者が投票の七五パーセントを獲得し、最も貧しい地区では完全に「非キリスト教化」されたと考えられていた。労働者階級のベルリンはアフリカと同様に布教の最前線だった。(189)

ホブズボームが強調するには、大都市は「不釣り合いにプロレタリア化し、他のことが等しいとすれば、不釣り合いに赤化する傾向がある。一九一四年以前の人口一〇万人以上のドイツの都市は、全国的な都市の平均が四一パーセントだったのに対して六〇パーセントがプロレタリアで、スウェーデンのストックホルムでも状況は同じようだった」[190]。ベルリン、ニューヨーク／ブルックリン、シカゴは世界最大の産業都市だった。ロンドンの膨大なプロレタリアートは大部分が小さな仕事場に分散させられるか、港湾や建築現場で臨時雇用化されるかしていた。サンフランシスコは世紀が変わってすぐ後に最初に労働組合が政権を取った都市となり（サンフランシスコはその地位を第一次世界大戦が終わるまで維持した）、一方でミルウォーキーは一九一〇年に大都市で最初の社会主義者の市長を選出した（しかしながら、地方自治体の社会主義の短い黄金時代は一九一九年になってやっと、ウィーン、ベルリン、アムステルダムが赤化した時にやって来た）。都市の内部あるいは周辺を含めた大都市圏は、その上、労働者階級の力の巨大な発電機だった。借家や密集して並んだ住宅が、巨大な製造工場や船渠の周りに群がる赤化地区である。有名な例としてはパッキングタウン（シカゴ）、ホームステッド（ピッツバーグ）、ガバン（グラスゴー）、マラコフ（パリ）、セスト（ミラノ）、ラバル（バルセロナ）、ビーボルク（ペテルブルク）が含まれるが、ホブズボームは鋭敏にもベルリンのノイケルンを典型として選抜する。「一九一二—一三年に［ここは］約二五万の人口があり、約六万五〇〇〇人の成人男性の選挙民がいて、その八三パーセントが〈ドイツ社会民主党〉に投票した。党員は一万五〇〇〇人、すなわち選挙人名簿の四人に一人で、彼らはまた、それぞれ四つほどの借家地域に責任を負う千人近い党職員によって導かれていた」[191]。戦時中にはそこは左派社会主義者の反対意見の大鍋となり、それから〈スパルタクス団〉と一月蜂起の大衆的支援の中心になった。ワイマール共和国後期には、ノイケルンは隣接

四五　キリスト教破棄運動の一環。

するベディング〔Wedding〕地区と共に共産主義行動主義と投票数のヨーロッパで最大の密集地だった。

労働争議が近隣地区へと溢れ出ること、そしてその反対も保証する職住接近は階級意識への強力な支えだった。この関係は初期の産業化された郊外では恒久化させられ強化されさえしたが、パリがこれについてのもっとも鮮やかな例を提供する。

一九〇〇年以降、第二次産業革命は、できれば土地が安い大都市周辺部の、より広大な敷地と、近代的な（とはすなわち電化された）自動車、化学、製鉄工場への需要に拍車をかけた。大雑把に言って贅沢産業の臨時工と労働者は中央にとどまり、その一方で工場労働者はこの新しい郊外へと工場の後を追った。もっとも有名な例は「パリの赤色ベルト」で第一次世界大戦が勃発するときにはすでに胚胎していた。ミシェル・ペローが説明するように、

この場合、住居は労働者が消費社会に同化するのに貢献していなかった、というのは、これらの郊外はアメリカのようにもっぱら住宅ばかりで家庭向け、というわけではなかったからだ。仕事と住居はほどきがたく結びついていた。工場が近隣を植民地化した、というよりは近隣の一切を作り上げた。フランスの労働者階級の郊外は虚無の空間ではなく、かなり濃密な近所づきあいの場所だった。(192)

散り散りに存在する鉱山都市や小さな産業都市とは違って、赤色ベルトの郊外は、やがては高速路

面電車や電車によって都市の中央と結びつけられ、こうして中央でのデモンストレーションや抗議の機動的予備地域を形成するようになる。パリの潜在的投票数という点で失われたものは、郊外の赤色行政府の強化ということで獲得された。その上、戦争は労働者と生産が、近い郊外へと移動してゆくのを加速させた――戦時中のベルリンやロンドンでも主要な潮流だった。こうした戦時下の施設は、とティエリー・ボンゾンは書いている、

> 深くそして恒久的にパリの産業のパターンを変更した……。それらは相当数の労働者たちを寄せ集めた。ブーローニュ-ビヤンクールの〈ルノー〉に二万二〇〇〇人、〈ピュトー兵器廠〉に六〇〇〇人、バンセンヌの弾薬工場に五二〇〇人、サン-ドニの〈ドロネー-ベルビル〉[四六]に一万一〇〇〇人……。経済活動の重心はこうしてパリの旧工業地域（一一区のフォーブール・サン-タントワーヌ、二〇区のベルビル）から市を取り巻く新産業ベルトへと向かって移転する傾向があった。[193]

この移転は一九一九年六月の金属労働者のゼネラルストライキによって劇的に表現された。

> ストライキはただプロレタリアートの不満を表現するだけでなく、*la banlieue*〔郊外〕の威嚇をも表わしていた……。それはストライキのもっともラジカルな党派、すなわち、もっとも一貫して反乱を求め

四六　高級自動車工場。

て叫び、見習うべきモデルとしてロシア革命を引き合いに出した者たち、が郊外から立ち上がっただけにより一層真実だった。とりわけサン＝ドニはストライキのあいだ革命的左翼の震源地となった。パリで最大のそして最も工業化された郊外の一つだったこの地域では、市の連合組合評議会や、さまざまなストライキ委員会、そして市当局が連携して、ストライキを支援するだけでなく、最大限綱領主義〔全目標達成のために直接行動に出る〕の方向づけを与え、そして運動全体にその方向づけを押しつけようとした――「サン＝ドニのソビエト」はパリ・コミューンの真の後継者だった。[194]

ヨーロッパと合衆国の何百もの工場都市や工業化された郊外は一八九〇年以降、社会主義者を市庁舎に送り込んだ。彼らは姿を現わしつつあった電力および輸送トラストに反対する重要な闘いを率い、そしていくつかの有名な事例（例えばロサンゼルス）では、私的な独占を公共企業体で置き換えた。別の事例では、地方政府の社会主義者の多数がストライキと抗議の権利を守り、警察のスト破りの役割を制限するのに極めて重要な役割を果たした。しかし「地方自治主義」――重要な改革が地方レベルの進歩的政府によって達成しうるというフェビアン流の信念――はあまりにもしばしば、それがしきりに連携した中流階級の改革運動とほんの僅かばかりしか違わない「下水管社会主義」[四七]へと堕してしまった。

革命的コミューンを別にすれば、労働者の運動は一八八〇年代に都市の行政という困難だがやりがいのある仕事に敢然と立ち向かい始め、この時期、最初の社会主義者の市長たちがコマントリー（フランスの地理的中心）、イモラ（ボローニャの近く）で肩帯をまとった。その一方、〈統一労働党〉の候補者ヘンリー・ジョージは、人々をアッと驚かせるほどニューヨーク市長の座に近づき、〈英国社会民主連盟〉の口煩い指導者であるヘンリー・ハインドマンは『ロンドンのためのコミューン』（一八八七年）を出版して、これは〈フェビアン協会〉とのちのロンドンの〈労働党〉政府を鼓舞するものとなった。世紀の変わり目には非常に多くの社会主義者の地方自治体公職者がいたため社会主義インターナショナルは赤色市政のための模範的綱領を議論し始めた。鍵となる戦略的問題は、まず第一にどの程度までの公的な所有権が、少なくとも公益事業とインフラストラクチャーの所有権が、地方レベルで達成できるか？ そして第二に、最大限綱領のどこまでが、都市に住む中流階級の改革者――基本的には専門職層――を引きつけて同盟関係を結ぶために、あるいは合衆国や英国でそうであったように党に引き入れるために、犠牲とされうるのか？ この問題は物議をかもす、しかも非常に議論を紛糾させるものだった、というのは、地方自治主義というのは社会主義への限りない遠回りになりかねないと、革命的左翼は正当にも懸念したからである。しかしすべての側が（場合によってはアナーキストですらが）地方政府は社会主義者の政策をテストする実験室であるべきだということで意見が一致していた。長いこと公共投資が欠乏していたために都市の施設は需要にはるかに遅れていて、インフラストラクチャーは大部分が近代化されていなかった。これは社会主義者が、公園、街灯、きれいな水、屋内の便所、公衆浴場、市営の電力、労働組合に組織された市の労働者たち、そして何よりも公共住宅という、包括的なビジョンでもって取り組んだ危機だった。しかしどこから財源は来る

四七　20世紀初頭からミルウォーキーを中心に展開された社会民主主義運動。ミルウォーキーでの〈アメリカ社会党大会〉で、同市の党員が下水道システムを自慢したことを評して言われた蔑称が始まりとされる。

のだろうか？「世紀の変わり目に、フランス、ベルギー、そしてイタリアで労働者党の管理のもとに入った地方自治体の多くは」とシェルトン・ストロームクイストは書いている、

たいへん小さく、社会も有権者も均質だった……そして必要とされる公共事業を作り出す資金が欠けていた。その上、どんなに経験のない行政官でも、いわゆる「実験室」は、自治体当局が完全な法的自立性を享受し、地方税制を変更して新しい財源を見つけ出すことを可能にし、最後の地方課税を廃止し、地代の制度に介入し、新しい公共事業を作り出し、いまだ個人が所有するこうした事業を接収できなければ、実験室でしかないということをすぐに理解した。(195)

大規模な住宅建設を含む真の都市「構造改良主義」のための政治的・経済的条件は第一次大戦後に、とりわけ赤いウィーンとして知られるあの並はずれた実験の後になってやっと姿を現わすのである。

一九三〇年代、そして合衆国での〈産業別組合会議〉（ヨーロッパの戦後の組合主義の雛形）の偉大な勝利以前は、都市そのものが職種の境界を越えた労働者階級の、政治的・文化的のみならず経済的な組織の主要な形態ないしは外殻を提供した。大階級闘争は、鉱夫および鉄道労働者を例外として、都市の労働組合連合、ないしは、組合によって管理され自治体によって資金を供給された*bourse*〔労働交換所〕および*camere del lavoro*〔作業室、イタリア労働総同盟の地方組織〕によって指揮されたが、それらは一八九〇年代からフランス、イタリア、そしてそれ程ではないがスペインでも、労働者の戦闘的精神の中核だった。

かつては盛んだった「ウィスコンシン」ないしは「コモンズ」労働史学派は、英語を話す国々での全国的組合の進化に焦点を当てていて、鍵となるテーマは排他的同業組合から包括的産業組合主義、そして団体交渉の合法的制度化への移行だった。この研究方法はしかし、例えばアメリカの都市のどこにでもある中央労働評議会やスコットランドの労働組合評議会などといった都市の労働者同盟の役割を徹底的に過小評価していたが、これらは職能組合が主流の時でさえ、急進的な指導権と未組織の者たちの利益のための闘いには全国的組合より適していた。実際それらは時として産業別労働組合と同等の機能を果たした。〈社会民主党〉や〈自由労働組合〉がそれぞれ別個の活動圏を堅苦しく定めていたドイツの場合とは違って、合衆国やスコットランド、オーストラリアの都市の組合同盟は経済と政治の境界を創造的に曖昧にし、いくつかの場合は独自の地方労働者党、例えば一八八六年にヘンリー・ジョージをニューヨーク市長候補に立てた〈統一労働党〉（彼はセオドア・ルーズベルト以上の得票を得て次点になった）、そして二〇世紀最初の一〇年間サンフランシスコの政治を支配した〈組合労働者党〉などを組織した[196]。

北アメリカにおける労働ラジカリズムの旗艦は〈シカゴ労働同盟〉で一九〇三年には二四万五〇〇〇人の組合員がいて、全国的な〈アメリカ労働同盟〉とは対照的に、積極的に「共鳴ストライキを奨励し、女性および非熟練労働者の組織化を促進した」[197]。プルマン・ストライキの後に形成された〈シカゴ同盟〉は最初のころはごろつきが支配していたが、一九〇六年に社会主義者ジョン・フィッツパトリックを会長に選出したあとは、大都市中央組織としてはもっとも一貫して戦闘的かつ革新的となり、その影響力の強さを行使して食品包装工場労働者や鉄鋼労働者、教師たちの組織キャンペーンを支援した。一方フィッツパトリックは〈アメリカ労働党〉のもっとも際立った擁護者だった。同様に、〈グラスゴー同業組合評議会〉は通例イングランドの組合では無視されていた港湾労働者、輸送労働者、ガス労働者などの組織化に主導的役割を果たした。「赤いクライド[四八]はまさにその核として〈同業組合評議会〉を持った、断固として独立的で地域化され連合した同業組合組織の内部に」姿を現わしたとウィリアム・ケネフィックは書いている。「この組織は熟練労働者と、それほど熟練していない労働者とのより大きな相互作用を促進させた」――より中央集権化された英国の全国的組合と比べた時の強みだとケネフィックは論じている[198]。

すでに見たように、強力な組合が存在しないで労働闘争がしばしば「山猫」的性格を帯びたフランスでは労働者階級の団結は都市の*bourses du travail*〔労働交換所／労働者評議会〉を通して形作られた。こうした「組合に管理され、地方自治体から資金援助を受け、地域に基盤を置いた職業紹介所[四九]は」明らかにフランスの創案であり、最初は一八八六年にプルードン主義者と社会主義者の先例に影響を受けたパリ評議会の左派多数派が、失業者のあいだの競争を減らし、彼らがスト破りとしてかり集められるのを防ぐために雇用周旋所として最初の〈交換所*bourse*〉を設立した時に始まった。この実験は国中に広がり、〈交換所〉は、税金で資金を賄う職業紹介の機能を保ちながら、集会所、組合事務所、図書館などを備えた真の「人民の家」となった。「一九〇〇年代まで」とスティーブン・ルーイスは書いている、「〈交換所〉は労働運動のもっともダイナミックで急速に成長してゆく枝であり続け、〈労働総同盟CGT〉をはるかに引き離していた……大多数の観察者は、〈交換所〉によって例証される労働政治の地方的戦略の将来の見通しは、駆け出しの産業同盟や連合のそれよりもはるかに勝っているということで意見が一致していた」[199]。しかしながら、「交換所－サンディカリズム」のアキレスの踵は、地方自治体に対する依存だった。〈交換所〉が反軍国主義宣伝のためのラジカルな舞台になるにつれて、雇用主や〈急進共和党〉の愛国者たちは、しばしば地方の知事たちの調整で、有権者を糾合させて地方自治体からの資金供給を断った。同時に、一九〇六年以後は革命的サンディカリストの指導権のもとで、鉱夫や鉄道員による次第に全国的な規模になるストライキは、産業別組合主義と再活性化された〈労働総同盟〉に味方した。

強力な〈全国土地勤労者連合〉、すなわちポー川流域の農業労働者による社会主義組合、を例外として、戦前のイタリアの組合は弱体だった。「労働者の大量動員のためにより重要だったのは広範囲にわたって深く民衆に根を下ろした〈労働会議所 *camera*〉で、それがイタリアの轟きわたるゼネラルストライキの伝統のバックボーンをなし、それは経済的紛争の団体交渉のためというよりは、デモンストレーションやストライキで労働者が撃たれたときに支援を集めるために使われた[200]。その上〈労働会議所〉は、

すべての地元の組合や、個々の自治体や地区の労働者の団体に活動の中心を供給し、時がたつにつれてこれらは組合や地方の連盟、消費共同組合、貯蓄銀行を含むようになった。中心は〈人民の家 *casa del*

四八　一九一〇年から三〇年代までグラスゴーとその周辺のクライド川沿いにできた政治的急進主義地域。
四九　*bourses du travail*：英語のlabour exchange（職業紹介所）にあたり、もともとはその機能を有していた。

popolo〉で……これは雇用周旋所にして労働者の労働交換所、クラブ、教育の中心、司令部として機能し、一九二一-二二年にはファシストの主要な標的になることになる。

おそらく、もっとも際立っていたのは、「組合員は常に労働者の中でも少数派で、組合費は一定しておらず、組織はしばしば不完全」ということだった。「〈労働会議所〉は」とグイン・ウィリアムズは続ける、「伝統的な局所化された無政府的スタイルの反乱を新しい労働運動に結びつけた。それは職業別・同業者的精神性というよりは、ポピュリスト的で共同体的、そして時には階級的な精神性をはぐくむ傾向があった。それはずっと広い範囲の労働者を包含した。労働組合は、より熟練し、成功し、そして教養ある者たちに訴えかける傾向があった。[201]

都市の階級闘争、とりわけ住居、食料、燃料の非常事態に対して向けられたそれは、概して労働者階級の母親、社会主義の歴史の忘れられた英雄、によって率いられた。

第二インターナショナルの諸政党の原罪は、女性の参政権と経済的平等に対しておざなりの支援しかしなかった、あるいは反対しさえしたことだった。[202]〈ドイツ社会民主党〉は一八九一年にエルフルトで、「性の区別なしの」等しい政治的権利を支持しており、フィンランドでは一九〇六年に〈社会民主党〉の女性たちが女性の普通選挙権のための闘い[五〇]を率いて成功を収めていたが、強力なベルギーとオーストリアの諸政党は参政権決議をぴしゃりと拒絶し、またフランスの社会主義者は理論的には平等に賛成だったのだが現実にはそれを支援するために何もおこなわず、その結果としてフランスの女性は第二次大戦の終了まで投票権を手に入れることがなかった[203]。社会主義者と労働組合の指導者たちは、パンの稼ぎ手である男たちの賃金のために運動をおこない、それは女性を労働市場から締め出しておくことになり、同時に女性は家庭内での役割から、選挙において僧侶や保守政党の手先になるだろうと論じた——この信念はフランスとオーストリアの男の社会主義者のあいだでとりわけ強かった。

しかし彼らの妻たち、姉妹たち、そして娘たちは、仮にすでに繊維工場であくせく働いたり、家事労働者（ビクトリア朝のイングランドでは賃金労働者の最大の単一グループだった）として奴隷労働をさせられていたりしなくとも、男の労働者なら誰でも自分の組合のためにピケを張ろうとしたのとまさしくおなじように、街頭に出て抗議の声を上ても不思議ではなかった。デイビッド・モントゴメリーが思い出させるように、「侘しく、ごみごみした地域で子供たちの世話をし、借金取りや慈善係、そして聖職者たちの不気味な権威と直面している既婚の女性たちは、工場にいる夫や娘、息子たちと同じように日常的に自分たちの階級に気づかされていた」[204]。母親たちは家賃不払い同盟や、燃料不足に対するデモンストレーション、パンを求める暴動——庶民の抗議の最古の形である——の組織者だった。労働者階級の女たちが日々集まる屋外市場、牛乳販売店、洗濯場は決定的に重要な情報交換所であり動員のための場所だった。テンマ・キャプランが、二〇世紀初頭のバルセロナの事例で説明するように、新しい郊外の工場地区の女たちは、依然として週に一回、古くからの中央市場へと通い、大都市

五〇　世界初の女性の被選挙権を獲得。

圏全体にわたるニュースと抗議の急速な広まりを確保していた。[205] ハロルド・ベネンソンはこうつけ加える、「群衆は、地域社会を基盤にして寄り集まり、そして家族の幸福の擁護者としての女の公的な役割を是認していたから、下層階級の女たちの抗議の重要な媒体だった。この大衆的行動の伝統全体が資本主義的産業化の初期の段階を過ぎてもずっと存続し続けた。[206] たとえば一九一一－一二年のドイツ、フランス、オーストリアのいわゆる〈肉戦争〉のあいだには、労働者階級の女たちの群衆が、肉と乳製品の価格をつり上げた貿易保護主義者の政策に抗議して肉屋の屋台と食品市場を襲撃した。[207]

一九一七年二月のロシア革命の場合も、〈国際女性デー〉に「何千人もの主婦や女性労働者たちが、パンを求める限りない列に激怒してペテルブルクの街頭にあふれ出し『値上げ粉砕』、『飢餓反対』と叫んだ」[208] ことで始まった。ほんの数週間後、ベルリンでは三〇万人の近隣の女たちと戦時労働者が革命的な職場代表たちの地下のネットワークに動員され、有名な〈パン・ストライキ〉で政府に立ち向かった。[209] 翌年の一月には、極寒の冬にヨーロッパじゅうの貧しいスラムで多数の住人が死に、真の「女たちの戦争」が、石炭不足と食糧価格の急上昇の真っただ中にあったバルセロナで勃発した。スペインが中立を保ったおかげでその街の繊維・金属産業は参戦国向けの戦時生産で利益を上げることができたが、また天井知らずのインフレーションと制御不能な *crisis de subsistensias*〔生存の危機〕ももたらした。食料と燃料を求める暴動は最初一九一五年に爆発し、一九一八年の初めまでにほとんど反乱の規模にまで成長していたが、この時シウタ・ベリャの知事公邸で抗議中の一九人の女性が〈警備隊〉に撃たれた。「女たちのネットワークは、彼女たちが全女性の名において遂行している社会闘争の指導権を我がものとしていた」とキャプランは書いている。「全市にわたって彼女たちによる食料品店の襲撃は増加し、同時に武力によって彼女たちを鎮圧しようとする警察の断続的な試みもまた増加した。彼女たちは一九一七年のロシアで発達したソビエトと似た委員会組織を採用し、食料品店への襲撃を規制した」。この運動が労働者地区への支配を固めてゆくにつれてマドリッドは——「内戦を恐れて」——知事を解任し、戒厳令を宣言した。戦闘は地元の女たちと新しい軍人の知事とのあいだでゲリラ戦争として春の初めまで続いた。貧しい女性たちの完全な自主行動が革命に近づいた瞬間の注目すべき例である。[210]

ジェフ・エリーは彼のヨーロッパ社会主義史の中でこうした闘争について考察し、社会主義意識の形成においてスラム地区に工場と等しい重さを与えた。「同じように極めて重要なのは近隣の人々が話し、反撃する複雑な方法である。職場が抵抗の一つの前線で、そこで集合的な主体が思い描けるとするなら、家族——あるいはもっと適切に言えば、労働者階級の女たちが生存のために作り出す近隣地区の団結——はもう一つの前線だった……。左翼にとっての課題はこの社会的収奪の両前線において組織化を果たすことだった」[211]。近隣地区と職場とが結合した力は、高い食料・住宅費に対する抗議を支援するストライキ行動によって、また労働者の不買同盟——アイルランドの土地戦争から借用した戦術で一八八〇年代にニューヨーク市で初登場した——によって、周期的に実証された。同様に組合ラベル[五一]（アメリカのもう一つの発明で、一八七〇年代のサンフランシスコから始まる）のおかげで消費者たちは労働者の交渉力を強化することができ、これは団結の倫理の礎石となった。[212]

五一　労働組合員の製品であることを示すラベル。

都市の大集団の中での高い生活費に応えて労働者は、ランカシャーの〈ロッチデール先駆者協同組合〉の成功に鼓舞されて、自分たち自身の協同組合店舗を作り、社会主義の未来への第一歩を踏み出しつつあると信じた。

しばしば協力的なパン屋と提携したりして、消費共同組合はどこでも評判が良かったが、ベルギーで、とりわけ、ヨーロッパでもっともプロレタリア的都市のひとつであったゲント〔ヘント〕において、それは運動の基盤となった。ゲントの有名な〈フォーライト Vooruit〔前進〕協同組合〉はロッチデール運動の考えに基づいていて、国家内の国家に成長した。

病人は無料のパンと医療と薬を受け取った。六〇歳で働くのをやめた者たちはそれぞれの購入に応じて計算された少額の年金を受け取った。子供が生まれるたびに家族は大きなお祝いのパンを一つ、さらに無料のパンを一週間受け取った。政府がいかなる形態の社会保障も与えていなかったときに、このようにして協同組合はゲントの労働者に疾病と貧困に対する何らかの保護を提供したのだった。一時、協同組合の支配人をしていて、初の社会主義者の国会議員の一人になった［エドワルト・］アンセーレはさらに先まで進んだ。「赤い工場」を通して彼は〈フォーライト〉が、もっと生産に集中することを目指した。協同組合の織布工場がその方向への第一歩だった。〈フォーライト〉は労働者に他よりも良い条件を提供することを誇りとした。他の産業部門もすぐ後に続いた。醸造所、砂糖工場、綿・亜麻紡績工場。それらすべての仕上げとして一九一三年にアンセーレは銀行を設立した――「ベルギー労働銀行」である。そこが管理した資本のほとんどは協同組合から出ていた。それは、偏見にとらわれないある称賛者が叫んだように、un petituniverse socialiste〔小さな社会主義者の世界〕だった[213]。

マルクスは住宅危機についてほとんど、あるいはまったく書かなかったし、エンゲルスは提出された解決策を空想的だと言ってきっぱりと退けたが、手ごろな住宅がどこでも不足している真っただ中で、高い家賃を取り立てられることはあらゆる場所で都市の労働者階級の中心的な不満だった。その上、一九一五年までには家賃不払い同盟は階級兵器庫のおなじみの武器になっていたし、戦争に反対する反乱を発酵させるうえで重要な役割をはたしていた。

ニューヨークのひどい「ダムベル」タイプの借家[五二]やバルセロナの暗い「蜂の巣」のスラム、あるいはベルリンの同じように惨めな「賃貸バラック」に詰め込まれたプロレタリアートの家族は、貧しいプロレタリアが世紀の変わり目に好んで歌った歌のコーラスに声を張り上げて参加したことだろう。「幸せになりたけりゃ／神の御名にかけて／家主を吊るせ！[214]」。世紀半ばにナポレオン三世がパリでフォン・オスマン男爵とその démolisseurs〔家屋解体人たち〕を解き放って以降、西および中央ヨーロッパの大都市のほとんどは、公共資金によるインフラストラクチャーの巨大計画と連携した投機的な不動産投資の大波によって激しく作り変えられた。こうした開発は、プロレタリアートの近隣住民全員を家から追い出し、敷地を決まって中流階級の住居や事務所、高級品販売店へと再生させた地主や銀行、建設業者などに巨額な利益をもたらした。この潮流は「都市を純然たる贅沢都市に変

五二　一本の廊下を挟んで両側に住居が並びダム・ベルのように見える住宅。

え」そうだ、とエンゲルスは警告した。

しかしパリはビクトリア朝時代の再開発と高級化のもっとも有名な例に過ぎなかった。エンゲルスは『住宅問題』（一八七二年）の中で「オスマンの精神はまたロンドン、マンチェスター、リバプールでも広まっていて、ベルリンとウィーンでも同じくすっかり定着しているように見える」と書いている。「その結果、労働者たちは都市の中央から郊外に追い出され、そして労働者の住宅は、また小さな住宅は一般に、数が少なく高価になり、しばしば全く手に入れがたくなっている」[215]。結果として生じる低所得者向け住宅の不足をエンゲルスは産業革命の不可欠かつ分かちがたい側面だとみなしているが、それは必然的に、数が限られた賃貸住宅の所有者に途方もなく大きな市場での力を与える。法外な家賃を支払わなければならないために、労働者階級の家族は今度は逆に下宿人を置いたり、アパートに二家族が同居したりすることを強いられる。最悪の場合には人は時々、奴隷船の船倉の積み荷のような密度で詰め込まれる。バルセロナのラバル地区（地元住人にとっての「中華街」）ではカタロニア地方の労働者階級の四分の一が二・五平方キロメートルの中に詰め込まれていて、狭い通りはいつでも、ぎっしりと寄り集まった借家の影になっていた。その結果は、当然のことながら、ヨーロッパで最高の結核罹患率だった――この病気はどこででもスラムの住人、特に若者たちをなぎ倒した。ラバルが「革命家たちの苗床」と呼ばれたのも不思議ではない[216]。

エンゲルスと社会主義インターナショナル創立の指導者たちのほとんどは住宅問題を資本主義のもとでは解決が難しく、改良主義的な解決策はないと考えていた。彼はかなり奇妙な控えめな表現で、それは「今日の資本主義的生産様式から結果として生じる数えきれない些細で副次的な害悪の一つである」と書いた[217]。しかし「避けがたいスラム」はそれでもやはりニューヨークとウィーンの社会主義者、パリとグラスゴーのサンディカリスト、バルセロナとブエノスアイレスの無政府主義者によって精力的に異議を唱えられたのである。「例えばパリでは、借家人たちは一八八〇年代にストライキをおこなった。社会主義者に率いられて彼らは家賃の支払いを留保し、『コミューン万歳』の叫びに合わせて追い立てを阻止しようとした[218]」。一世代後に「断固として革命的な」〈借家人組合連合Union Syndicale des Locataires〉は、家主に対する闘いは階級闘争一般の決定的に重要な一部分だとメンバーたちが見なしていて、ベルビル（一九および二〇区）やその他のプロレタリア地区の有力な勢力となった[219]。

ニューヨークでは、一万七〇〇〇人の住人を立ち退かせた一九〇〇年のウィリアムズバーグ橋建設の後に起こったアパート不足と家賃の上昇によってローワー・イーストサイドの借家人運動が刺激を受けた。社会主義の『デイリー・フォワード』（ローワー・イーストサイドのイディッシュ語の新聞）は〈連合ヘブライ同業組合〉や、〈労働者サークル〉、〈社会党〉を扇動して借家人運動を組織し、それは一九〇四年の予備的ストライキの後、より厳密な社会主義者の指導をうけ、短いが厳しい全国的な景気後退の真っただ中で「一九〇七年の大家賃戦争」のために再編成された。ローワー・イーストサイド、ハーレム、ブラウンズビル（「社会主義者の要塞」）のユダヤ人借家人は窓から赤旗を吊るし、追い立てを防ぐために警察と闘い、schleppers（引っ越し業者）を取り囲んだ。結局「ストライキは一九〇八年一月に立ち消えになった」とロバート・フォーゲルスンは結論しているが、ニューヨークの社会主義者は重要な教訓を学んだのだ。「ストライキ参加者は一つや二つではなく何ダースもの地区から来る必要があるだろう。その人々の中にはユダヤ人だけでなく、イタリア人、アイルランド人、ドイツ人、ポーランド人が含まれる必要があるだろう――それから地元生まれのニューヨーカーさえもが(220)」。

最後のニューヨークの闘争と時を同じくして、さらに大きな借家人のストライキがブエノスアイレスの安アパート〔*conventillo*〕〔長屋〕地区で起こり、一九〇七年一〇月にはその街の人口〔約一二万人の住人〕の推計で十パーセントが家主に家賃を払うことを拒否していた。大部分が移民であるアルゼンチンの労働者階級は世紀の変わり目には世界で一番急速に増加していて、ブエノスアイレスは一八九五年からの一〇年間で人口が倍増しており、超過密の新興都市で、法外な家賃がまかり通っていた。その国の二つの労働組合同盟のうちより精力的だった、アナーキストのＦＯＲＡ〔Federació Obrera Redional Argentinaアルゼンチン地方労働者同盟〕は一九〇六年の第六回大会で借家人ストライキ運動の形成を促すことを決定していた。一年後に起きたいくつかのストライキは大部分がその直接の目標を達成することができなかったが、ジェイムズ・ベーアが強調するように、それにすぐ続いて起こるゼネラルストライキにプロレタリアの女性、そして非組合員の労働者を動員するにあたって戦略的に重要だった(221)。

ニューヨークとブエノスアイレスの大家賃ストライキも、同時代の何ダースにも及ぶもっと小さな闘争も、突然の家賃引き上げによって駆り立てられたもので、それらの臨時組織は当面の闘争を越えて存続し続けることはなかった。しかし第一次大戦の食糧・燃料不足は参戦国同様に非参戦国にも影響を及ぼし、より深く、より根本的な生存の危機を何年間にもわたって生み出し、それが生活費の問題すべてを爆発へつながるものとした。たとえば一九一五年にグラスゴーの家主たちが突然家賃を値上げすると、彼らはすぐに、それまで想像もできなかったような規模の抵抗に直面した。「運動はとりわけガバンで強力で」とジェイムズ・ヒントンは書いている、「そこでは以前は無名だった主婦バーロー夫人に率いられた女たちの住宅委員会がたえず宣伝集会（工場門前の集会を含めて）や、家賃ストライキ、追い立てに対する肉体的抵抗を組織した」。一〇月には家賃ゼネラルストライキが宣言された。家主の代理人（factor）がストライキの女性指導者たちを裁判に訴えると、労働者たちは造船所からあふれ出して来て、一万五〇〇〇人の怒れる抗議者たちが裁判所を取り囲んだ。家賃ストライキ参加者の一人は州長官に話しかけた。「あんたには通りの人々の声が聞こえるだろう。あれはクライド川上流の労働者だ。あの連中はあんたが代理人たちに反対する決定を下しさえすれば仕事を再開するだろう。もしそうしなければ、川下の労働者たちが明日は仕事をやめ、連中に合流するだろう」。ヒントンは彼の歴史書の中で、「法的厳密さはこの厳しい警告の前にひっくり返され、州長官は言われた通りにした」と記している。この運動がバーケンヘッド[五三]とロンドンに広がるとアスキース[五四]政府は屈服し、家賃を一九一四年のレベルに凍結した[222]。

二年後には、生活費と反家主抗議行動の新しいひと巡りは一九一七―一九年の大労働者反乱の不可欠な一部分だった。〈社会党〉を指導者の役割に据えたニューヨークは、ペテルブルク、ベルリン、

五三　マージー川をはさんでリバプールの対岸にある町。造船所がある。

五四　Herbert Henry Asquith：一九〇八―一六年の英国首相。自由党党首。

バルセロナ、パリともども再びこうした闘争の前衛の位置にあった。状況を極限まで悪化させたのは一九一七－一八年の冬の深刻な燃料不足で、これはウィルソン政権がヨーロッパの連合国を再装備させるために港へ兵器や供給品を急送し、その一方で同時に、アメリカの遠征軍向けの膨大な備蓄を築いていたために、東部海岸線の鉄道システムがほとんど機能停止してしまったことの結果だった。こうした優先事項に直面して、十分な量の石炭を大都市に供給するのに足るだけの貨物車両が全くなかったのである。一世代で一番厳しい冬の真っただ中で、家主たちは家賃の切り下げを拒みつつも、あるいは臆面もなく値上げする一方で、暖房を切った。「借家での生活は『筆舌に尽くしがたい』とあるソーシャル・ワーカーは言った。『ガスは凍結され、家は暗く、トイレに水はなく、衛生状態は言語に絶し、厳しい寒さで顔面は青く縮みあがり、たえず数多くの子供たちが肺炎で倒れていた[223]』」。

大規模な家賃戦争が一九一七年から一九二〇年まで一連の戦闘の中で徹底的に戦われ、〈大ニューヨーク借家人連盟〉の盾に守られてハーレムとローワー・イーストサイドからウィリアムズバーグとサウスブロンクスへとイースト・リバーを越えて広がった。ロシア革命のニュースがニューヨークの何万人もの〈社会党〉支持者に衝撃を与えると、家主たちが呼び始めたところの「ボルシェビキ家賃ストライキ」は、時として単に改革主義の闘争というよりは革命闘争の雰囲気を帯びた。たとえば、「〈イーストサイド借家人連盟〉の大衆集会で何人かの社会主義者は家主から借家を取り上げ借家人にそれを引き渡すことに賛成する演説をおこなった」。悪名高いパーマー・レイド[五五]と移民の急進主義者の国外追放の後も続いた〈社会党〉への弾圧にもかかわらず、不屈の運動は勝利をおさめ、一九二〇年にはオールバニー[五六]の議会に家賃制限を導入させた——労働者階級の大きな、そして不朽の勝利だった。[224]

V　プロレタリア文化

この都市という、すでに職人の伝統を豊かに与えられた基盤の内部で、プロレタリアの公共圏は発達した。社会主義（あるいは無政府主義的共産主義）という考えは、レクリエーション、教育、文化のあらゆる面に職場と近隣地域の団結を持ち込む、よく組織された対抗文化の中に体現された。

労働運動の歴史的達成の一つが、苦役の時間を減らすことで大衆のための余暇時間を生み出すことだったとしたら、もう一つの同様に重要な成果は、協同組合店舗や労働者のスポーツ団体などの形で消費とレクリエーションを集団化することで、それが団結と階級帰属意識を強化した。いくつかの国々での運動はほとんど完全な、独自の社会文化的世界となっていた。[225]もっとも有名な例は、サイクリング、ハイキング、そして歌唱のクラブ、スポーツ・チーム、成人学校、演劇協会、読書会、青少年クラブ、自然観察グループ、その他の全国的ネットワークで、ウィルヘルム時代のドイツで〈社会民主党〉と〈自由労働者組合〉に後援されていた。[226]ビスマルクの社会主義者鎮圧法の時期（一八七八–九〇年）にこうした労働者の協会は働く者たちの集会や活動家の訓練のために決定的に重要な合法的避難所を提供した。「この下位文化は職人の社会生活と自由主義的ブルジョアの交友文化

五五　一九一九–二〇年にかけてウッドロー・ウィルソン政権下で司法省によっておこなわれた左翼狩り。
五六　ニューヨーク州の都市。

(associational culture）五七という要素から形成されたのだが、その両者はともどもが部分的に解釈しなおされて引き継がれるか、あるいは新しい機能的結合としてまとめられ、新しく独自に発展した要素に溶接された」。最終的には〈ドイツ社会民主党〉に統一されるドイツ・ラジカリズムの二大潮流の一つである〈全ドイツ労働者協会ＡＤＡＶ〉の父であるラサールは「メンバーが執行部レベルからの命令を受ける党の兵士として機能するような、断固として強力な組織」を思い描いていたが、この動きはそれよりも、トニー・オファーマンが友愛と社会主義称揚の「祝祭文化」と説明するものに向かってより進化していった。「〈全ドイツ労働者協会〉はさまざまに多彩な交友生活（associational life）を発展させてきたが、それは多様な地方組織が経験した独立した学習過程から姿を現わしてきた[227]」。

歴史家たちの中には、ドイツの「独自なプロレタリア的世界」はあまりにも秘伝主義的、すなわち「排他的」でありすぎてウィルヘルム体制に対してラジカルな脅威とはならなかったという意見を提出してきた者たちもいたが、バーノン・リットクは一九八五年に重要な著書『代替的文化』の中で雄弁な反証を提出している。「この代替物は、大胆な一撃で*Keiserreich*〔帝国〕を転覆させようと提案したからではなく、その根本方針の中に、現存の構造や習慣、価値観をほとんどあらゆる点で拒否するような、生産の概念、社会的諸関係、政治制度を具現化していたがゆえにラジカルと呼びうる[228]」。リットクが言うには、ドイツの対抗文化の真の弱点は〈ドイツ社会民主党〉が*Bildung*（文化的・知的自己修養）と、ブルジョアの上位文化の民主化に重点を置き、「労働運動の独自な文化、すなわちその霊感を直接に労働者たち自身の生活から引き出すことになるような文化を発展させる可能性」の探求を軽視したことだった[229]。

しかしながら、都市日常生活の新たな組織化は、ブルジョア的価値観と制度に対する異議申し立てや、重要な文化的・社会的サービスの自己組織化に限定されるのではなく、新しい社会主義的人間性の教育への抱負を抱くことだった。

Fin de siècle〔世紀末〕の社会主義運動によって思い描かれた〈新しい女と男〉は規律ある大衆闘争と几帳面な工場労働者の習慣、そしてたえざる自己改善の子供だったろう。〈ドイツ社会民主党〉は*Bildung*を祀り上げた唯一の社会主義政党ではなかった。世紀末のウィーンは通例その創造的な頽廃で称揚されているが、切手収集から合唱までさまざまな活動を組織化したその力強い社会主義運動は、プロレタリア的レクリエーションと社会的衛生学に対する態度においてはとうてい前衛的とは言えなかった。

〈運動〉に浸透していた雰囲気は社会主義的ピューリタニズムと混じり合った高潔さの雰囲気だった。あらゆる活動はそれが階級闘争に与える影響を綿密に検査された。楽しみのための楽しみは難色を示された。会員であるためには、とりわけ党への積極的参加には、日常生活（*Haltung*）における社会主義的態度の受け入れが伴い、そこにおいては将来の社会主義社会の必然的産物であると思われた美徳が、当

五七　Associational cultureとは、諸個人が社会的ネットワークや親族関係などに依存して生存するような生活（associatitonal life）を基盤とする文化。

然、その社会を実現するために戦っている社会主義者の現在の特色であるべきだった。

オーストリアの社会民主主義者は、その上、〈中央教育局 *Bildungszentrale*〉を設立し、「そこを通して一般的 *Kultur*〔文化／教養〕そしてとりわけ社会主義の教養が労働階級にと伝えられることになっていた[230]」。

この、訓練された合理的習慣の育成というのは北ヨーロッパの社会主義者だけの強迫観念ではなかった。印刷工であったパブロ・イグレシアスに率いられたスペインの党は、大部分がカステリア人である党員の無秩序な習慣に対して闘いを挑んだ。飲酒禁止、売春禁止、フラメンコ禁止、闘牛禁止。彼らの敵はこの党を修道院にこもった禁欲的な修道士であると戯画化した。「しかし」とジェラルド・ブレナンは『スペインの迷宮』の中で書いている、

修道士じみたというのは適切な言葉ではない。その教養の純粋性を維持することに集中し、厳密な規律、禁欲的な情熱、そしてそれ自身の優れた天命に対するゆるぎない信念を抱いているこの閉じられた狭い会衆は、カルビン主義者と言った方がより適切だろう。それが党員に対して要求する、自尊心、個人的道徳性、良心に対する従順さの基準には何かほとんどカルビン派的なものがあった。

しかしながら、この鋼のように固い非妥協的態度のおかげで、社会主義者だけが「誘惑の政策」――すなわち、はびこる堕落、賄賂、着服――というスペインの政治生活を特徴づけていたものに抵

抗できたのだ。(231)

カタロニアではそれほどピューリタン的で家父長的ではなく、もっとユートピア的な対抗文化が、ヨーロッパでもっとも惨めなスラムで栄えた。自らを一八九〇年代のアナーキスト地下組織と区別したアナルコ−サンディカリズムは、二〇世紀の最初の十年間にバルセロナの船渠や繊維工場に群がったカタロニアやバレンシア、アンダルシアなどの田舎からの移民のあいだで途方もなく大きな基盤を獲得した。ブルジョア道徳とほとんど共通の立場を分かち持たない地元のアナーキスト新聞は、衛生、性の問題、子供の世話、反教権教育に対する「合理的」アプローチへの実際的助言の源泉だった。都市のプロレタリア生活の中心的施設には、読み書きを教え、本を貸し出し、近隣地域の演劇・音楽のレクリエーションを組織した学芸クラブ、労働者階級の若者を息詰まるような *barris*〔近隣地区〕から逃避させてくれるハイキングやナチュリズム〔ヌーディズム〕のクラブ、大衆動員やストライキ支援の指揮センターとして機能した〈労働者の団結 Solidaridad Obrera〉（一九一〇年以降は〈全国労働者連合CNT〉）やその構成組合の本部が含まれていた。ヨーロッパのどこでもバルセロナほど闘争において組合と近隣地区が完全に融合しあっていたところはなく、そこでは〈全国労働者連合〉（一九一八年には二五万人の組合員がいた）が、ある日ストライキを組織するかと思えば、次の日には店から食料を徴発する労働者階級の女性グループのための武装護衛隊」を提供したりすることがよくあった。(232)警察やカタロニア市民軍はどこでも嫌われていて、近隣地区の人々は絶え間ない弾圧から自分たちを守ってくれる〈全国労働者連合〉のメンバーや武装したアナーキスト・グループを頼りにした。英国およびドイツの組合とは目覚ましく対照的に、〈全国労働者連合〉は書記局も職業的オルガナイザーや書記層もなしに運営されていた。「アナーキストの指導者たちは」と、その古典的研究の中でジェラルド・ブレナンは主張している、「決して報酬をもらっていなかった――一九三六年に彼らの組合である〈全国労働者連合〉が一〇〇万人を超える組合員を擁していた時に、有給の書記はたった一人しかいなかった(233)」。

プロレタリアの公共圏は、もちろん、集会、講習、扇動、レクリエーションの場所の存在に依存していた。労働運動が合法的である国々においてさえ、時には、近隣地区レベルでそうした空間を生み出すのに長い闘争を必要とした。

禁酒は、キアー・ハーディ、ジェイムズ・コノリーそして初期の〈スウェーデン社会民主党〉の指導層の大部分を含めて、社会主義労働者の中に有名な支持者たちがいたが、社交的な飲酒は陽気な労働者階級のレジャーだと広く定義されていて、パブは堅苦しくない社交センター、貸しホール、情報交換センターの役割を果たし、アディスンやスティールの時代にコーヒー・ハウスが重商主義にとって重要だったのと同じくらいに労働運動にとって重要だった(234)。地元のパブが「政治的動員にとって大きな強みだったのはそこが半私的な空間だったことだ」とパメラ・スウェットは書いている。「一般大衆に開かれているとはいえ、常連はお互いをよく知っていて、よそ者はたやすくそれと分かった」。この「親密さ」は弾圧の時期や、上司たちの監視のために職場での政治的会話が安全ではなくなった時には疑いもなく重要だった(235)。

メアリー・ノーランは、戦前のデュッセルドルフ、政治的カトリシズムの砦、における〈ドイツ社会民主党〉の研究の中で、自らを「その街のすべての労働者居住区で成長可能な存在にしようとする党のキャンペーンにとって、地元の *Kneipe*〈居酒屋〉が持った重要な地位」を強調している。一九〇三年から一九〇六年まで、ほとんどの宿屋の主人は、事業主や教会の圧力を受けて社会民主党員に集会室を貸すことを拒み、党が労働者によるボイコットを組織してやっとその方針を変更した。ほとんど即座に、党生活への参加が増加した。[236] 全体としてのウィルヘルム時代のドイツにおいては、とピーター・ネトルはつけ加えている、「地方組織のメンバーがパブに集まって献金をしたり情勢について話し合ったりする *Zahlabent*［「会費の晩」］が、草の根レベルで〈社会民主党〉のもっとも重要な社会制度であるばかりか、政治的意見の集中点で、それによって執行部や反対派がメンバーと触れることができる一般に受け入れられた手段にもなった」。[237] *Lokal*〈酒場〉は同じように合衆国におけるドイツ語を話す人々によるラジカリズムの中心だった。トム・ゴヤンズはその愉快な『ビールと革命』の中で、ニューヨークのローワー・イーストサイド――*Kleindeutschland*〈小ドイツ〉――の、そしてのちにはヨークビル近隣の、何十ものドイツ人アナーキストのバーやビアホールを特定している。[238]

街頭は、社会主義思想を演説や新聞販売で普及させるもう一つの公共空間だった。皮肉なことに、急進的な労働者が屋外での言論の自由をもとめて最も長いこと闘ったのはロシアでもハンガリーでもなく、合衆国でだった。移民の製材・農業労働者の大群が毎年、地元の「skid rows〔どや街〕（Skid Road〔伐り出した材木を運ぶために丸太で作られた道／木こりがしばしば訪れた町の地区〕が訛ったもの）」で冬を越す西海岸で〈世界産業労働者組合〉は、街頭で演説し職業紹介所の前で『インダストリアル・ワーカー』を売るという単純な権利を求めて一〇年間のキャンペーンをおこない、その中で何千人もの逮捕者と何百人もの死傷者を出した。メルビン・ダボフスキーがその歴史の中で説明しているように、〈世界産業労働者組合〉による大「言論の自由闘争」はその組織戦略にとって必要不可欠だった。「オルガナイザーが林業労働者や建設工、収穫労働者に外で仕事中に接触するのはほとんど不可能なことが経験から実証されていた。そこでは用心深い雇用主が「労働者を扇動する者」を阻み、労働者たちは広大な地理的範囲に散らばっていた……都市においてのみ「扇動者」には雇用主に妨害されずにメンバーを自由に募る手段があった[239]」。シアトル、スポーカン、バンクーバー、オークランド、ロサンゼルス、ミズーラ、カンザス・シティ、フレズノ、サンディエゴその他でWobblies〔〈世界産業労働者組合〉の組合員たち〕は〈通例、社会主義者に支援されて〉、集団暴行、残忍な刑務所の看守、そして最後には「大虐殺」（一九一六年エバレットでの）に敢然と立ち向かい、西部じゅうから闘うために流れてきた戦闘的な援兵たちと共に闘争を続けた。ウッドロー・ウィルソンはやがてそのオルガナイザーたちを投獄し、材木の切り出し地や鉱山町に軍隊を送ってWobbliesを叩き潰したが、一九三〇年代に産業労働組合が、ペンシルベニアとオハイオの工場地帯で鉄鋼会社の地方専制政治に異議申し立てをおこなったとき、言論の自由を求める闘いは彼らによって復活させられた。

ほとんどの都市でプロレタリアの公共生活の究極的なシンボル（そしてのちにファシストによる攻撃の主要な標的）だったのは *maison du peuple*、*casa del popolo*、*Volkshaus*〔いずれも「人民の家」という意味〕あるいは労働の殿堂（labor temple）だった。

一八四〇年代の初めに、フローラ・トリスタンは、「労働者の子供たちが知的・職業的に教育され、仕事でけがをした働く男女や、衰弱したり年をとったりした者たちが世話をされる」労働者の宮殿の建設を提案していた。同じ時期に英国では（そして合衆国でも模倣して）〈機械工協会／工員教習所〉五八が人気の頂点にあった。しかしほとんどの国々では、一八九〇年代になって、労働組合と社会主義者の消費組合が大勢の特別な建物に資金を供給するのは、労働者階級の集会、教育、文化、福祉のためのの安定した組合員を集め始めるまでは不可能だった。彼らの、時として中流階級の支持者からの寄付や貸し付けによって補充された共同出資金のおかげで、プロレタリア版の *hôtel-de-ville*〔市庁舎〕を作ることができた。一九〇〇年には、労働組合が合法である国々の実質的にすべての産業都市や町に、労働者の集会、組合事務所、党の新聞その他のための中心的な建物があった。そのほとんどすべてに図書室があり、多くが映画館や体育館、レクリエーションのための空間を持っていた。なかにはすでに設立されていた消費組合の店舗や〈交換所 *bourses*〉を拡大したものもあった。それらはとりわけヨーロッパやラテン・アメリカで重要だったのだが、そうした所では、全員が通う公立学校や新しい文化産業がある合衆国とは対照的に、労働者たちは自分たちの自由時間を、居酒屋でないとしたら、労働組合や党、消費協同組合に支援される活動を通じて過ごさなければならなかったからだ。

マーガレット・コーンが強調するように、これらの建設は「また、象徴的風景に対する一つの重要な介入でもあった。それは教会、国家、私的資本の権威と支配に反論する異議申し立ての一部だった」。彼女は二つの大農業会社に支配された、シエナ近くの人口千人の町アッバディーア・ディ・モ

五八　土木技術者と機械技術者に成人教育と専門書の貸し出しをおこなった。

ンテプルチアーノの*casa del popolo*の例を引いているが、ここで社会主義者は何年ものあいだ存在を確立するために闘ってきていた。

大きな前進は一九一四年（選挙改革がほとんどの男子に対する参政権を認めたあと）に最初の社会主義者の地方議員が選ばれたときにやって来た。しかしながらこの成功は地元の名士たちからの弾圧も引き起こし、彼らは社会主義者の組織に部屋を貸すことを拒んだ。地元の社会主義者たちは募金を始めることで応え、資材のための二万五〇〇〇リラを集めた。すべての仕事は労働者による日曜日と通常の労働日の後のボランティアで成し遂げられた。一九一七年に完成した〈人民の家〉は図書館、消費組合の店舗、若者や女性グループのための集会室、〈国際公務労連PSI〉の活動拠点を備えていた。一九一八年の*Almanacco socialista italiano*〔『イタリア社会主義年鑑』〕はこの建設を……重要な政治的勝利だと説明している。「われわれの〈人民の家〉の塔の一つに翻る赤旗、このプロレタリアートの誇り、われらが敵の悪夢、は仕事、宣伝、組織化へのわれわれの模範であり激励である[240]」。

左翼が大きな、組織された選挙民を持つ都市では、こうした建物はしばしば真のプロレタリアの大聖堂となった。すでに述べた、ゲントの労働者の消費組合にあるフェスティバル・ホールは、その街の建築上の驚異だったし、超モダンなパリの〈労働交換所〉は電気照明とセントラル・ヒーティングの先駆けだった。同様に、〈ベルギー労働党〉のみならず、〈国際社会主義者事務局〉[五九]の所在地でもあったブリュッセルのLa Maison du Peupleは国際的なアール・ヌーボーの象徴で、一九六五年にそれが理不尽にも取り壊されたことはいまだに建築史家によって嘆かれている。同じく有名なのはウィーンのUrania〔ウーラニア。アフロディティの俗称〕六〇とライプチヒのVolkshausである。(241) 一九二〇年代にはソ連の構成主義者たちが労働者のクラブ――モスクワの〈ズーエフZuev〉六一や〈ルサコフRusakov〉六二のようなモダニストの傑作として作られた――を新しい文化とそのユートピア的な希望の中心とした。

労働者階級の年代的階層化は、性別・技能の区分と同じく、内的対立と創造的主体（性）の双方の源泉だった。一九〇五年のあと、いわゆる「ヤング・ガード」六三運動が、労働者社会主義者の第三世代による、第二世代の政治・組合指導者たちの改良主義的・進化主義的政策に対する反乱を導いた。サンディカリストや最大限綱領主義者六四の立場に引きつけられ、心からの反軍国主義者であった若い仲間たちは、年上の者たちから「夢の社会主義」を心に思い描いているといって非難された。(242) 実際には、この若者たちの運動は、将来のヨーロッパの共産主義指導者たちの卵を孵していたのだ。

五九　第二インターナショナルの事務局。
六〇　一九一〇年に開館したアール・ヌーボー風の教育施設・天文台。
六一　イリア・ゴロゾフの設計で一九二九年に完成した。
六二　コンスタンチン・メルニコフの設計で一九二八年に完成。
六三　Young Guard、Vanguardにかけて若い前衛たちを呼んだ。
六四　ロシア社会民主労働党（のちの共産党）内の極左的小分派。

第一次世界大戦前に、労働者階級の子供たちは一般的に一四歳か一五歳で労働力となり、したがって二四歳にしてすでに一〇年間はフルタイムの労働を経験していて、その間に彼らは、自分たちの生活にほとんど選択肢がないことを苦々しくも十分に理解していた[243]。その上、若い労働者は虐待的な年季奉公人法の犠牲者であり、長時間労働、低賃金、ぞっとするような労働条件で彼らから若いエネルギーの最後のひと滴まで搾り取ろうとする雇用主たちの努力に異議を唱える当事者適格はほとんどないに等しかった。さらに一〇代の男は近代的な徴兵制の軍隊――英国を除いてはヨーロッパでは多かれ少なかれ一般的だった――の兵士で、エンゲルスが一八八七年に不気味なまでの正確さでもって予言した最終決戦に動員される避けがたい日を待っていた。

プロシア‐ドイツにとって、もはや世界大戦、しかもその範囲と激しさにおいて今まで夢想もされたことのないような本当の世界大戦以外の戦争はありえない。八〇〇万から一〇〇〇万の兵士たちがお互いに殺し合い、そうする中で全ヨーロッパを、これまでどんなイナゴも食い尽くしたことがないほど裸にしてしまうだろう。三〇年戦争の惨害が三年か四年に圧縮され、大陸全体に広がるだろう。飢餓、疫病、軍と一般大衆双方に及ぶ全般的頽廃が[244]。

職場と社会の問題は決して重要であることをやめはしなかったものの、徴兵に対する反対こそが、とりわけこれまでスト破りや大衆のデモンストレーションを鎮圧するためにいつも軍隊が使われていた国々で、自律的な社会主義青年運動の出現に拍車をかけた。

ベルギーが典型的な例だった。第一インターナショナル総会のために書かれた小冊子の一つの中で、マルクスは「文明世界の中で、あらゆるストライキが熱心にしかも嬉々として、労働者階級の公的大虐殺のための口実にされた国はたった一つしかない」と書いた。「たった一つの恵まれた国とはベルギーで、そこは立憲政治の模範国家で、家主たちと資本家、坊主どもの、居心地の良い、生垣でよく守られた小さな楽園である」(245)。マルクスは、スランにある〈コッカリル〉六五の大工場群でストライキをする錬鉄工に向かって突撃する殺気に満ちた騎兵隊について書いていたのだが、ベルギーの徴兵制軍隊（合衆国や英国の正規軍よりも大きかった）は鉱夫を射殺し、繊維労働者を逮捕し、選挙権を求めるデモンストレーションを叩き潰すために動員され続けることになる。この情け容赦もない弾圧――自由主義的ブルジョアジーによって統治される国で――に直面して、社会主義者は一八九四年に「ヤング・ガード」を結成し、徴兵制度と闘い、ラジカルな兵士組合を組織した。彼らはまた、アントワープの荒々しい *De Bloedwet*（「血の掟」）も含めていくつかの反軍国主義新聞も発行していた。一九〇五年以降〈ヤング・ガード〉は目覚ましく成長し、イタリア、ドイツ、スイス、スウェーデン、オーストリア帝国に同様の運動を広げた(246)。

こうしたものの一つである〈ドイツ青年労働者連盟〉はプロシアとザクセンでは、女性と青年に政治活動を禁ずる過酷な法律によって地下に追いやられた。しかしながら、南ドイツのより寛容な雰囲気の中で、ベルギーの若者の対応する組織と活発な連絡を保っていた〈連盟〉は軍国主義に反対する

六五　製鉄・製鋼・鉄製品の会社。

扇動を公然とおこなうことができ、労働組合の指導者や〈ドイツ社会民主党〉の右派を大いに困惑させた。反抗的な徒弟たちによって創立されたが、すぐにマルクス主義者の学生たちの拠点にもなった〈連盟〉が、独自の無謀な行動方針を定めて改良主義者たちの戦略を覆し、運動全体に対する弾圧を招くのではないかと「長老」たちは恐れた。皮肉なのは、カール・ショースキーが指摘するように、〈連盟〉はただ〈ドイツ社会民主党〉の古い情熱を取り戻そうとしていただけだったことだ。「大人たちの運動が……すでに経済と政治部門とに鋭く分裂していたのに対し、若者の運動はこのように、マルクスの理論的知識を溶剤として下からの統一感を生み出すそうと、いくぶんドン・キホーテ的に出発したのだった(247)」。若者たちはその上、社会主義の現状と、それが自分たちが生きているあいだに達成できるかということに熱い関心を抱いていた。これは年上の者たちの差し迫った関心のようには思えなかった。ピーター・ネトルがかなり辛辣に指摘する様に、「一八八二－一九一四年までのすべての年を通じて、〈社会民主党〉の理論機関誌である『新時代《ノイエツァイト》』には革命後の社会についての論文がたった一つしかなく、しかもそれはこの問題を単に歴史的背景において――過去の至福千年的社会の議論として――扱っているだけだった。革命そのものですらがほとんど議論されず、その技術はまったく論じられなかった(248)」。

〈ドイツ社会民主党〉内部で、クララ・ツェトキンやカール・リープクネヒトに代表されるラジカルで断固とした反軍国主義派は、この革命精神の再生を歓迎したが、〈ドイツ社会民主党〉執行部は独立した青年組織に対する全面的な攻撃を開始し、それはプロシアの「結社法」が全ドイツに拡大されるのと時を同じくしていた。ドイツ帝国主義のアフリカ政策の擁護者で、将来のリープクネヒトとローザ・ルクセンブルク虐殺の主犯であるフリードリッヒ・エーベルトは、執行部によって、党の若者たちを一致団結させておくよう指名された。「若者の『運動』は若者の『修養』へと変形させられた」。しかしショースキーが強調するように、「親の『保護』という盾のもとで若者のラジカリズムはくすぶり続け、一九一一年以降は次第につのる国家の迫害に煽られて、ついには戦争中に炎と燃え上がったのだ[249]」。

若者の反乱は、しかしながら、スウェーデンとイタリアではすでに火がつく境を越えていた。一九〇八年にスウェーデンの〈青年社会主義者連盟〉は〈スウェーデン社会民主労働党〉の改良主義的な傾向に反対して、母体となる党から追い出され、一九〇九年のゼネラルストライキの敗北後に、反議会主義的な〈青年社会主義党 SUP〉をサンディカリストの根本方針に沿って結成した。イタリアでは、社会主義の議員の大多数がジオリッティによる一九一一年のリビア侵略——イタリアが残虐行為につぐ残虐行為へとよたよたと進んだ、悪循環をなす植民地戦争——を支持し、〈イタリア社会党PSI〉は「あたかも……最終的にブルジョア民主主義の中に姿を消そうとしていたかのように見えた」。しかし、グウィン・ウィリアムズが強調するように、「農民と労働者階級は、中流ないしは下層中流階級のあいだでは一般的だった愛国主義と国粋主義に、仮に統合されていたにしてもそれは不完全にであった」。続いて起こった戦争反対の反乱は、ゼネラルストライキへと成長し、プロレタリアの新世代と学生の闘士の一部が左翼政治へ」参加したことを示した。この世代の反乱の熱烈な指導者は、「ロマーニャの若き社会主義者の新進スター」であるベニート・ムッソリーニと、南部では、聡明で非妥協的なアマディオ・ボルディーガ[六六]だった。その結果一九一四年には、社会主義の青年運動である〈社会主義青年連合 ＦＧＳ〉は、劇的な成長を遂げた――将来の共産主義とファシストの、双方の指導者たちの苗床となった[250]。

最後に、すでに見たように、ロシアの若い工場労働者たちは戦争勃発のずっと前にすでにボルシェビキと連携し始めていた。実際、多くの工場でメンシェビキ－ボルシェビキの分裂は世代間の対立になっていた。他の国々と同じように戦争は軍需工場や造船所での労働力不足を補うために何十万人もの女性と若者を徴用していた。ペテルブルクでは推計四万人の二一歳以下の若者が金属産業だけで雇われていて、ボルシェビキの扇動の中心地だったビーボルク（Vyborg）の工業地区に最も多く集中していた[251]。若者たちは男も女も二月の反乱ですでに突出していたが、春には自律的な若い労働者の運動が、ペテルブルクの工場委員会と緩く連携して大きな社会的勢力として姿を現わした。「メーデーのデモに一〇万人の若い労働者を印象的に動員したことが、この運動の自己組織化への際立った能力を強調していた[252]。幅広い若者の戦線――「労働と光」――は、同一賃金、一八歳の選挙権、工場・地区委員会での代表、そして学校教育のための時間を残す一日六時間労働を求める綱領と五万人のメンバーとを合体させた。もっとも戦闘的な部分は〈青年労働者社会主義者同盟〉となり急速にボルシェビキと同盟を結んだ。ボルシェビキはアナーキストを別にして若い労働者の自律的な運動を支援した唯一の党だった。年上の労働者たちからの不平の真っただ中で、ビーボルク地区委員会の代表だった、レーニンの妻のナデジダ・クループスカヤは若者たちのもっとも熱烈な擁護者の一人になった。八月に民主革命がコルニーロフの反乱によって脅かされると「実質的に全ビーボルク地区の青年組織が赤衛隊に加わ」り、戦いに急行した。これは第二次革命とそれに続く長い内戦で社会主義の若者によって引き受けられた戦闘と犠牲の「不釣り合いな重荷」の先例となった。

一方で、ボルシェビキが若い労働者のエリートを獲得したとするなら、それは逆に彼らがすぐに党を占領することになった。「ボルシェビキの党はそれ自体が若者の党だった……」とアン・ゴーサッチは書いている。「一九一七年の第六回党大会に出席していた者たちの年齢の中央値はわずか二九歳で、ペテルブルクで党に加わった者たちの二〇パーセント近くが二一歳未満だった」。翌年の一一月には〈社会主義者同盟〉は〈共産主義青年同盟（コムソモール）〉へと改組し、その同盟員は内戦中に四十万人、すなわち「その国の一四歳から二一歳のあいだの、資格ある青年の二パーセント」にまで急上昇した[253]。何万人ものコムソモールのメンバーが、その主要な指導者たちの多数も含めて、前線で新しい赤軍の制服を着て死んだ――これは最も勇敢でもっとも理想主義的な者たちの大虐殺で、一九四〇－四五年にもっと大規模に繰り返されることになる。

「スポーツはプロレタリアの若者を鎖から解き放ち、肉体的・精神的苦役から解放してくれる」[254]。世紀の変わり目には、おそらく労働者階級のスポーツほど重要な階級間の文化的対立はなかったろう。ここでは軍国主義、大衆文化、そして労働者階級の若者の忠誠をめぐる重要な戦いがおこなわれた。

労働者のスポーツ文化のそもそもの雛形は *Turnverein*〔体操協会〕運動だった。すなわち、一八一六年に有名な案内書 *Die Deutschen Trunkunst*（「ドイツ体操術」）でフリードリッヒ・ルードビッ

六六　イタリア共産党初代書記長。のちにトロツキー支持のために党から追放される。

ヒ・ヤーンが提唱した、自己修養的で自由主義的な民族主義の理想を中心に組織された体操クラブである。プロシアでは禁止され、迫害され、時には投獄もされた〈体操クラブ員〉は、一八四八年の革命的な民主主義運動と分かちがたく結びついていて、一九世紀の残りを通してドイツの労働者や職人に対してラジカルな仲間意識を持ち続けた。「彼らの政治的指導者の中には有名な『フォーティエイター〔四八年の革命家〕』であるフリードリッヒ・ヘッカーやグスタフ・シュトルーベなどのように〈体操協会〉を革命の細胞とみなす者たちもいた……」とマイケル・クルーガーは書いている。「革命の敗北後、ヘッカー、シュトルーベ、カール・シュルツその他、多数のドイツの〈体操クラブ員〉はアメリカ合衆国に移住し、エイブラハム・リンカーンの側に立って南北戦争を戦い、一八五〇年にはく北米社会主義体操同盟 Socialistic Turnerbund of North America〉を設立した」。しかしながら元のドイツでは、〈体操協会〉の民主的民族主義はウィルヘルム時代の帝国主義によって次第に蝕まれ、〈社会主義者鎮圧法〉が廃止された後の一八九三年になって〈ドイツ社会民主党〉が介入して強力な〈ドイツ労働者体操連盟ATB〉が設立され、それは一九一四年には二四一一のクラブとほとんど二〇万人のメンバーを持ち、そのうち一万三〇〇〇人は女性体操選手だった[255]。

その一方で、「フットボール体系」――蹴ったり走ったりボールを回したりする野外スポーツの一群――は一八六〇年代にイングランドで姿を現わし、ロバート・ウィーラーによれば、「週労働日の削減、つまり土曜の半日休暇が一八六〇年代、一八七〇年代に導入されたあとで」広く労働者階級のレクリエーションとして取り入れられた。「［その後は］この発展は急速で徹底していて一八八三年以降は、「オールド・ボーイズ」の試合として始まって、今日に至るまで英国で第一のスポーツ・イベントであり続ける、〈フットボール・アソシエーション・カップ・ファイナル〉を労働者階級が支配した」。ウィーラーはまた、「大衆によって汚染されるよりはと、英国の名門私立学校の多くではやがてサッカーをやめ、もっと「紳士的な」娯楽、とりわけクリケットを採用した」とつけ加えている[256]。一八九〇年代に、「週末」が大陸に広がったおかげで、少なくとも熟練労働者階級のあいだで、サイクリングが同じようにブルジョアのレクリエーションからプロレタリアの熱中の対象に変わり、男女双方の若い労働者に、定期的に田舎の健康な空気を楽しむ最初の機会を与えた[257]。合衆国では一九二〇年代までに、しばしば英国からの移民によってはじめられて、何百もの工場でサッカーチームが作られていたが、野球の方がもっと一般的なスポーツで、一つの人気あるリーグは社会主義の新聞『ニューヨーク・コール *New York Call*』によって後援されていた。一九一三年の遅くに、英国、ドイツ、オーストリア、フランス、ベルギー、そしてスイスの労働者スポーツ組織がゲントに集まり、反軍国主義の〈国際社会主義スポーツ連盟〉を作った[258]（戦後この運動は、今や対抗する国際競技団体に分裂してしまっていたが、独自のオリンピック大会とスパルタキアード[六七]とを持って、より大きな規模で再登場した）。「一九三〇年には」とジェイムズ・リオーダンは書いている、「労働者スポーツは優に四〇〇万以上の人々を団結させ、断然最大の労働者階級文化運動になっていた[259]」。

スポーツの組織化はまた一つの階級闘争の場だった。大企業家は、大衆ストライキの時代に、忠実な労働力を飼い馴らすためのより大きな努力の一環として、会社のチームの熱心な後援者になり、一

六七　旧ソ連圏の綜合競技大会で一九二八年から始まり、ソ連解体とともに消滅。

方で政府は英国の名門私立学校のもともとの例に倣って、徴兵制軍隊のための基本的訓練の一部としてスポーツを取り入れた。社会主義スポーツ運動は、それとは対照的に、フットボール、ハイキング、サイクリング、体操を社会主義の「文化ルネサンスに必須な側面で、若者を『古い国家主義的－資本主義的文化』から遮断するための重要な戦略だと考えた」[260]。この古い文化は逆に、労働者のスポーツやほかの社会主義的文化活動を、とりわけ若者に国家主義を吹き込むことへの、破壊的な脅威だと考えた。特にこれはドイツで痛切に感じられたのだが、そこでは声高に国際主義・反軍国主義を唱える、〈ドイツ社会民主党〉のスポーツ関連団体が何十万人ものメンバーを得ていたのだった。それに対応して国家は労働者の子供たちのレクリエーションをしっかりコントロールすることに決めた。一九一二年の終わりに、陸軍省は〈青年ドイツ同盟 Jungdeutschland-Bund〉の創立に資金援助をおこない、機動演習や準軍事的冒険を若者のために組織し、サラエボの前夜には「皇帝は十三歳から十七歳のあいだのすべての少年を対象にした強制的な全国組織〈退役将校が指揮を執る〉を設立するための措置を承認した」[261]。この皇帝のたくらみは、もちろん、一世代後にバルドゥール・フォン・シーラッハのもとでヒトラー・ユーゲントとして実現され、それは子供と十代の若者のためのすべてのスポーツ施設と活動を完全に独占した[262]。

ものを読むことは「労働者の心の中に反乱を燃え上がらせた」[263]。十九世紀において大きな成功を収めた労働者階級の識字のための闘いは、印刷媒体の技術的革命を伴って、世界を――ニュース、文学、科学、あるいは単なるセンセーションとして――プロレタリアートの日常習慣にもたらした[264]。その世紀の最後の四分の一に、労働者・社会主義者の出版物が急速に増大したことで、次第に洗練されてゆく政治的世界観が育まれた。

チャーチスト運動は「それ自体が全国的な労働者階級の出版物の成長によって組織され、全国的な運動になった」とドロシー・トンプスンは説明する。「実際、チャーチスト運動は一八三七年一一月の『ノーザン・スター』の創刊から始まるとした方が、その六か月後の人民憲章の発表からとするよりも道理にかなっている」[265]。十年のうちにこの運動は一〇〇以上の論文や評論を発表した[266]。そしてアメリカの南北戦争までには、とりわけイングランドと合衆国の労働者階級の大きな部分が、中流階級と同じように熱心にニュースや現在起こっている出来事に遅れまいとしていた。マルクスは一八六一―六二年の草稿の中で、実際、新聞は今や「英国の都市の労働者にとって必要な生活手段の一部となっている」と書いた[267]。出版に対する厳しい規制にもかかわらず、一八七九年に創刊されたドイツの社会主義的風刺雑誌 *Wahre Jakob*〔『本当のヤコブ』〕[六八]は二〇世紀初めには一五〇万の読者がいて、もっとも人気のあるブルジョア出版物と肩を並べていた。もちろん、マルクス自身は（トロツキーと同じく）ジャーナリストだったし――彼がついた唯一の職――一九世紀末の大衆的社会主義政党の出現は、労働者の出版物（ドイツだけで九〇の社会主義日刊紙！）の劇的な成長と、それが提供した、現代史の対抗的な説明なしには想像もできなかっただろう[268]。*Vorwärtrs*〔『前進』、ドイツ〕、*L'Humanité*〔『人類』、フランス〕、*Het Volk*〔『人民』、ベルギー〕、*Il Lavoratore*〔『労働者』、オーストリア〕、*Nepszava*〔『人民の声』、ハンガリー〕、*El Socialista*〔『社会主義者』、スペイン〕、*Arbeiter-Zeitung*

六八　物事の本質を的確に言い当てている、という熟語的言い回し。

〔『労働者新聞』、シカゴ〕、*Vooruit*〔『前進』、ベルギー〕、*Avanti!*〔『前進!』、イタリア〕、*The New York Call*、*La Vanguardia*〔『前衛』、アルゼンチン〕……これらは国際社会主義の偉大な論説の最高峰だった[269]。

さらに、労働者の出版物を検閲や弾圧からたえず守ることで社会主義者や無政府主義者の運動は南および東部中央ヨーロッパの独裁主義的な社会で市民的自由の主要な守護者となった。エンゲルスは指摘しているが、一八四八年以後、ドイツのかつての自由主義者はオーストリアやロシアのいとこたち同様に、検閲のない自由な出版と平和的集会の無制限の権利を主張することを臆病にも放棄し、労働運動がビスマルクの社会主義者鎮圧法と、*lèse-majesté*〔大逆罪〕での起訴という全面的な攻撃にさらされるがままに放置した。それだから、プロレタリアの公共圏を作り出そうと苦闘する中で、社会主義者たちはまたブルジョア民主主義に見捨てられた諸原則を守ってもいたのだった。「ドイツのプロレタリアートは、最初はこのようにして極度に民主的な政党として政治的舞台に登場した」と一八八四年にエンゲルスは書いた。「われわれが一つの重要な新聞をドイツで創刊した時、それによってその旗印は自動的にわれわれの手中におかれたのだ[270]」。

検閲が完全だったロシアのような国々では、地下出版物がさらに重要な機能を果たし、新聞は手から手へと渡されたり、職長やスパイがまわりにいないときに声を出して読み上げられたりした。一九一七年の二月革命が検閲官をその地位から追放すると、それは自由な表現とラジカルな意見の奔流を解き放った。『世界を揺るがした十日間』の中で、ジョン・リードは階級や党派間の熱狂的な印刷戦争に驚いている。

前線に沿って、すべての都市で、ほとんどの町で、それぞれの政治党派は自らの新聞を持っていた――時には数紙も。何十万部ものパンフレットが何千もの組織によって配布され、軍隊、村、工場、街頭へと大量に流れ込んだ。長いこと妨げられていた教育への渇望は革命と共に突然爆発し、表現の狂乱になった。〈スモルヌイ学院〉からだけでも、最初の六か月間で毎日何トンもの、車に何台もの、貨車に何台もの印刷物が発送され、国を満たした。ロシアは暑い砂が水を飲み込むように、飽くことを知らず読み物を吸収した。[271]

ブルジョアジーではなくプロレタリアートが、究極的な「現代文化の担い手」である。[272] とりわけ、科学に対する情熱は、主導的階級としてのその将来をますます確固たるものとした。

フェルディナント・ラサールは、「有産階級に対する憎悪を掻き立てた」ことで裁判にかけられていたベルリンの刑事裁判所で有名な演説をおこない、判事たちに向かって言った。「われらの時代の大いなる運命はまさにこれ――暗黒時代が思いつくこともできず、ましてや達成することなどできなかった――大勢の人々のあいだでの科学的知識の普及である」[273]。以前の社会編成においては、直接の製造者は、通例は教会ないしは書記階級の特権であった正式な教育を、ほとんど受けられもしなければ必要ともしなかったが、アメリカ独立戦争とフランス革命は識字と教育に対する飽くことを知らない大衆的欲求を生み出した。工場労働者は、社会主義の先駆者であったパリとリヨンの職人-知識人から、そしてチャーチスト運動の行動指針に古典的な経済学を取り入れたイングランドにいるそれに対応する人々から、独学の豊かな伝統を受け継いでいた。マルクスがつねづね認めていたように、リカード流の「労働価値説」から、搾取に対する力強い批判への発展は通例彼自身に帰せられているが、実際にはアメリカ生まれの印刷工ジョン・ブレイやスコットランドの工場労働者ジョン・グレイ、軍法会議にかけられた水兵にしてはぐれジャーナリストのトーマス・ホジスキンといった庶民の知識人によってなしとげられた。

技術史家もまた同様に、トーマス・エジソンが一八七六年にニュージャージーで世界初の産業研究所を設立するまで、最初の機械時代の重要な発明のほとんどは、独学で高度な知識を身につけていたとはいえ、機械いじりが好きな修理屋や、職人の小親方、普通の労働者たちによってなされたものだったことを思い出させてくれるだろう。たとえば、初期産業革命のもっとも画期的な発明の一つであるミュール紡績機は紡績工サミュエル・クロンプトンによって開発されたが、彼は貧しすぎて特許を登録する手数料を払えなかった。同様に、最初の電気モーターはバーモント州の鍛冶屋であるトーマス・ダベンポートによって作られ、最初の高圧蒸気機関は車大工のオリバー・エバンズによって作られた。一九世紀でもっとも重要なイギリスの科学者の何人かもまた独学の庶民で、有名なのはマイケル・ファラデー[六九]（製本屋の徒弟）、アルフレッド・ラッセル・ウォレス[七〇]（測量助手）、そして氷河期の理論家ジェイムズ・クロール（大学の用務員）である。ヨーゼフ・ディーツゲンは皮なめし屋で大学教育を受けていなかったが有名な社会主義哲学者になり、「弁証法的唯物論」という名を（マルクスは決してこの用語を使わなかった）カントの二元論に対する自らの一元論的批判に与えた。

ビクトリア朝の労働者は読書室に、〈機械工協会/工員教習所〉に、安い貸本屋に、学芸クラブに、そして公共の講堂に群がった。英国ではジョージ・バークベック博士が一八〇〇－〇四年にグラスゴーの職人におこなった有名な講義がきっかけになって生まれた〈機械工協会／工員教習所〉が新しい機械と原動機の科学を理解したいという大衆の渇望を満たした。最初の〈協会〉は一八二一年にグラスゴーで作られた。マルクスがソーホーに移り住んだとき〔一八五〇年〕にはイギリス諸島に七〇〇以上もの〈協会〉があった[274]。さらに、一八六〇年代には科学的教養のある労働者階級の層は、とりわけ『種の起源』の出版に続く文化戦争のあいだに、最前線の論争に関心を抱く膨大な数の人々を供給した。トーマス・ハックスリーの「労働者への講演」に群がったロンドンの機械工や職人は、ハックスリーによれば、「わたしがそれまでに講演をおこなった最良の聴衆にも劣らないほど注意して耳を傾け、また知的でもあった……。わたしは彼らに対して調子を下げて話すという失礼を冒さないよう慎重に務めた[275]」。

一八四八年の古強者で〈ドイツ社会民主党〉の創立者だったビルヘルム・リープクネヒトは、マルクスと共にこうした講演の六つに参加し、そのあと興奮してダーウィンについて論じ合って徹夜したことを懐かしく回想している。実際、マルクス一家は全員がこの大論争に熱中していた。イェニー・マルクスはスイスの友人に「民衆のための日曜の夜」のものすごい人気を自慢している。

六九　電磁気学・電気化学。
七〇　地理学・博物学。

宗教に関しては現在、堅苦しく旧弊なイングランドで大運動が展開しています。ハックスリー（ダーウィンの弟子）を先頭にしてティンダル、チャールズ・ライエル卿、バウアリング、カーペンターなど科学の最高峰の人々が、とても見識があり、真に自由思想的で大胆な講演を（燦然たるワルツの思い出の）〈セント・マーティンズ・ホール〉で、しかも毎日曜日の晩という、まさに子羊たちがいつもなら主の牧場で草を食《は》んでいるときに、人々のためにおこなっているのです。ホールははち切れんほどに一杯で、人々の熱意は大変なもので、最初の晩、わたしが女の子たちと一緒にそこへ行ったとき、満員になった部屋に二〇〇〇人が入り切れませんでした。[276]

Ⅵ　階級闘争とヘゲモニー

「階級は分離した実態として存在しているわけではない」とエドワード・トンプスンは有名な論文の中で述べた。「……階級闘争はもっと普遍的であるばかりでなく、もっと優先的な概念である」[277]。階級闘争は客観的条件によって形作られ、今度は逆に客観的条件を作り変えもする。しばしば長期間にわたる軍拡競争に似た過程なのである。実際、われわれはゲリラ戦と反ゲリラ戦の弁証法についてのレジス・ドブレの説明——「革命は反革命に革命をもたらす」（逆もまた真なり）——に過去時制をつけ加えさえすればいい。

ヒルファーディングによって『金融資本論』（一九一〇）の中で引かれた古典的な例は、二〇世紀初頭の新しい産業労働組合に対応してピークを迎えた雇用主たちの組織の国際的な急増である。ドイツの場合では〈自由労働組合〉は「『*Einzelabshlachtung*』——文字通りには、奴らを個別にやっつける——として知られる労働闘争の技術を発展させていた。組織された労働者たちは一つの産業に広い前線で取り組むのではなく、工場ごとに取り組んだ。一つの工場の労働者がストライキに入ると、同じ産業の他の工場にいる仲間の労働者たちは仕事を続け、ストライキをしている者たちに資金を提供するのである」。最初これは大成功をおさめ、「組織された労働者には、その規模と資金において組合に匹敵する雇用主の組織によってしか敵わないということがすぐに明らかになった」。その結果できたのが二つの全国的な雇用主組織、一つは重工業と繊維工業のための、もう一つは軽工業のためのもので、これらは中央の労働組合連盟の調査・調整機能を模倣し、組合と同じくストライキとロックアウトのあいだに相互扶助と資金援助をおこなった。カール・ショースキーが述べたように、「労働組合の組織は［一九一四年までに］その相対物を作り出していた――同等ないしはより優れた武器で武装した強力な敵を」[278]。

同様に一九〇五年の革命のあいだ、銀行と、重工業に対する外国の投資家は〈サンクト・ペテルブルク製造業者及び工場所有者協会〉を作ることで、労働者の要求に対して一致団結した抵抗を組織し、この協会はブラックリストを作り懲罰的なロックアウトをおこなった[279]。同じ時期に、悪名高い〈商工者協会〉はロサンゼルスにオープン・ショップを押しつけた。参加は任意ではなく、組合と折り合ってゆこうとする会社はすぐに自分たちが『ロサンゼルス・タイムズ』の第一面で非難されるのを見つけた。こうした状況の中で組合はしばしば地下に潜ることを余儀なくされたり、より小さくあまり組織化もされていない雇用主のいる産業に限定されたりした。

少なくとも局所的ないしは地域的な規模で、資本のこのあふれ出さんまでに満たされた力と対抗する最善の希望は、ストライキ行動を通商のもっとも弱い結び目、とりわけ港湾、に向けて集中させる

ことだった。「船渠におけるどんなストライキも」とホブズボームは書いている、

ゼネラルストライキへと成長していきかねない輸送の全面ストライキへと変わってゆく傾向があった。新しい世紀の最初の何年間かに増加した──そして社会主義運動内部での熱烈なイデオロギー的論争へとつながることになる──経済的なゼネラルストライキは、したがって、主に港湾都市におけるストライキだった。すなわちトリエステ、ジェノバ、マルセイユ、バルセロナ、アムステルダム。これらは巨大な戦いだったが、しばしば非熟練だった労働者の不均質性を考えると、その時点ではまだ恒久的な大衆組合組織へとつながりそうもなかった。[280]

それだからロサンゼルスの──そして実際、シアトルからチリのバルパライソ、そして横浜に至るまでの太平洋沿岸のすべての都市の──場合はオープン・ショップに対抗する最終的戦場は港湾だった。この場合はサンペドロ[七一]がそうで、そこでは〈世界産業労働者組合〉の組合員であることは海事労働者のあいだでは赤い武功章だった。

しかしながら、階級闘争の中央集権化という傾向は、雇用主たちの競い合う利害を常に無視することはできず、また資本家の中には実利的な和解という領域を偵察し、労働組合と限定的な同盟関係をも模索し、将来の協調組合主義という政策の基礎を据えた者たちもいた。これは特に、採炭、男性用衣服などの労働集約的な産業において当てはまり、そこではもっとも近代的な雇用主が、契約交渉で競争を規制し、低賃金の競争者を仕事から締め出すというところまで組合に寛大だった。[281] いずれにし

ろ、大規模な労働者階級の闘争精神は、成功したにしろしなかったにしろ、新しい省力技術の導入を加速させたり、所有権と支配の中央集権化を促進したりすることで資本主義を「合理化する」のに役立った。これはまさに『資本論　第一部』第八章の要点で、ここでマルクスは、イギリスの労働者が一日十時間労働の法制化の強要に勝利したことに対して、その雇用主たちがいかに素早く新しい世代の機械への投資で立ち向かったかということを詳説している。（同様に一九一七年にはセーヌ県[七二]で金属労働者のゼネラルストライキのあいだに、雇用主たちはこのストを好機として工場の設備を一新し、より少数の熟練労働者しか必要としない新しい機械を導入した）[282]。ちょうど工場が競争によって、より近代的な機械を生産ラインに最初に持ち込むことで、技術的レントすなわち超過利潤を求めるよう駆り立てられたのと同じく、階級闘争もまた新しい技術の発達を推進して生産性を向上させ、その結果として戦略的に配置された労働者の力を剝ぎ取ったのである。

現在のマルクス主義は、労働者階級の力による異議申し立てに対して資本主義がとる創造的適応を理論化しようとしていくつかの有名な試みをおこなってきた。おそらくもっとも影響力があったのは（いまだに英語に翻訳されてはいないとはいえ）マリオ・トロンティの一九六六年の本 *Operai e Capitale*〔『労働者と資本』〕[七三]で、この本は「階級構成」と、生産諸力の発達における階級闘争の役割に関す

七一　ロサンゼルスの主要な港。
七二　一九六八年に廃止されたフランスの県でパリを含んだ。
七三　英訳は近刊予定。

る、意欲的で独創的な理論の出発点として一〇時間労働制の例を使った。「労働力の圧力は、資本にそれ自体の内部的構成を変えるように強いることができ、資本の内部で資本主義的発展の必要不可欠な構成要素として関与する」とトロンティは書いた[283]。ホブズボームは『両極端の時代』の中でこの考えを悪魔の逆説に変形させている。「十月革命のもっとも永続的な成果は、平和においてと同様に戦争においてもその敵を救い、彼らが自らを改良するよう駆り立てることだった[284]」。これは、どれほど控えめに言っても、古典的社会主義の時代に想像されたどんなことからもかけ離れている。

労働者の運動は、社会生活のありとあらゆる面で資本の力と立ち向かい、経済的、政治的、都市的、社会再生的、共同的な領域において、抵抗を組織することができるし、しなければならない。まさにこうした闘争の単なる足し算ではなく、融合ないしは統合こそがプロレタリアートに主導的《ヘゲモニック》な意識を与えるのだ。

たとえばマルクスとエンゲルスは、大衆的な社会主義的意識は経済的なものと政治的なものの、賃金と労働時間をめぐるだけではなく諸権利をもめぐる英雄的な闘いの、そして厳しい局地的な闘いと偉大な国際的運動との合金であるとはっきりと信じていた。一八四七年の〈共産主義者同盟〉の結成以降二人は、賃労働者こそが選挙権とさまざまな権利という首尾一貫して民主的なプログラムを表現し制定し、従って、労働者と、貧しい農民、国民的少数派（national minolity）七四、そして中流階級の急進化した層の幅広い連合を作り上げる主導的な膠を提供できる唯一の重要な社会的勢力を構成すると論じていた。自由主義的な小ブルジョアの精神が政治的諸権利を経済的な不満からたやすく切り離したのに対して、労働者の生活は、抑圧と搾取との間にいかなる明確な区別をすることも誤りだと明らかにした。政治的な民主主義が経済的な民主主義へと、そして経済的な階級闘争が国家権力の問題へと「成長して」ゆくこと――マルクスが一八四八年とチャーチスト運動の背景の中で「永久革命」として特徴づけた過程――は一八四八年から一九四八年のあいだのヨーロッパのすべての社会的大危機の中で繰り返し持ち上がったテーマだった。

一八四九‐五一年の反革命は、アンシャン・レジームに由来する階級――大部分が土地を所有する貴族で、その権力は広大な所有地と高級官僚団の支配に根ざしていた――の「しつこい」強さばかりでなく、マルクスがケルンで直接経験していたように、社会改革の最初の兆しに「自由主義的ブルジョアジー」が裏切り、商業・専門職の中流階級がうろたえることを実証した。この問題は大いに議論されてきたにもかかわらず、マルクスがとりわけ大陸で、仮にも民主主義を産業資本主義に対する自然な、あるいは本来的な政治的相対物と考えていたかどうかははっきりとしない。彼がしばしば指摘していたように、ベルギーは実際ブルジョア立憲国家の典型で、その銀行家や繊維王、鉱山所有者たちは、大陸における労働者階級の選挙権に対する猛烈な反対者の仲間だった。ヨーロッパにおいてはたった二つの大衆的社会主義革命しか実際には成功しなかった――一九一七年のロシアと一九四五年のユーゴスラビア――とはいえ、ヨーラン・テルボルンの判断では、広範な労働運動は「唯一の首尾一貫した民主的勢力」であり続けた。実際、彼は、「第二インターナショナルの……主要な歴史的業

七四　Nationの意味を民族的なものと考えるか、政治的なものと考えるかによって曖昧さが生じるため、適切な訳語がない。

績」は「ブルジョア民主主義の発展に貢献したことである」と論じている[285]。

しかし、経済闘争と政治的衝突とは、通例は不況か戦争のあいだに、偶発的にしか時を同じくして起こらなかったから、その二つが分岐してしまうという強い傾向もあった。経済主義／サンディカリズム（経済的組織化のみによる前進）と議会主義的クレチン病（職場での権力抜きの改革）という逆転してはいるが対照的な幻影が、赤い庭園での定期的な除草をこれまで常に要求してきた。それだからローザ・ルクセンブルクにとってロシアにおける一九〇五年の革命の中心的教訓は、経済的なものと政治的なものを一つの革命過程における二つの力として理解することの必要性だった。

ひと言で言うと、経済的闘争は一つの政治的中心からもう一つの政治的中心への伝達機であり、政治的闘争は経済的闘争のための土壌への定期的な施肥である。原因と結果はたえず立場を変え、それだから大衆的ストライキの時期における経済的・政治的要素は、理論的図解が主張するであろうように、今ではほとんど取り除かれるか、完全に分離されるか、お互いに排除しあってさえいるが、それらはロシアにおけるプロレタリア階級闘争の二つの組み合わされた側面をまさしく形作る。そしてこの二つの結合こそが大衆ストライキである。精巧な理論が、「純粋に政治的な大衆ストライキ」を理解しようとして大衆ストライキの手際よい解剖をおこなおうとすれば、他のどんなものとも同じで、この解剖によってそれは生きた実体における現象を理解することはなく、その実体を完全に殺してしまうことだろう[286]。

社会的指導権を求める闘いにおいて、労働者の運動は科学的社会主義の言語ばかりではなく過去の民衆闘争の方言も話さなくてはならない。言語はいかなる存在論的意味においても階級闘争を（「言語論的転回」[七五]の帰依者が信じているように）「構成すること」はないが、それは歴史的・道徳的正統性の主張が相競い合う決定的に重要な戦場なのである。

一九世紀のフランスおよび合衆国ではラジカルな労働運動は、（構築された）革命的伝統から深い霊感と道徳的情熱を引き出していた。一七七六年と一七八九年を姉妹革命とする〔トーマス・〕ペイン流の説明は、もちろん、ジェファーソンやアメリカのラジカルたちによって受け入れられ、その一方で連邦主義者は、「他に類を見ない」アメリカの体制とパリにおけるジャコバン党員の暴力の乱痴気騒ぎとのあいだにはいかなる関係も一切ないと否認した。労働者集団の大多数が移民排除に方向転換した一八四〇年代までは、一七九〇年代の職人のラジカリズムは、たとえかすかにしか記憶には残っていなかったとしても、民主的共和主義の組織体には活力に満ちた体液として残っていた。フランスではもちろん、大革命は合衆国における南北戦争と同じく、今日に至るまで社会に割れ目を生じさせ続けてきた。ブルボン王朝の復古とそれによる共和主義者の言論の弾圧は、一七八九年の文化の記憶を都市の中流階級の中に、職人とプロレタリアートの中に、そしてナポレオンの伝説を通して農民の中により深く定着させただけだった。この幅広い隊列の中のそれぞれに異なった社会的グループは、革命の別個の党派に自らを重ね合わせ、自由主義者たちはバンジャマン・コンスタン[七六]やコンドル

七五　言語があるから現実が認識できる、言語が現実を構成する、という考え方。
七六　Benjamin Constant（1767－1830）：フランスの小説家・政治家。自由主義思想家としても知られる。

セ[七七]を称揚し、その一方で革命的民主主義者はロベスピエールとマラーの記憶をむきになって擁護した。バブーフは、いかにもふさわしく、ブランキストと共産主義者の英雄になった。「一八七一年の崩壊」までどの一つのグループも政党も、共和主義の論弁的空間（discursive space）を完全に支配することはできなかった。

　しかしながら、ジュール・フェリー[七八]の第三共和国は革命の伝統を愛国主義者のイデオロギーとして制度化し始め、それは新しい公立学校で *instituteurs*〔教師〕によって広められた。共和国の美辞麗句はしばしばジャコバン党員風の調子を奏でたが、ホブズボームが指摘するように、「共和国のイメージ、象徴的意義、伝統をコントロールした者たちは極左の仮面をかぶった中道派だった。つまり、俗にいう「赤カブのように外は赤く、中は白く、いつでもパンのバターが塗られた側〔自分にとって利益のあるほう〕にのっている」急進社会主義者[287]。フランスの社会主義は従って、記号論的荊《いばら》で覆われた地面に基礎をおいて作られ、そこでは革命的スローガンや考えはブルジョア共和主義者によって盗用されたり意味を変化されたりしやすかった。同様に、繰り返される君主制主義者の脅威とカトリックの不穏な動員の時期に共有された反教権主義のために、共和国の豊かな子供と貧しい子供のあいだにはっきりと階級の線を引くことがより困難になった。やがて一九〇〇年代になるとついにそれがはっきりしてきて、〈急進党〉の指導者だったジョルジュ・クレマンソーが一八四八年六月の伝統を復活させ、共和国の名において労働者を撃ち殺し、ストライキ参加者を徴兵し始めた。

　ホブズボームが「でっち上げられた伝統」と呼んだものと社会主義とのあいだの非常に異なった種類の相互作用が、集団行動がまだ大部分非合法だった、一九七〇年代、一九八〇年代の韓国の産業化の頂点における〈民衆運動〉によって例証された。アジアでもっとも戦闘的な韓国の労働者階級の形成に関する注目すべき著作の中でハーゲン・クーは、職場での闘争と国家に対するポピュリストの抵抗運動との間でたえず意見交換がおこなわれていたことを強調している。受け継いだ労働運動の伝統がなく、巨大な治安組織を備えた抑圧的で雇用主支持の体制に直面した韓国の労働者、とりわけ軽工業で働く若い女性労働者は、一九七〇年代半ばにそれぞれ別個に起こった民衆の運動と連帯することから、思いもかけない強さを引き出した。

　この幅広い民主化運動は反体制の知識人と学生によって率いられ、独裁主義的な体制に対する労働者、農民、貧しい都市住人、進歩的知識人のあいだの広い階級的同盟関係を鍛え上げることを目的としていた……。それは民衆の視点から韓国の歴史を解釈しなおし、韓国固有の文化を奪い返すことで新しい政治的言語と文化的活動をもたらした……。このように、韓国の労働者階級の形成において文化と政治は決定的に重要な役割を持っていて、それは東アジアの発展に関する文献の中でそれらに帰せられた通常の役割——労働者の従順性と静かさの要素としての——においてではなく、労働者の抵抗と成長してゆく意識の源泉としての役割である。[288]

七七　Condorcet（1743–1793）：フランスの哲学者・数学者・革命家。
七八　Jules Ferry（1832-1893）：フランスの政治家。第三共和政下で二度首相を務める。

民主化は一九八七–九〇年に、何百万人もの労働者を含む山猫ストライキの波の頂点（「労働者大闘争」）で達成された。

政治的・経済的階級闘争は、もちろん、さまざまに異なった「ギヤ」比と速度を、さまざまな部門や地域、国において持っていた。それらを一つの運動として同調させたのは八時間労働制に対する普遍的な要求だった。メーデーはまさしく社会主義インターナショナルの土台だった。

八時間労働制は、早くも一八四〇年代にニュージーランドとオーストラリアのまだ幼い労働運動によって最初に獲得された。アメリカの州および連邦の労働者（兵器廠や海軍工廠にやとわれた者たち）の中には南北戦争終結時の労働者の劇的な増加の中で八時間労働制を獲得した者たちもいたが、それはまた短命に終わった〈全国労働組合〉の結成につながりもした。この法律はすぐに事実上無効とされはしたものの、アメリカ労働運動のゴールポストを確立し、第一インターナショナルのジュネーブ大会ですぐに一般的基準として採用された。「労働日の法的規制は、それなくしては労働者階級の進歩と解放のさらなる試みがすべて失敗だと判明するに違いない前提条件である」[289]。一八八六年に葉巻製造業者のサミュエル・ゴンパーズに率いられたアメリカの労働組合の新しい同盟が、同年五月一日のゼネラルストライキの呼びかけをもって八時間労働を求める運動に再度乗り出した。シカゴにおけるこの最初のメーデーに続く出来事――〈マコーミック収穫機〉の労働者の射殺、ヘイマーケット・スクェア爆弾事件のアルバート・パースンズとその同志たちの裁判、そして彼らの命を救おうとして不成功に終わった国際的なキャンペーン――は大西洋を超えて労働者たちに衝撃を与えた。ゴンパーズが再度一八九〇年のメーデーの全国デモにアメリカの労働組合を送り出すのを決めると（最強の組合だと思われた大工組合だけが実際にはストライキをおこなうよう指名された）、パリで大革命の百年祭の日に開かれた、社会主義インターナショナルの創立大会はこの提案を支持した。

初期のアメリカのキャンペーンの中では、短い労働時間は労働者が教育と教養を備えた市民として十全に発達するための前提条件だと論じられた。今やそれは大量失業の救済策だと主張された。シドニー・ファインは次のように書いた。

八時間労働条項を支持する一八八八―一八九一年のキャンペーンのあいだに採用された数多くの議論の中で、もっとも頻繁に表明され、労働者階級のあいだで最も多く賛成を得た議論は、短い労働時間が技術的進歩による失業の問題を解決するために必要だというものだった。一般に流布していた推計によれば、存在する労働力のおおよそ五分の一は失業していて、職のない労働者はそれ自体が問題であるだけでなく、彼らが意味する労働力の過剰供給は、雇われている者たちの労働基準を押し下げ、ストライキ行動の成功への脅威ともなる。(290)

結果的には五万人のアメリカの大工が驚くほどたやすく八時間労働を勝ち取った。しかし真の劇的事件はヨーロッパで起こり、そこでは黙示録的予想の中で何万人もの軍隊が首都に移動させられ、少なくともパリの場合では、金持ちは田舎の家へと逃げた。初めて、オスロとポルト、ロンドンとミラノの労働者が一致団結して力を誇示した。しかし一八九〇年のメーデーには犠牲が伴わなかったわけではなかった。何百人もが、コンコルド広場では騎兵の突撃でけがをし、ウィーンのプラーター公園では警官に殴られ、ペストの製鉄工場の外では攻撃する歩兵によって銃剣で突かれた[291]。将来のメーデー（例えば一九〇六年）はさらに血なまぐさいものになることになる。

パリ大会でゴンパーズの計画を支持しようというもともとの決定は土壇場で決められたことで、ほとんど補足のようなものだったが、一八九〇年の参加者の多さでこの要求の人気についても、街頭に出ようという労働者たちの意欲についても、どんな疑惑も払拭された。だが彼らはストライキをおこないメーデーを革命のための触媒としようとしていたのだろうか？ 左派社会主義者とアナルコ－サンディカリスト、とりわけフランス人はゼネラルストライキと階級対決を主張した一方で、改良主義者はストライキを脅しとしてとっておき、メーデーを団結の祝賀として儀式化したがった。しかしながらどちらの場合も八時間労働と余暇に対する社会的権利は中心的な目標であり続けた。一国ないしは一部門が初めに短い労働日を獲得するかもしれないとはいえ、すべての主要な産業国家において実施される労働時間の共同の基準だけが、そうした獲得が恒久的なものになるのを保証できるということで社会主義者たちは広く一致していた。賃金であれ、物価であれ、選挙権であれ、他のどんな改良主義的要求とも違って、労働日の短縮を求めるこのキャンペーンは国を超えた協調と団結とが求められた。それは体現された国際主義であり、団結を示す毎年の大デモンストレーションが、社会主義者たちの大会での単なる決議よりもはるかに、宮殿や議会にいる戦争屋どもに対する強力な抑止力になると多くの者たちが期待した。

結局、ヨーロッパにおける余暇は、十月革命と、それが動き出させた労働者階級の闘争の連続の賜物だった。ガリー・クロスは、英国とフランスにおける労働短縮に関する重要な歴史書の中で次のように書いている。

八時間の宣言は、一九一七年のボルシェビキ革命の中で始まり、それから一九一八年にはフィンランドとノルウェー、そして一一月革命の後のドイツへと広がった。一二月の半ばにはこの運動はそれから、ポーランド、チェコスロバキア、オーストリアという新しい国々へと伝わった。東および中央ヨーロッパの革命的政権からそれはスイスに広がり、そこでは一九一八年一二月に八時間労働を求めて四〇万もの人々がストライキをおこなった。二月にはこの運動は操業停止の波となってイタリアまで到達し、最初に金属産業に影響を及ぼし、それから繊維、化学そして農業にまでも広がった。この反乱のおかげで六月までにはスペイン、ポルトガル、スイスで、一九一九年十一月までにはオランダとスウェーデンで八時間労働法が作られた。

フランスでは〈フランス労働総同盟〉が一九一八年の大会でこの要求を課題のトップへと押し上げた。一〇年前には〈フランス労働総同盟〉による八時間労働の攻勢を叩き潰していたクレマンソーは、今度は社会平和の代価としてその法制化を提案した。[292] 英国では鉱夫、鉄道員、港湾労働者の「三重同盟」がロイド・ジョージ政府を経済的最終決戦で脅し、それらの産業で、鉱山での七時間労働を含めて大きな労働時間の短縮を勝ち取った（鉱夫たちの勝利を無効にしようとする一九二六年の試みは、その年の大ゼネラルストライキを引き起こした）。

普遍的な利益を真に体現するためには労働者運動は、田舎の貧しい者も含めた、同盟した被抑圧集団の「歴史的ブロック」を結集させなければならなかった。実際、「農業問題」――すべての国で異なっている――は、イギリスをのぞいてどこででも、政治的・社会的多数を獲得するために渡らなければならないルビコン川だった。一九一七－一九二一年のヨーロッパ革命の命運は究極的には田舎で決定されたのだ。

よく知られた論文、「アントニオ・グラムシの自己矛盾」の中でペリー・アンダースンはマルクス主義の言説における決定的に重要な概念としてグラムシが「ヘゲモニー」を考え出したという神話を払いのけた。実は、「*gegemoniya*（ヘゲモニー）という用語は一八九〇年代遅くから一九一七年まで、ロシアの社会民主主義運動のもっとも中心となる政治的スローガンの一つだった」[293]。それは最初「正統的」ロシア社会民主党の、そしてのちにはメンシェビキの指導者だったパーベル・アクセリロードによって体系的に説明されたのだが、彼は「ロシアの労働者は、自分たちを他の社会集団から切り離している利害の違いを理解するようになり、そして全体としての政治形態の利害に気づくようになることでのみ階級意識を発達させることだろうと、この上もなく明快に主張した」とレオポルド・ハイムスンは記している。「アクセリロードこそがまた」とハイムスンは続ける、「ロシアのプロレタリアートは政治的自由を求める全国民的闘争の指導権を、そして実際、ロシアが歴史的にまだこれから経験するよう運命づけられている「ブルジョア」革命での *gegemon* [hegemon＝ヘゲモニーを持った者]としての役割を、引き受けるべきである」という（レーニンがずっと前から認めていた）結論を引き出したのだ[294]。小作農がずっと前に消滅していたイングランドをたった一つの例外として、ヘゲモニーを持ったプロレタリアートの指導力は、農業のグローバル化と生産過剰の時代に田舎での階級闘争に向けてどんな地位を引き受けたかによって決定された。そのうえ田舎は反革命の不変の炉床であり、それだからどんな革命理論においても戦略上の変数だった。アルノ・メイヤーが『旧体制の持続性』の中で指摘したように、「アンシャン・レジーム」の主要な経済的・社会的支えだった、東プロシア、アルスター〔北アイルランド〕、メッゾジヨルノ〔南イタリア〕、カルパチア盆地、そしてロシアの大地主たちは〈革命の時代〉を生き延びて二〇世紀初めの反動と軍国主義の基盤となった。[295] 労働者の運動は田舎そのものの中で社会的勢力を動員し支援してこの反動の一枚岩を爆破できただろうか？

一八八〇年代に南北アメリカと西シベリアの手つかずの大草原地帯が小麦の栽培に転換されたことで安い穀物がどっと流れ込み、その十年後、冷凍船が出現すると、アルゼンチンとオーストラリア、ニュージーランドから牛肉と子羊の肉がそれに続いた。結果として生じた価格の低下はヨーロッパの農業にとって痛烈な打撃で、何百万もの労働者、小農民、田舎の職人がベルリンやウッチ（「ポーランドのマンチェスター」）、統合されたばかりのブダペスト、バルセロナ、トリノといった新興産業都市に移動する——あるいは、資力があれば南北アメリカに移民する——ことを余儀なくされた。その一方、ヨーロッパの大・中規模農家には一般的に三つの選択肢があった。穀物生産から価格の高い家畜や乳製品へと転換すること（デンマーク、イングランド、北ドイツの一部）、輸出のための小麦生産の規模を拡大して価格の下落を埋め合わせること（ドナウ川沿岸諸国の広大な所有地）、および／あるいはまた、農業関税を課し、都市の消費者を犠牲にして生産者を守ること（一八九〇年代のフランスとドイツ）。フランスとスペインの地中海沿岸の特別なケースでは、「農業の一般的危機」に対する対応はオリーブとブドウの単一栽培に転換することで、それはブドウネアブラムシとさまざまな樹木の害虫の到来とともに破滅的なことになった。

「農民」という範疇内に包含された不均質な社会層が、自分たちの利益を明確にし、同盟を結ぶに際しては、ずらりと並んだ選択肢が立ちはだかっていた。彼らのジレンマは、ロナルド・アミンゼイドが様々な階級的立場とそれらの政治的表現の精巧な分析の中でおこなった重要な指摘を例証している。

さまざまな階級的立場によって限定される複雑で、しばしば相矛盾した利害は、政治的闘技場内で、考え得る数多くの敵や味方と決まって競合する。このことは、そうした利害が政治的プログラムや連合の中でまさしくいかに限定されるか、また階級を基盤とした利害が（人種的、民族的、あるいは性差による階層化に根ざした非階級的利害よりも）いかに政治的に突出するか、そのどちらもあらかじめ決定されることはめったにないということを意味している。(296)

言い換えれば、田舎の貧しく、独立した小生産者は、階級に基づいた大政党がとった立場に応じて、ある程度まで「競争で誰でも手に入れられる対象」となっていたのだ。大地主たちは、もちろん、自らの利益を守るために戦闘的に組織されていて、次第に重工業と同盟を結ぶようになる。しかし、田舎のその他の者たちの政治的団結は、世紀末ヨーロッパ政治の大きな懸案だった。

第二インターナショナルの諸政党内部で激しい議論がなされたように、「農業問題」は実際には二つの要素があった。労働者の運動は農業におけるこうした大変動と、保護と低金利資金、そして広大な所有地の分割を必死で求める田舎の要求に対していかなる態度を取るべきなのか？　そして田舎のどんな層と連帯すべきなのか？　一部分は農民の階級構成の国家的・地方的違いに応じて、ずらりと並んだ相争う立場が主要な社会主義政党とアナルコ－サンディカリスト運動とによって採用された。〈ドイツ社会民主党〉の大部分とオーストリア－ハンガリーのその姉妹政党は、「小規模生産は取り返しがつかないまでに完璧な破壊に向かっている」、そして「社会主義者はその絶滅を加速するために何もすべきではないが、それを防ぐことはできない」というエンゲルスの信念を共有していた。

農民に対して繰り返し繰り返し、資本主義が支配する限り彼らの境遇は完全に絶望的であると、自分たちのわずかな保有地をそのまま保有し続けることは完全に不可能であると、資本主義の大規模生産は列車が手押し車を轢くように完全に間違いなく彼らの無力で時代遅れになった小規模生産システムを轢くことになると、明らかにするのがわれわれの党の義務である。そうすれば、われわれは経済発展の不可避な潮流に従って行動することになるだろう。[297]

資本主義農業の長期的持続可能性に対して重大な疑義を抱いていて、伝統的な農村共同体（ミール）が社会主義に移行するに際して果たしうる潜在的役割についてロシアのナロードニキと論議する際に何の偏見も抱いていなかったマルクス自身とは違って、また農業に対する資本の集中の「法則」が工業と同じように、そしてすべての国で、適用されるという考えに対して異議を申し立てたベルンシュタインのような修正主義者とも異なって、〈ドイツ社会民主党〉はエンゲルスの見解を党のドグマとして確立した。それだから、ビルヘルム・リープクネヒトは社会主義インターナショナルのブリュッセル大会（一八九一年）での演説の中で、「アメリカの小麦がドイツの小農家を破滅させ、その結果、彼らをプロレタリアの同類へと追いやる、と予言した。アメリカにいる競争相手にこそ、彼は社会主義が勝利することの考え得る最善の保証を見たのだ」[298]。言い換えれば、政治的解決はまったく必要なく、世界市場が農民を破滅させプロレタリア化するあいだ辛抱強く待ちさえすればいいのだ。〈ドイツ社会民主党〉の第一の任務は何としても、党の階級的性格を薄めかねないようなポピュリズムを避けることだった[299]。〈バイエルン社会民主党〉からの「われわれは農民とその息子たちの鋲釘を打った靴がわれわれに背くことを防がなければならない」という先見の明がある警告にもかかわらず、〈ドイツ社会民主党〉は一九〇二年のフォン・ビューロウ[七九]関税の可決後、強力な右翼農民ブロックが統合して農民とユンカーが同盟するのを防ぐためにほとんど何もしなかった[300]。

「この命運の尽きた農民」というドグマは、しばしば農民は変えがたく反動的であるという信念と手に手を携えて、中央ヨーロッパにおけるいくつかの事例で田舎における基本的な社会闘争と潜在的な同盟者から社会民主主義を孤立させてしまった。二つの強烈な例がハンガリーとブルガリアだった。前者の場合では〈大平原〉[八〇]が一八九〇年代に、千年王国的民衆信仰と漠然とした社会主義イデオロギーとの融合によって引き起こされた大変な社会不安で激しく動揺し、その結果ついには軍隊が原野に送られなければならなかった。しかし〈ハンガリー社会民主党〉は一八九四年の統一大会で、大所有地の分割要求を考慮することを拒んだ。同じように、圧倒的な農業国であるブルガリアではディミタール・ブラゴエフ（プレハーノフのエピゴーネン）に率いられる「狭い社会主義者（ブルガリア社会民主主義労働者党〉」は、アレキサンドル・スタンボリスキーの戦闘的で *sui generic*〔他に類を見ない〕〈農民人民同盟〉とのいかなる同盟もマルクス主義に対する裏切りだと考えた。一九一八―一九年に、中央ヨーロッパで戦争が革命へと変わるにつれて、こうした反農民のバイアスは致命的だということが判明した。ブルガリアでは進歩的共和国に対するいかなる希望も、ブラゴエフの党がラドミルでの農民―兵士の蜂起を助けに駆けつけることを拒んだ後に打ち砕かれ、またハンガリーではクン・ベーラ支配下のソビエト政府は大所有地を没収し土地を農民に分配することを拒んだことで自らの運命を定めた[301]。そのうえ、共産主義者が倒されるとハンガリーの生まれたばかりの農民社会主義はシャボ・デソ Szabó Dezső の *nepies*（ポピュリスト）運動へと変形し、「それは土地改革と正規教育を求めたが、……こうした改革のプログラムを、資本主義の精神やマルクスの社会主義に対する、そしてポピュリストの見解ではこうした反ハンガリー的要素のすべてを体現していた「外国人」——おもにユダヤ人——に対する、国粋主義者の憎悪のプログラムと合体させてしまった[302]」。

それと対照的に、地中海沿岸諸国では社会主義とアナーキズムは田舎に深く根を下ろした[303]。プロバンス、とりわけ「赤いバール[八一]」では小規模ブドウ栽培―ワイン醸造業者がひとまとめになって〈急進党〉[八二]に背を向け、南北戦争で北軍の将軍をつとめ、パリ・コミューンの軍事委員であったギュス

七九　von Bülow：一九〇〇―〇九年までドイツの首相。
八〇　ハンガリーの国土の半分以上を占め、セルビア、ルーマニア、ウクライナにまで至る平原地帯。
八一　Var：フランス南東部の県。
八二　一九〇一年にクレマンソーが結成した政党で、中産階級を基盤とする。

タープ・クリュズレをはじめとする一連の社会主義者を選挙で選んだ。隣接するラングドックではジャン・ジョレスが、ブドウ園と果樹園で名高いタルン県選出の下院議員だった。南フランスの小*vignerons*〔ブドウ栽培者たち〕が精力的な社会主義者になるというのは、もちろん一見したところ、後進的なボナパルチストの田舎というマルクスの描写と矛盾するが、トニー・ジャットは『プロバンスの社会主義　一八七一－一九一四年』のなかで、南部の農民は「都会的な村」に住んでいて、共同体の文化を職人や急進的な学校教師と共有し、彼らと共に地元の〈労働交換所〉で団結して組合を結成したのだという事実を強調している[304]。

「寄り集まった村落」〔多くの場合、実際は大きな町〕の同じパターンは、ともにアナルコ－サンディカリズムの砦であったアンダルシアとアプーリア〔ないしはプーリヤ、イタリア〕のラティフンディウム風の社会を特徴づけていた。アンダルシア、とりわけカディスのアナーキズムは、大農場の日雇い労働者、険しい山の村から来た農民、大きな町の職人を結びつけた、まれに見る戦闘精神と不屈さを備えた反乱の文化だった——とはいえ、テンマ・キャプランが強調してきたように、純粋なプロレタリア部分〔無政府主義的共産主義者〕と小規模生産者部分〔集産主義者〕とのあいだに重要な内的緊張がないわけではなかった[305]。イタリアでは田舎のサンディカリズムの坩堝はアプーリアで、そこでは階級構造は「二つのラジカルで不均等な極端——資本主義者の狭い階級と、土地や家を奪われたプロレタリア大衆——」に手荒く単純化されていた。「……*braccianti*〔労働者〕はもっぱら、自らの労働力を売る農業プロレタリアートとして働いていた。労働者は耕すべき小さな畑を全く持たず、家を全く持たず、使役動物を全く持たず、家族単位ではなく一人一人の個人として土地を耕した[306]。最終的には土地所有者は*carabinieri*〔国家治安警察隊〕とファシストの*squadlisti*〔軍事組織、黒シャツ隊〕に頼り、暴力を用いて日雇い労働者を服従させた。

その一方で、土地所有者や借地人が米と飼料用穀物の生産を強化することで世界農業不況に対応し、賃金労働者を使っていた肥沃なポー川流域では、社会主義者はヨーロッパでもっとも大きく、もっとも強力な農業労働者組合を組織した。イタリアは実際、大農業ストライキ（一八九三年、一八九六－七年、一九〇一－〇二年、一九〇七－〇八年、一九一九年）がしばしば階級闘争の重要な位置を占めた唯一の国だった[307]。二〇世紀の最初の一〇年間にその地方でおこなわれた資本家による再編は劇的な、破滅的とさえいえる変化を土地保有と階級構造にもたらした。パルマ県では農業事業主の三分の一が自分たちの土地を失い、小作人は四分の一減少し、年間契約で住宅を与えられていた農業労働者の数は半分に減った。ほとんどが日雇い労働者になることを余儀なくされ、このグループでは、貧窮化したメンバーがたった十年で二万二〇〇〇人から四万一〇〇〇人へと増加した。こうした労働者たちは、とトーマス・サイクスは書いている、「農民世界の伝統との関係を断ち、ポー川流域の田舎の均質的で、闘志盛んな労働者階級の前衛に」なった。「失うものをほとんど持たない切羽詰まった彼らは、農業における大抵の扇動やストライキの最前線にあった[308]」。彼らは、穏健な〈社会党〉を叱咤激励し、革命的サンディカリズムを採用して、一九〇八年には地域的なゼネラルストライキに乗り出した。終戦までに彼らの組合である恐るべきFederterra〔全国土地勤労者連合〕は七万人の組合員を持ち、数限りない闘争で鍛え上げられていた——世界最強の農業労働組合だった[309]。

一九一九年一一月の選挙での〈社会党〉の全面的な勝利はすぐに、時を同じくして起こった「赤い同盟」〔八三〕へと組織されていた小作人たちによる土地の占拠と、日雇い労働者による反乱的ストライキへとつながった――このすべてを、土地所有者たちはまさに的確な恐怖をこめて、メキシコやロシアのような農民革命の始まりだと見ていた。アプーリアでと同じように、彼らはムッソリーニと彼の都市の無頼漢どもを救世主として頼った。

注意深く選択した恐怖と暴力とが、日雇い労働者と小作人をそれぞれ「独立した」組合へと組織化するという、ファシストとその農民の同盟者たちによるキャンペーンとうまく組み合わされた。一九二二年一〇月遅くのローマ進軍の前に、攻勢は既に大部分その目的を達成していた。つまり、強く、有効な労働運動の破壊、田舎における地主の支配権の再確立、そして地方における新しい*de facto*〔事実上〕の支配者としてのファシストの任命である。[310]

スカンジナビアでは労働者階級の増大は、独立した農民層の成長と並行して起こり、貧しい農民は季節によっては伐採労働者や鉱夫、あるいはノルウェーでは漁師だったから、この二つのグループはかなりの部分重なり合っていた。「雇用した労働力なしの家族経営の農家が、スカンジナビアでは次第に農業で普通の基本的単位となる」につれて、農民は自分たち自身の労働組合を結成し、大地主や権力を持った貴族たちから独立した「自らの階級」という強い意識を明示した、とアレスターロとクレーンルは論じている。デンマークではさらに、協同組合制度の密集したネットワークが、主に英国に向けた乳製品輸出への移行に原動力を供給した――そして、この協同組合の文化がまさしく農民を社会主義者に変えたわけではなかったとしても、それは参政権が拡大されてゆくにつれて、農民－労働者の強い同盟を促した。他のスカンジナビアの国々の異常な移民率（それは協同組合と社会民主主義的な考えを、ミネソタ、ノースダコタ、マニトバ、サスカチュワンといった北アメリカ地区へと運んだ）は、労働市場に対する圧力を軽減し、一九〇七年にはスウェーデンの労働組合の組織率は、おそらく賃金労働力人口の半数だった。スカンジナビアの田舎は、革命的ではないとしても、ポピュリスト的で、進歩的で、その地方で大きな成功を収めた社会民主主義が政治的な力を振るうのに乗り越えがたい障碍となることは決してなかった。

ステファノ・バルトリーニは次のように説明している、

> スカンジナビアの社会主義にヘゲモニーを与えた都市の労働者と農民との同盟は一九三〇年代に完結させられた。デンマークとスウェーデンでは一九三三年、ノルウェーでは一九三五年である。この都市と田舎の利害の妥協は基本的に同じ形を取り、次の項目をめぐって作り上げられた政策プログラムを含んでいた。（1）公共的雇用の拡大、公共事業、社会福祉プログラム、失業救済への支援、およびストライキとロックアウトの禁止ないしは制限、そしてそれと引き換えに、（2）農業財産税の引き下げ、農業金利の引き下げ、より高金利の貸し付けに対する国家の補助、農業に対する一般的債務免除、そして農民に対するさまざまな形態での補助金。要約すれば、この同盟は経済を刺激するための政策における農民

八三　大土地所有を解体するために田舎にできたグループ。

／労働者の利益に基礎をおいていて、それは結果として、都市の労働者が、公共への関与と公共事業に対する農民の支持と引き換えに、より高い食料品の値段を受け入れるということになった。(311)

〈ドイツ社会民主党〉はバイエルンの社会主義者が一九〇〇年代の初めに繰り返し力説していたように南ドイツで似たような政策を採用すべきではなかったのだろうか？

最後にロシアではボルシェビキが、成功した一八四八年の革命に対するマルクスの処方に首尾よく倣って、都市での社会主義者の蜂起を田舎の農民戦争と結合させた。正統的な社会民主主義者の中にあって、レーニンは農民の将来に対して単一の固定した軌跡を拒絶したことで例外的だった。その代わりに彼は、田舎の発展に対する「プロシア」と「アメリカ」の二者択一的な道筋を対比し、後者を擁護するにあたって市場向けの家族農家を作り上げることを支持した。「彼はロシアにおいては、田舎の経済がとても遅れていて資本主義的発達の多少なりとも効率的ないくつかの道のあいだでまだ選択肢が残っているから、農民の土地に対する要求は進歩的であると考えた」(312)。ボルシェビキが「黒い再分配」（単に土地を耕作者に）を支持したのは一九一七年夏の革命的状況という現実に対する適応だったのだが、レーニンは、メンシェビキが説いたような改良主義的な「民主的ブルジョアジー」ではなくて、農民革命だけがロシアにおいてプロレタリアが絶対主義を打ち倒す助けになるという戦略的信念を曲げることがなかった(313)。しかしながら、どんな層の農民にしても、社会主義の建設を支援することになるかどうかはまた別の問題だった。

革命が可能になるためには、労働者の運動はブルジョア国家の軍事力の独占を内部から打ち壊す必要があった。すでに見てきたように、社会主義の青年組織は徴兵制に異議を唱え、そして折に触れて兵舎の中で反軍国主義的な考えを宣伝する主要な勢力だった。しかし戦時中の最弱な環は海軍で、そこでは巨大戦艦や巡洋艦は、奴隷労働者が乗り込まされた「浮かべる工場」にほとんど他ならなかったからだ。

二〇世紀初頭の、技術的に進歩した鋼鉄の軍艦は、機関員やより伝統的な海軍の仕事をする者たちの他に多数の機械工が乗組員として働いていた。徴兵制の陸軍が農民の兵卒たちによって満たされていたのとは違って、近代海軍は若い労働者、出来うれば工場で訓練を受けたり徒弟奉公をしたことがある者たち、に依存していた。貴族やユンカーが指揮する、新たに近代化されたロシアとドイツの艦隊は、とりわけ戦列の巨大艦において、こうしたプロレタリアの水兵に対する残虐な扱いで悪名高かった。エイゼンシュテインの『戦艦ポチョムキン』を見た者ならだれでも一九〇五年を象徴するような映像を思い出すことだろう。腐って蛆がわいた肉、先任士官による水兵たちの代弁者ワクリンチュクの虐殺、彼の同志マトウチェンコによる素早い復讐、ゼネラルストライキ中のオデッサに向けた大胆な航海、その街のリシュリューの階段でのコサック兵による抗議者の虐殺、そして乗組員たちのルーマニアへの最終的な脱出。海軍の最新艦の一つである〈ポチョムキン〉は、革命党に共鳴する水兵たちの大きな核があったということで例外的だったのだが、この英雄的な先例は〈黒海艦隊〉全体に深い感銘を与えた。その年の遅くに、セバストポリで労働者と水夫の集会に軍隊が発砲すると、艦隊のもっとも大きな艦のいくつかが〈ポチョムキン〉の精神に倣い、反乱を起こした。革命的雄弁で水兵のみならず労働者も喜ばせていた、人気のある若い魚雷艇指揮官のP・シュミットは、憲法制定議会を招集するようツアーに強いることを目標に掲げた反乱を指揮することを求められた。しかし反乱はチュフニン提督によって残忍に叩き潰され、シュミットは同志たちとともに処刑された。

復讐の時はこのあと一九一七年にやって来て、〈バルチック艦隊〉は二月共和国を設立するのを助けた。ペテルブルクのすぐ外にあるクロンシュタットと、ヘルシンキに隣接するスベアボリ〔スオメンリンナ〕にあるこの艦隊の主要な基地は一〇月のクライマックスに向けた準備期間中のもっとも重要な出来事の舞台となった。水兵だけでなく町の労働者をも代表していたクロンシュタット・ソビエトはより先進的で、急速に最大限綱領主義者（ボルシェビキ、〈社会革命党〉左派、無政府主義者）の影響下に入ったが、彼らは夏の初めには地方政府を転覆する用意ができていた（大変な苦労をしてレーニンはなんとか待つよう彼らを説得した）。スベアボリの主力艦隊はそれほど政治化されていなかったが、士官たちに対する憎しみで煮えくり返っていて、機会を得るとすぐに水兵たちは士官を氷の下で溺れさせ始めた(314)。スベアボリが反革命からペテルブルクの脇腹を守っていたのに対して、クロンシュタットの水兵はペテルブルク・ソビエトの突撃隊となり、一〇月の半平和的な権力移行を確かなものにした。実際この革命の永遠のシンボルになったのは防護巡洋艦〈アウロラ〉で、この艦がネバ川に配備され、スポットライトが〈冬宮〉の上空を明るく照らし、強力な艦砲がときおり発射されて町を揺るがすと（実際は空包だったのだがそのために強い印象が損なわれることはなかった）ケレンスキーを守っている雑多な兵からなる分遣隊の士気はくじけた。

一年後にドイツの〈大洋艦隊〉は、その大軍艦の機関室、砲塔、工作室で似たようなプロレタリア的展望と革命的気質とを実証して見せた。ドイツ革命の歴史書の中でピエール・ブルーエが説明して

いるように、

乗組員の中には熟練労働者——もっとも多くの場合金属労働者——が含まれていて、彼らは自分たちの階級を意識しており、階級闘争の経験があった。戦争の状況によって艦が港から出られなかったおかげで、水夫たちはドックや造船所の労働者たちと密接な連絡を取り合い、本やリーフレット、新聞を配布し、意見を交換し、討論会を組織することができた。生活条件、限られた空間へのプロレタリアの集結、彼らが助長した大胆で集団的な精神の質の高さのために、水兵や機関員は忍耐を強いられていた状況に次第に我慢ができなくなっていった。このすべてが無為、そして特に反動的な士官たちによる馬鹿げた演習と組み合わさって起こった。(315)

一九一七年に水兵のマックス・ライヒピーチュに率いられた地下組織〈兵士水兵同盟〉が結成されたときに導火線には既に火が点《とも》されていた。クロンシュタットとスベアボリの反乱に鼓舞されて彼は、ロシアのモデルに倣った水兵たちの評議会を組織したいと思っていた。〈ドイツ独立社会民主党〉〈ドイツ社会民主党〉の反戦的分派〉の何人かの国会議員と党の海軍支部を作ることで接触した時、ライヒピーチュは曖昧な励まし以上のものはほとんど受けられなかった。挫けることなく彼はメンバーを募り、目論まれていた第二インターナショナルのストックホルムでの集会に先駆けて艦上でのハンガー・ストライキやストライキを組織し始めた。何がなされなければならないかについて、彼には抜け目のない洞察力があった。

同志たちに対してライヒピーチュは展望を要約した。運動は、ストックホルムへの独立した代表団のために論拠を与えるべく艦隊内部で組織されなければならず、そしてもし協議から何も出てこなければ革命的水兵たちは「兵士たちに『決起せよ！　ロシア人がそうしたように我らが鎖を断ち切ろう！』というスローガンを提起するだろう」。「われわれは一人一人がなすべきことを知っている」と彼はつけ加えた。(316)

このアジテーションについて十分な情報を摑んだ最高司令部はすぐにライヒピーチュを四人の同志と共に軍法会議にかけ、処刑した。だが彼の反乱計画は艦隊内部で生き続けた。

一〇月にフォン・ヒッペル提督は、ずっと大きな〈英国大艦隊〉との闘いを挑発しようとベルギー沿岸に向けて〈外洋艦隊〉を出撃させる最後の無謀な命令を発した。司令部の「名誉」のために犠牲になりたいとは少しも思っていなかった乗組員はビルヘルムスハーフェン沖の海で反乱を起こし始め、フォン・ヒッペルはこの計画を放棄せざるを得なくなった。しかし何百人もが逮捕され軍法会議のためにキールへ送られた。彼らが到着した時に仲間の水兵たちの大連帯デモンストレーションは蹴散らされ、九人が殺された。翌朝には艦隊の上に赤旗が翻り、司令部は降伏しており、水兵たちの評議会が基地の管理をおこなった。〈ドイツ革命〉が始まっていたのだ。そして革命的水兵たちはそのあと一八年間にわたって反革命と植民地計画を妨害したのだった。有名な例としては、親ボルシェビキの機関兵アンドレ・マルティに率いられた一九一九年の〈フランス黒海艦隊〉の反乱、また一九三三年の〈デ・ゼーブン・プロフィンシェン〉〈オランダ海軍最大の軍艦〉のインドネシア人乗組員による、共産主義者に鼓舞された驚くべき反乱と、スラバヤで投獄された同志たちを解放しようとする大胆な試み、そして最後に一九三六年に、スペイン艦隊のフランコ派の士官たちから〈水兵評議会〉が苦労して勝ち取った勝利によって。

Ⅶ　階級意識と社会主義

社会的生産における地位と自らの客観的利害の普遍性ゆえに、プロレタリアートは経済を全体として見、資本の明らかな自己運動という謎を解明する卓越した「認識論的能力」を備えている（ルカーチのテーゼ）。

ブルジョアジーとプロレタリアートだけが現代社会における「純粋な階級」であるが、しかしこの二つは内部的編成も意識に対する理解力も対称的ではない。会社間・部門間の競争は資本主義の鉄の法則であるが、労働者間の競争は組織化によって改善することができる。マルクスは明快だった。「現代ブルジョアジーのすべてのメンバーが、彼らが他の階級と対立するものとしてひとつ階級を形成する限りにおいて同じ利害を持っているとすれば、彼らはまたお互いに対立する限りにおいて反対で相矛盾する利害を持っている[317]」。ルカーチはマルクスに倣って、合理的な利己心とは、個々の資本所有者が「彼らの活動のすべての社会的含意を見ることはできず、それだから必然的にそれらに対して無関心である」ということを意味していると論じた。「ブルジョア社会の本質を覆うベール」、つまりそれ自体の歴史性の否定「はブルジョアジーそのものに必要不可欠で……最初期の段階からブルジョアジーのイデオロギー的歴史は、それが生み出した社会の本質への洞察に対する、そしてそれだからその階級状況への真の理解に対する、必死の抵抗に過ぎなかった[318]」。そのうえ資本は台頭するプロレタリアートに直面すると、それは共和主義者のトーガ[八四]を脱ぎ捨て、そして少なくとも大陸では、絶対主義の腕の中に駆け込むか、ナポレオン三世のような、そしてのちのムッソリーニ、ヒトラー、フランコのような独裁者を迎え入れるかしたのだ。

プロレタリアは、いかに貧しく、シャツも着ていないとはいえ、より良い洞察力を持っている。「ブルジョアジーは知的、組織的、そして他のあらゆる強みを持っているから」、とルカーチは論ずる、「プロレタリアートの優越性は全面的に、社会を中心から、首尾一貫した全体として見る能力になければならない」。『歴史と階級意識』の中の有名ではあるがさまざまに解釈されてきた一節の中でルカーチは「帰属させられた階級意識」――革命をもたらすためにプロレタリアが理解し、それに従って行動しなければならない客観的で成熟させられた可能性――という考えを導入した。前危機段階では、しかしながら、労働者階級は「ほとんどの労働組合員の小ブルジョア的態度」によって支配されがちで、概念的かつ実際に「様々な戦域が分離されていること」で惑わされがちである。「プロレタリアートは自らがさらされている経済的な残酷さは政治的なものよりも理解しやすいとわかるし、政治的なものは文化的なものよりも理解しやすいとわかる[319]」。そのうえ、階級意識に対する主要な障碍はブルジョア・イデオロギー、ないしはアルチュセールがいう「国家のイデオロギー装置」の重苦しい作用というよりは「経済と社会の現実的な日々の営みなのだ。これらは物質的諸関係の内面化と人間的諸関係の物象化を引き起こすという効果を持っている[320]」。しかしながら戦争と不況の時には、この物象化された経済的・政治的現実という水晶宮に矛盾が亀裂を入れ、歴史的モーメントという深い意味合いが「実践の中で理解できるようになる」。最終的に「従うべき正しい行動の筋道を歴史から読み取ることが可能である」。読み取り手?・「労働者評議会は物象化の政治的・経済的打破を書き記す[321]」。

極端な大衆活動の時期には、革命的な集合的意思は主に荒々しい直接民主主義を通して具体化され（そして「正しい行動方針」は決定され）る。階級意識は党の綱領ではなく、むしろ長く続いた階級戦争の中で学ばれた教訓の統合体である。

労働組合や左翼政党がプロレタリアートの公共圏という半永久的な制度を構成したとすれば、階級闘争はゼネラルストライキ委員会、労働者評議会、工場集会、ソビエトといった臨時の形態を偶発的に生み出し、議論や意思決定への大衆的参加を、党員以外のプロレタリアートと未組織労働者、さらにある事例では、失業者、学生、労働者階級の母親、兵士、水兵にまで劇的に拡大した。ペテルブルクだろうと、ブレーメン、グラスゴー、あるいはウィニペグだろうと、「運動の民主主義」は一七九二年と一八七一年[八五]の古典的特色の多くを再現した。大弁論大会、規律に欠ける聴衆と、会場からの大声、工場や近隣地区の支部へ報告を返す代表団、徹夜集会、パンフレットや宣言の嵐、委員会の絶え間ない仕事、慌ただしいピケや労働者護衛の組織化、噂と、噂に対する闘い、そして、もちろん、政党間・派閥間の競い合い。

大工場やバルト海の艦隊で多数の支持を得ていたボルシェビキは、超中央集権的政党で、完全な共同謀議的規律でもって運営されていたという伝説にもかかわらず、一九一七年の大革命運動の中では

八四　古代ローマ市民がまとった緩やかな衣服。
八五　一七九二年：フランス革命、第一共和政樹立。一八七一年：パリ・コミューン。

直接民主主義のもっとも一貫した推進者だった。たとえば、自由主義者や穏健な社会主義者たちが新しい議会制度を立案するために〈民主的国家協議会〉を提案した時、レーニン（『国家と革命』を書いたばかりだった）は大衆的参加を拡大するために総力を挙げての動員を力説した。

> それ〔綱領〕を下の方の者たちに、大衆に、事務員に、労働者に、農民に、われわれの支持者だけでなく、とりわけ〈社会革命党（ＳＲ）〉に従う者たちに、非党員集団に、無知な者たちに、持ち込もう。彼らが独立した判断をおこない、独自の決定をし、独自の代表団を協議会に、ソビエトに、政府に送れるように彼らを向上させよう、そうすれば、協議会の結果はどうであれ、われわれの仕事は無駄だったことにはならないだろう。[322]

ペテルブルクにおける革命過程の有名な研究の中でアレグザンダー・ラビノウィッチはボルシェビキのステレオタイプを逆転させた。市の大多数の労働者階級にとっての魅力を説明して、彼は党の「内部的には比較的民主的で、寛容で、非集中的な構造及び運営方法と、本質的に開放された大衆的な性格」を指摘した。「……一九一七年にはペテルブルクのボルシェビキ組織内部ではあらゆるレベルで、もっとも基本的な理論的・戦術的な問題をめぐって継続的に自由で活発な議論や論争がおこなわれていた」[323]。実際これはまさしく、一九二〇年に最近の党内における民主主義の浸食とプロレタリアートの「自主性の低下」との関係を説明しようとしてプレオブラジェンスキーが十月〔革命〕を振り返った通りだった。

一九一七年遅く、そして一九一八年の党生活を、一九二〇年の党生活と比べてみると、まさに党大衆のあいだでそれがいかに枯死してしまったかということに強い印象を受ける……。以前は一般の共産党員は、単に党の決定を履行しているだけでなく、自分たちがそれを生み出していると、自分たち自身が党の集団的意思を作り出していると、感じていた。今では彼らは、しばしば大会に決定を託すことすらしない委員会による党の決定を遂行している。[324]

世界市場と大量移民のおかげで、産業プロレタリアートは、国家的・民族的境界を越えた共通の利害を持つ国際的階級として客観的に構成されている。[325] そのうえ、国際的大キャンペーンはその世界史的使命に対するプロレタリアートの理解を具体化する。

一八四五年九月にロンドンで開かれた〈民主友愛会　Fraternal Democrats〉[八六]の設立夕食会での演説を締めくくって、チャーチストのジョージ・ジュリアン・ハーニーはこう宣言した。「われわれは『外国人』という言葉を拒む――その言葉をわれわれの民主的な語彙の中に存在させない！」。この会合について『ライン年誌』で報告したエンゲルス（彼はそれを「共産主義者の祭典」と呼んだ）は、ハーニーの発言は九か国の代表団による「大歓声」によって迎えられたと記した。またトム・ペイン、ロベスピエール、そして最近国外追放されたチャーチストたちに繰り返し盃が捧げられた。「プロレ

八六　チャーチスト左派、ドイツの義人同盟のメンバー、その他の国々の革命的な移民などで作られた国際的な協会。

タリアの大部分は」とエンゲルスは自慢げに語った、「そもそもからして国籍的偏見から自由で、彼らの全性向・全運動は本質的に博愛主義的であり反国粋主義的である」[326]。これは今日では信じがたいほど単純素朴に聞こえてしまうが、「諸国民の春」八七の前夜においては理にかなった正確な発言だったのかもしれない。

実際、初期の労働者の運動は一般的に、あまりにお決まりの革命的民主主義の道をたどっていて、社会革命が必然的に一七八九年をモデルにした世界革命になるだろうと固く信じて国際的友愛を寿《ことほ》いだ。ブランキとバルベスの〈四季協会〉のような秘密革命グループはそのメンバー構成においてこれ見よがしなまでに国際的で、渡り職人や、季節労働者は破壊的思想を大都市や産業の中心地のあいだであちこちへと運んだ。ドイツの職人――〈神聖同盟〉のヨーロッパにおける最大の労働力提供源である渡り労働者――は英国、スイス、北アメリカ（とりわけテキサス）にラジカルな前哨地を設けたが、一八四〇年代の最初のドイツ・プロレタリアートにとって本当の首都はパリで、そこでは約六万人のドイツ語を話す「必要な書類を持たない移民」が屋根裏部屋や搾取工場であくせくと働いていた[327]。

アメリカ南北戦争や、第一インターナショナル設立に関する著作や発言の中でマルクスは、国際的団結は階級意識の決定的に重要な促進剤で、全国的な規模の労働者の動員は、その最も先進的な分遣隊の国際的な組織化によって加速されると論じた。しかし彼はまた、いかなる労働運動も政治的ないしは物質的に他の国民や民族の抑圧に参加する限り自らを解放することができないとも警告した。もっとも激烈な論文や演説のいくつかの中で彼は、黒人の自由は独立したアメリカ労働者階級の政治活動の前提条件で、それはラジカルな英国の労働者階級にとってのアイルランド人の自由と同じことだと論じた。大陸ではもちろんポーランドの独立が長いこと、民主的な、そしてそのあとは社会主義的な国際主義の試金石だった。

単に革命的信念を抱いていたというだけの「罪」で死を運命づけられた外国の同志たちを救うための運動以上に国際的団結という深い感情を具体化する出来事はめったになかった。労働運動のアナーキスト派と社会主義派とのあいだに通例は好意的な感情はなかったが、アナーキストの命を救おうとして世界的にもっとも有名な三つのキャンペーンがおこなわれた。一八八六―八七年のヘイマーケットの被告、一九〇九年のカタロニアの教育改革家であるフランシスコ・フェレール、そして一九二六―二七年の「ただの労働者」サッコとバンゼッチである。アルバート・パーソンズと死刑判決を受けた六人の同志を救おうとするキャンペーンにはマルクスの末娘エリノアという、とりわけ雄弁な擁護者がいて、彼女は一八八六年、彼らが処刑を待っているあいだにシカゴを訪れた。彼女は〈オーロラ・ターナーズ・ホール〉の大群衆に向かって話しかけた。

> まさに今朝のことです、『シカゴ・トリビューン』を見ると「アナーキストがシカゴで絞首刑に」と載っているのです。つまりこの人たちは殺人者としてではなくアナーキストとして絞首刑にされようとしているのです……。わたしたちがではなく、わたしたちの反対者がそう言っているのです――七人の男たちが、やったことではなく、言ったこと、そして信じていたことのために死刑に処せられようとしてい

八七　一八四八年の二月、三月革命でウィーン体制が倒され、被抑圧民族の民族主義的運動が高揚したことを指す。

ると。あの卑劣で恥ずべき判決は執行されることはないでしょう……。もしこの人たちが殺されればわたしたちは、わたしの父がパリの人々を虐殺した者たちに対して言ったことをその執行者たちに言っていいでしょう。「彼らは既に永遠の曝し台に釘づけにされ、彼らの司祭どものあらゆる祈りも彼らを救済する役には立たないだろう(328)」。

ある種の毛虫は、将来なるはずの蝶を見なければ変態という敷居をまたぐことができないという伝説がある。プロレタリアートの主体性は漸増的な足取りで発達するのではなく、非直線的な跳躍、とりわけ、たとえそれが、ランカシャーの木綿労働者のリンカーンに対する、そしてのちにはガンジーに対する熱狂という有名な事例におけるように、短期的な自己利害と対立するときでも、遠く離れた人々の闘いと団結することを通した道徳的な自己認識、が必要なのだ。言い換えれば、社会主義には非功利主義的な行為者が必要で、その究極的な動機づけや価値観は、他の者たちだったら崇高だと思うような感情の構造から生じて来る。マルクスは正しくもロマンチックな抽象的人間中心主義を厳しく鞭打ったが、彼の個人的な英雄たち——プロメテウスにスパルタカス、ホメロス、セルバンテス、そしてシェイクスピア——は、われわれの堕落した世界においてはいかなる力も持たないように思える、人間の可能性に対する勇壮なビジョンを肯定していたのだ。

社会主義者の計画のための基盤条件は、進んだ産業経済そのものに内在する自由の領域である。社会主義という第一の目的——剰余労働を等しく分配された自由時間に転換すること——を達成するためにはラジカルな鎖がラジカルなニーズへと移し替えられなければならない。

後進国の貧しい者たちの革命も星に向かって手を伸ばすことはできるが、先進国のプロレタリアートだけが実際に未来を摑むことができる。資本家間の競争と労働者階級の戦闘的精神の両者によって強いられた科学の生産への統合は、疎外された労役の必要性（その実在ではないとしても）を減少させる。すでに『哲学の貧困』（一八四七年）の中でマルクスは、「革命的要素の階級としての組織化は、古い社会の奥深くで生じえたすべての生産諸力の存在を前提としている」と論じた[329]。一〇年後に、『経済学批判要綱』の中で彼は「大きな産業が発展する程度に応じて、真の富の創出は労働時間と費やされる労働量ではなく、科学の一般的状況と、技術、すなわちこの科学の生産への適用に依存するようになる」と予言した。この時点で、「大衆の剰余労働は、一般的な富を増大させる条件であることをやめ、それはちょうど少数者の生産への不関与が人間精神一般の力を発達させる条件であることをやめるのと同じことである」。そうなれば、労働者自身が自分たち自身の剰余労働を、「諸個人の芸術的・科学的等々の発達」のための自由時間として流用することが物質的に可能にもなれば歴史的に必要ともなる。「富の尺度はそうなればもはや決して労働時間ではなく、自由に使える時間である」[330]。

しかしそうした流用は、もし目標が単に再分配の公正さ、収入の平等、あるいは共有された繁栄として形作られていたとしたら、決して起こらないだろう[331]。これらは社会主義の前提条件であり、その実質ではない。そうではなく、新世界は、社会主義そのものを求める闘争によって生み出され、資本主義社会の疎外とは両立しがたい、「ラジカルなニーズ」を満足させることと自らを定義するだろう。レボウィッツによれば、「それには、社会に対する、人間関係に対する、目的（人生の第一の必要物）

としての労働に対する、普遍性に対する、自由時間と自由活動に対する、そして個性の発達に対するニーズが含まれる」。それらは質的なニーズである——協同した生産者たちの社会においては（「所有する」必要が消滅するにつれて）相対的に低下する、物質的生産物に対するニーズとは対照的な[332]。自由時間と解放された労働への根本的なニーズを生み出すのは、決して消費ないしは資本主義的「裕福さ」ではなく、ラジカルな大衆運動の中に具体化された対抗的価値観と夢なのである。日常生活に定着するためには、そうしたニーズは、友情、性的関係、性的役割、女性の参政権、民族主義、人種的・民族的偏見、子供の世話などに対する社会主義者の態度の中に前もって示されなければならない。よく知られるようにマルクスとエンゲルスがユートピア的な青写真と未来派的な憶測に嫌悪感を示したことは、彼らの科学的素養を実証したが、しかし社会主義者の想像力を排除することを意図したわけではないし、ましてや、労働大学から消費協同組合にまで及ぶ、そしてハイキングクラブから無料の精神分析診療所にまで及ぶ、労働者の運動がそれを通して現在のニーズに対処し、新しいニーズを思い描くような代替的施設の豊富さに反対したわけではない[333]。

社会主義は複数のレベルでおこなわれる経済的民主主義である。しかし工場や工房を労働者が支配する（革命的サンディカリズムの目標であり実践である）という現実的な問題は、国家経済の計画という比較にならないほど大きな課題と区別されなければならない。

プロレタリアートは、それがより少ない苦役、より多くの自由時間、そして経済的安定とイコールである限りは生産諸力の発展にはっきりと興味を抱いている。しかし二〇世紀初めにヨーロッパの労働運動を波立たせた大きな問題は、これが自由な連合と協同によって達成できるのか、あるいは現代的生産と再生産的投資の規模と複雑さを考えに入れれば、それは、たとえ労働者階級の議会の支配を受ける官僚装置ではあれ、中央集権的経済国家を必要とするのかということだった。パリ・コミューンの大弁護の中で、マルクスはあらゆる経済レベルでの直接民主主義というビジョンをはっきりと思い描いていた。「団結した協同組合連合が、共通の計画に基づいて国家的生産を規制することになり、このようにしてそれを自らの支配のもとに置き、資本主義的生産の宿命であるたえざる無秩序と、定期的な動乱を終結させる」[334]。労働者自身が、投資や、生産目標、労働の強度についての大小両規模の決定に参加することになるから、継続的な技術革新に対する豊富な動機づけがあることになり、人間を機械のではなく、機械を人間の奴隷とするだろう[335]。

しかしながら、一八九一年のエルフルト綱領では、〈ドイツ社会民主党〉はパリ・コミューンのモデルを幼稚だとして暗黙の裡に捨て去ったのだ。新しい正統派的理論の主要な支持者だったカール・カウツキーの構想の中では、社会主義は現代的行政機構の専門知識と効率性――つまり、民主的仕様に合わせて再編されたブルジョア的国家装置――を必要とすることになっていた。「カウツキーは」とマッシモ・サルバドーリは書いている、

> 結論に到達し……それは会社、国家、政党のあいだの関係についてはマックス・ウェーバーのそれと非常によく似ていた。これは一八九三年の議会主義と直接立法についての論文にとりわけはっきりと姿を現わす。カウツキーは「直接民主主義」のいかなる企ても、大規模な近代産業によって――すなわち、

まさにその本質が、中央での計画と、経済と国家の共同作用のみならず、その実行のために専門的に選ばれた技術装置としての官僚装置を必要とする生産様式によって――支配されている社会では失敗を運命づけられていると主張した。……ボルシェビキが現実においてコミューンのモデルを捨て、その代わりに超中央集権化され、官僚化された国家機構を確立したのを見た時、彼は状況と「理性」の力が打ち勝った、しかし言ってみれば最悪の形で、と判断した。(336)

「連合した労働者階級」はロシアにおいて（一九一七-一八年）、そしてイタリアにおいて（一九一九-二〇年）、工場の経営ができることを確かに証明し、一九三六-三七年にはバルセロナで〈CNT〔全国労働連盟〕〉がさらにセンセーショナルに証明してみせはしたが、こうした生産の労働者管理の実験は、どれほど人を勇気づけるものではあっても、全国的ないしは国際的なレベルで経済発展を民主的に計画することとは、明らかに規模が異なっていた。初期ソビエト・ロシアにおいて、工場委員会と労働者評議会の廃止は、内戦と経済的荒廃、孤立――レーニンが公然と破滅的と認め、ソビエト〔職場ではないが〕の民主主義を回復することによって逆転させたいと願った状況――の結果だったとはいえ、後進的ポスト資本主義社会の運命について、カウツキーは一見したところでは最終的な意見を述べたように思える。それはすなわち、生産力〔とりわけ重工業〕が、常に敵対的な国際環境の中で国家の存続を保証するのに必要な割合で成長するためには中央集権化された計画、しっかりと訓練された経営幹部、労働の規律に関する厳しい規定、そして農民に対する大規模な威圧が必要だったような場所である。

スターリン主義はマルクスとレーニンを神格化したが、その密かな神々は実際はウェーバーと〔フレデリック・〕テイラーで、ケンドール・ベイルズが示したように、一九三七年の党と軍の粛清以後の大司祭は、新しく急速に拡大してゆく専門的インテリゲンチャ、とりわけ技術者と農業学者だった。[337] 組み合わせを間違った何百万足もの靴を生産する、勤勉なだけで無能な官僚というお決まりのステレオタイプでは第二次世界大戦中に達成された生産の奇跡も、ソビエトの宇宙計画も到底説明がつかない。その反対に、同義反復になるが、スプートニクを軌道に投入できた経済が、どうしてまともなトースターも作れず家庭に電話も引けなかったのかを説明することも難しい。[338] この逆説はもちろん、ルートドビッヒ・フォン・ミーゼスの弟子たちと、偉大なポーランドの経済学者オスカル・ランゲのような国家計画の擁護者のあいだでおこなわれた有名な「社会主義経済計算論争」の大きな主題の一つとなった。一九五〇年代後半と一九六〇年代初めになされた試みでは、ユーゴスラビア、ポーランド、チェコスロバキアに押しつけられたソビエトの計画モデルを、企業の自主性と「社会主義市場」の結合を通じて大いに改善しようとしたが、それはまずまずの成功しか納めなかった。

第一次世界大戦の勃発までには、いくつかの先進的経済は「社会主義的豊かさ」と余剰を自由時間へと漸進的に転換するための最低条件を満たす工業生産性と国民純所得の入り口に到達していた。さらに、一九一八年のアメリカとドイツの戦時経済がモデルとした「国家資本主義」は、中央集権的国家計画を通して投資と資源を割り当てる新しい可能性を実証した——レーニンによってその重要性が最も鋭く把握されていた発展である。しかし、経済的意思決定への幅広い民主的参加のために求められた通信と制御の技術は存在していなかったし、二十世紀の終わりまで生み出されなかった。

〈ゴスプラン〉〔ソ連国家計画委員会〕の範例を批判する社会主義者は、一九二〇年代の左翼反対派の足跡に従って、国家による経済統制の根本的矛盾として民主主義の欠如を正しくも突き止めたが、参加計画のための実際の必要条件について思いを巡らすことはめったになかった。マルクスと同じで、彼らは生産諸力そのものの発展と、民主的調整と計画のための、それに対応する社会的能力の創出とをはっきりと区別しそこなった。そしてまた、ほとんど例外なしに、彼らは後者が、労働者が複数のレベルで管理をするための複雑な制度、そして膨大な経済データを即時に処理し、分配についての最終決定に幅広く参加できるような形式でそれを提出する技術、を必要とするということを認識していなかった。一九六〇年代に有名な数学者で線形計画法の父であるレオニート・カントロビッチに率いられたソビエトの計画者たちは、「従来のデータ経路の情報的過負荷を克服する」ためにコンピューター化に希望を託したが、彼らの「コンピュートピア」は官僚の反対と、ソビエト経済を表示する五万もの異なった変数を処理するだけの計算能力がなかったことによって土台を削り去られてしまった。そのうえカントロビッチとその同僚たちはもっぱら中央集権的経済管理の問題に関心を集中させていて、非中央集権化と労働者による管理は考えていなかったのだ[339]。

ラジカルな例外は〈サイバーシン計画〉、すなわち、労働者が計画と操業を助けることになっていた国有化された産業のためにサイバネティック管理システムを作り出そうとする、アジェンデ政府と英国の理論家スタフォード・ビーアの半ユートピア的共同研究だった。イードゥン・メディーナは、彼の素晴らしい歴史書の中で、〈サイバーシン〉が、「単に労働者にシステムの管理をゆだねることだけでなく、そのソフトウェアの中に労働者の知識を組み入れることによっても労働者の経営参加」を強固なものにすることを目指していたと説明している。「サイバネティック社会主義」の主導的提唱者へと進化を遂げた裕福な経営コンサルタントだったビーアは、〈サイバーシン〉を「革命の道具」でその究極的目標は「チリの官僚組織を排除すること」だと見ていた。しかしチリには大型コンピューターの数があまりに少なく（バローズとＩＢＭはアジェンデの当選後、販売を停止した）、〈人民連合〉にはあまりにわずかな時間しかなかった[340]。

〈サイバーシン〉は、ソビエトの実験と同じく、おそらく時期尚早だったのだが、この四〇年間で計算能力が急激に増大したおかげで、民主的な計画のために必須の情報科学が、今日ではコンピューター情報システム、経営過程の最適化（ビジネス・プロセス・リエンジニアリング）、経営ダッシュボード、スマート・フォーン、モノのインターネット（ＩｏＴ）、コオペラティブ・コモンズ[八八]、ピア・プロダクションといった形で存している[341]。全世界的資本主義そのものが、国際的なバリュー・チェーン[八九]を管理する必要性（ウォルマート）や、巨大な流通ネットワークを管理する必要性（アマゾン）に駆り立てられ、経済的計算の見えざる手を巧妙に超越している。社会主義に反対する古典的な議論――ミーゼスによる、合理的分配においては市場での価格形成の役割は代替不可能だということの

八八　Cooperative commons：インターネット利用者のあいだでデジタル・データと計算能力を共有化してデジタル上の共同組織を作ろうという提案。Peer production：諸個人の自己編成型共同体に依存する、商品・サービスの生産方式で、そうした共同体では多数の人の労働が、共有される成果に向けて協調する。

八九　企業の購入・製造・販売などの基本活動を情報システムで連結し、価値を最適化させようとする方法。

「実証」、そしてフォン・ハイエクによる、社会主義の計画モデルは、市場に遅れないでついてゆくために要求される何十万もの方程式を解くための計算力を決して達成できないという議論――はその力の多くを失ってしまっている。その一方で、経済とその空間的構成（spatial organization）が、炭素循環に与える衝撃を評価するための、観測に基づいた計画と科学的な対応策――すなわち、持続可能な産業生態学のための情報のインフラストラクチャー――は現在、少なくとも原型として、存在している。もはや経済学的・生態学的パラメーター――例えば、職を生み出すための投資と、その当然の衝撃――を今度は大衆的参加がしやすい動的な計画モデルにおいて統合するのに克服できない障害は何もない。実際、ムーアの法則[九〇]のおかげで、生産諸力と科学は、マルクスが『フランスの内乱』の中で思い描いたような非中央集権化された経済的民主主義へと変態を遂げる準備が最終的に整ったのだ。

ブルジョアジーは究極的に進歩の約束を果たすことができないがゆえに労働者が支配しなくてはならない。もし社会主義者の大事業が挫折させられれば、その結果は全体としての文明の退歩ということになるだろう。

ほとんどの社会主義者によって思い描かれた「最後の危機」は一九一四‐二一年にピレネー山脈からウラル山脈にかけて実際に起こって、計り知れない人命が犠牲になったが、北アメリカでは起こらず、それゆえにヨーロッパの破局は *lutte final*〔最後の闘争〕ではなかった。「この前の帝国主義戦争は」とトロツキーは一九二一年の共産主義インターナショナル第三回大会で語った。「資本主義世界の平衡に対する歴史上類を見ない巨大な打撃だとわれわれが正当にも認識する出来事だった。この戦争から、最大の大衆運動と革命的戦闘の時代が姿を現わした」。ヨーロッパは荒廃し、飢えに支配さ

れたが、
　西半球に足を踏み入れるとわれわれはまったく異なった光景を目にする。アメリカは全く正反対の性格の発展を経験した。この国はその間に目がくらむようなスピードで自らを豊かにしたのだ……。労働の新たなる世界的分割は確立されたのだろうか？　この半球で重要なのは資本主義経済とブルジョア権力の重心はヨーロッパからアメリカに移動したという事実である。(342)

　ヨーロッパとソ連が再び瓦礫と化した第二次大戦の余波は、真に世界的規模でのアメリカの覇権を再確認したが、ほとんどすべてのマルクス主義者と、ケインズ主義左派の経済学者——バルガ・イェネー、フリッツ・スターンベルク、ミハウ・カレツキ、グンナー・ミュルダール、ポール・バランその他——は新たなる不況、ないしは少なくとも戦前の景気循環の再開を予期した。彼らのうちだれも、戦後長く続いたにわか景気も、マーシャル・プランとNATOの成功も、さらに言えば、ほとんど完全雇用が達成されていた真っ最中の一九六八‐六九年におけるヨーロッパと北アメリカのラジカルな学生反乱も予想しなかった。しかし歴史は二一世紀初頭に、人口の増加と歩調を合わせて職を生み出せず、食料の安定も保証できず、破局的な気候変動に人間の生活環境を適応させることもできない世界経済の中で、完全にひと巡りした。暴虐がわれわれの回りじゅうを取り巻いている。

九〇　集積回路上のトランジスタの数は一・五年ごとに倍になるというもの。

第二章　マルクスの失われた理論——一八四八年のナショナリズムの政治

ナショナリズムについて話すとき、われわれは何を話すのだろうか？　あまりに多くのこと、のように思える。ある社会学者は、「民族性、人種、ナショナリズムに関する学問は概観することもできないほど広大なものになってしまった」と不満を漏らす。人間の知に関する一流の歴史学者はそれを「耐えがたいほど変幻自在だ」と思っている。(1)最近の入門書の中で、英国の社会学者アンソニー・スミス——彼はいろいろと業績もある中で、ナショナリズム研究の書誌学者として第一人者である——は、かなりロサンゼルスに似た知的スプロールを次のように説明している。「こうした論争は拡散し、広範にわたっている。そうした論争はナショナリズムの競合する諸イデオロギーに関係しているだけではないし、特定の理論のぶつかり合いに関係しているだけでもない。それは鍵となる用語の定義をめぐる根底的な不一致、国（民）の広く異なる歴史、そして「来るべき世界の姿」についての競合する説明をも含んでいる」。現在相争っている陣営の中に彼は「原初主義者」一、「永遠論者」二、「新永遠

一　Primodialist: primodialism とは、国（民）は古来からの自然なものであるとする議論。
二　Perennialist: perennialismとは、国（民）とナショナリズムは古来からのもので、永続的なものであるとする議論。

論者」三、「道具主義者」四、「モダニスト」五を認めている。(彼はそれに「構造主義者」、「新ウェーバー主義者」、「新ビアド主義者」をつけ加えてもよかったかもしれない)。一方彼は自分のことを「民族シンボリスト」と説明し、ナショナリズムを前から存在する文化的帰属意識の現代化として研究する。[2] これほども多くの範疇の省略、相矛盾する類型学、合致しない学問的見方と直面して、ナショナリズム研究は、クリフォード・ギアーツが「概念的曖昧さという無効化するオーラ」と呼んだものの中に表面的に防腐処置を施されている。[3]

しかし最近まで、ほとんどの発言者はこの不協和音の中で、核となりめったに異議申し立てを受けなかった三つの仮説を共有してきた。第一は「方法論的ナショナリズム」で、それは現代社会を国民国家と、そして国家を政治的国家と、同一視した。第二は、歴史的力としてのナショナリズムの自律性ないしは根源性である(政治哲学者のエリカ・ベナーはこの、「ある国民の大多数によって抱かれ、ナショナリストがそうすべきだといったときにはいつでも他の価値観や利害の優位に立つ、一連の独特な国民的価値観」に対するこの信念を風刺している)。[4] 第三の仮説は、進歩的ナショナリズムと反動的ナショナリズムは根本的に区別可能だということである。この二分法はチェコの亡命者ハンス・コーンによってその記念碑的な『ナショナリズムの思想』の中でもっとも影響力の大きな形を与えられたが、この本の中で彼は「西洋の市民的」(政治的)ナショナリズム・対・「東洋の民族的」(文化的)ナショナリズムという図式に反対した。[5]

国民なきナショナリズム

こうした基礎となる仮説は、スミスによって箇条書きにされた相争うパラダイムとともに、一九九〇年代にブルデュー学派、そして新ウェーバー学派の若い社会学者から根底的な検証を受けた。一九九〇年代というのは以前の国家計画経済の世界市場への統合と、かつては「第二世界」と呼ばれた国々における極端なナショナリズムと内戦という思いがけない波の両者によって規定された逆説的な十年間だった。一九七〇年代、八〇年代という、前の世代の学者たち（ゲルナー、アンダースン、スミス、ホブズボーム）は、現在の国民国家を作り上げた条件や変化に主に興味を持っていて、そのあとで国民国家が「静的で、結合された、均一な自主独立体」として存続し続けることを当然のことと考えていたのに対して、この新しい世代は「全地球化」されたはずの世界の中で、破滅的なポスト－共産主義的ナショナリズムの突然の出現に直面して、民族的ないしは人種的、国民的な集団性の度合いが比較的急速に変化するその動力学により大きな興味を持って来た。コーン流の二分法はとりわけ的外れに見え始めた。ナショナリズムはあまりにも「規範的・経験的には手に負えず」とロジャー・ブ

三　Neo-perennialist: neo-perennialismは、Ken Wilberが唱える、人間のすべての知識と経験を統合しようという考え。

四　Instrumentalist: instrumentalismとは、民族的アイデンティティをグループの動員のイデオロギーであり、その利益を達成するための道具として定義する。

五　ナショナリズムは自立可能な産業経済、中央集権的な権力と言語を備えた近代社会で発生し繁栄するという考え方。

ルベイカーは書いた。そのため、「はっきりと対照的な経験的・道徳的な輪郭を持った型へと」分解することはできず、「民族的」といったような修飾語句が同じように抽象的な時にはとりわけそうである。他の場所で彼は、「集団性」は民族的帰属としてであろうと国民としてであろうと、「定数ではなく変数であり、それを前提条件とすることはできない」と唱えた。それだから、「nationhood（国民であるということ）と、nationness（国民らしさ）に関する研究を、実体ある存在ないしは集合体、あるいは共同体としての諸国民の研究から切り離す必要がある」[6]。

ブルベイカーはUCLAにおいて、「実体論」に対するこの反逆の主要な原動力の一人だった。彼は一九九六年の影響力の大きな著書『再構成されたナショナリズム』の中で、ソ連とユーゴスラビアの国家システムが崩壊する中でナショナリズムが復活したことを調査し、「属すとされていた国家／国民の、ひどい範疇的な単純さ」によって、複雑で階層をなしていたアイデンティティがいかにして突然破棄されうるかを問うた。彼は社会主義によって連邦化された諸国民はただ西側民主主義からの目覚めのキスを待っているだけなのだという「眠り姫」テーゼを拒絶した。その代わりに、理論家は本質的な「国民」という聖杯の探求をやめる必要があり、それよりも「ナショナリズムの経過の動学」に全力を集中すべきだと提唱した。

定式へと切り縮めれば、わたしの主張は、実際における範疇としての国民、制度化された文化的・政治的形態としての国民であるということ、偶然の事象ないしは出来事としての国民らしさ、に注意を集中すべきであって、実体的で永続的な集合性としての「諸国民」という、分析する上で曖昧な概念の使用を差し控えるべきだということである。

そのうえ、ナショナリズムは「諸国民によって発生させられるのではない。「ブルデューの用語では」それはある特定の種類の政治的な場によって生産される——あるいはもっといい言い方をすれば、誘発される——のである」。「具象化は」と彼はつけ加えた、「社会的過程であって、単なる知的実践ではないのだ。そうしたものとして具象化はナショナリズムという現象の中心である」[7]。

ユニバーシティ・カレッジ・ダブリンの〈戦争研究センター〉教授シニシャ・マレシェビッチャは、もっと辛辣な判断を示している。「国民的アイデンティティというのは真剣な分析的研究に値しない概念的キメラである」と彼は宣言した。「それは理論的に気が抜けており、その一方でまた、明確な実証的指示対象を欠いてもいる」[8]。マレシェビッチャの *bête noir*〔大嫌いなもの〕は「なんでもすべてのものの総称、説明の厳密さを回避する近道」としての「アイデンティティ」という言葉の使用だった[9]。民族的な相違としてまとめ上げられた文化的な相違が社会学的に妥当なのは「それが活動的で動態化されダイナミックな時だけだ」——すなわち政治化された時である[10]。民族性／民族意識というのは政治的に編集された構築物（「集団ではなく社会的関係の一形態」）だから、国民とは政治化された民族性／民族意識だと示唆するのは単なる同義反復である。「もっと重要なことに、そうした見解は、すべての民族的関係の中で作用している集合的差異の政治化の、ほとんど普遍的で歴史を越えた過程と、国民形成を特徴づける歴史的に特定の一続きの出来事や習慣をはっきりと区別していない。国民らしさnationnessとは完全に歴史的で、大いに偶発的な新しいものなのだ[11]」。

マレシェビッチャはエルンスト・ハース[六]の「作り上げられた*Gemeinshaft*〔本来は自然発生的な共同体組織〕」という考えを反響させて、ナショナリズムの秘密の力を、それが持つ、親密な社会の「温かみ」と官僚的社会の「冷たさ」とを調和させる能力に帰している。「言い換えれば、ナショナリズムのイデオロギーは、国民を親友たちの共同体ないしは、巨大な拡大された家族として描くことによって、国民国家の「国家」部分と「国民」部分とのあいだで現在進行中の分割に橋を掛けようとする試みなのだ[12]」。しかしながら彼は、この家庭的感情と抽象的信念の融合は、アンソニー・スミスやレジス・ドブレによって仮定された「集合行動の宗教的構造」ではない、と力説している[13]。「ナショナリズムはしばしば実際に半ば宗教的な魔力を示すし、神聖視された儀式を利用するし、霊的な言語とイメージから借用をおこなうし、国民を半ば神のような実存として描き出しそうだが、それ〔集合行動の宗教的構造〕では、社会的なものと神聖なものとのあいだでナショナリズムが持つ諸関係に大きな部分で説明がつかない」。スミスの考えは「いまだにデュルケームの遺物に繋がれている」と主張してマレシェビッチャは、デュルケームが神聖なものを社会的なものによって、社会的なものを神聖なものによって説明するという悪循環に自らを追い込んだことをわれわれに思い出させる。「宗教と、政治的宗教の一形態であるナショナリズムは『その集団のあらかじめ与えられた一体性を表わしているのか、あるいはそれをもたらすのか?』。新デュルケーム主義者は両天秤にかけることはできない」。マレシェビッチャはまた、規範的な統合をあまりに強調し、その一方で社会的矛盾の役割を引き下げていることでスミスを批判する。最後の例では、「集団の一員であるということをどのような形であれ突然に、そして強く表に出すのに欠かせないのは、まさしく潜在的ないしは現実的な社会的矛盾の争いである[14]」。

ブルベイカーとマレシェビッチャは古典的社会学を、とりわけ構成主義者ナンバー・ワンであるマックス・ウェーバーの手ごわい遺産を、一新しようと余念がなかったのだが、彼らの研究はまた経済学に扉を開き、ラジカルな歴史学者たちからの創造的反応を誘っている。彼らは「国民的実体」あるいは「民族的核心」から議論の舵を切り、関心をナショナリズムの実際的報酬、つまり、作り上げられた国民的アイデンティティによって寄せ集められ供給される利害へと向けた。彼らの学問的な焦点は、想像された国民的共同体がその感情的な義務をそこから引き出す親密な仲間意識――家族、教会、小隊、フットボール・クラブ等々――から始まる社会的相互作用と矛盾の物理学にあてられた[15]。

しかしながら、地区的なものを全国民的な利害へと変える――あるいは競合しあう地区的な利害を調停するために国民的利害を作り出す――政治の化学、そして時を経るにつれて変化するこうした利害の輪郭は、他の方向から扱われなければならなかった。しかもできれば、人種的、民族的、あるいは宗教的弾圧という、塹壕に囲まれた内的システムに加えて、社会経済的マクロ構造（生産諸関係、階級分割、財産の形態）がどのようにナショナリストの教義に影響を与えるか、あるいはそれを作り出しさえするかという古臭い問題と嚙み合うことのできる理論的視点から。歴史的に詳細に説明されたそうした理論は、範疇的仕切りを作ったら必ず、もっと広い政治的分野の中にナショナリズムの位置を示さずにはいられない。分析を単純化するためにそれは役に立つかもしれないが、ナショナリズ

六　Ernst Haas（1924–2003）：政治学者。

ムの政治的歴史と、国民国家の経済的・社会的歴史のあいだには万里の長城はないのだ。

マルクスに反するマルクス

一九九〇年代の論争のもう一人の参加者だったエリカ・ベナーは、そうした議論の秘密は、意外な戸棚の中に見つかると主張した。彼女はずっと前からナショナリズムの理論家にマルクスが書いたものを新たに見直してみるようしきりに促していたのだ。一九九五年に『実際に存在しているナショナリズム——マルクスとエンゲルスからのポスト共産主義的見解』として出版された、彼女がオクスフォード大に提出した博士論文は、ときおり見落とされはしても一九九〇年代のナショナリズム理論に対する批判への非常に貴重な貢献だった。他の者たちと同様に彼女は、「(ナショナリズムではなく)諸国民は永続的な実態なのかあるいは新奇な——そしてそれだからおそらく束の間の——当世風な創案なのか」ということをめぐるアンソニー・スミス一派とアーネスト・ゲルナー一派とのあいだの終わりない論争を越えてゆきたいと思っていた。[16] しかしながら、マルクスに回帰することで彼女は、「ナショナリズムはそれにぶつかってマルクス主義理論が砕ける事実である」というフランツ・ボルケナウの古い虚言を復活させていたポスト-マルクス主義思想の強い現代的潮流に逆らって舟を漕いでいたのだ。[17] 例えばトム・ネアンは一九七五年に、「ナショナリズムの理論はマルクスの大きな歴史的過誤を表わしている」と書いたし、またエルネスト・ラクラウは、マルクスが「国民的アイデンティティの特殊性と還元不可能性」を認識するのを拒否したということに同意し、それに注意を促した。[18]

レジス・ドブレはいかにも彼らしく大げさな言い方をした。すなわち、マルクス主義者たちは「人間集団の文化的組織化」を支配している法則を全く理解しそこなっていたのだ。「国民というのは、理論としてのマルクス主義と実践としての社会主義の、全面的大火災における原子核のようなものだ」。「言語と同じで、国民というのはさまざまな生産様式を横断する定数である」と彼は主張した。彼はまたマルクスには政治理論はなかったと非難しもした[19]。

しかし、マキャベリのよく知られた権威ともなっているベナーは[20]、マルクスが（そしてかなり少ない程度でエンゲルスも）、一方で「近代的『国民』意識の活性化と国民形成努力において、国家を超えた過程が演じた役割」を力説しつつ、「ナショナリズムの限られた自律性」を強調しているがゆえに、よけいに興味深いということに気がついた。彼女は、あまりに多くの訓詁学者が、「国民問題に関するマルクスとエンゲルスの見解を、理論についての彼らのもっとも抽象的な陳述から再構成し、その一方で、彼らが特定の政治的背景の中で推奨した戦略を見過ごす傾向があった」と主張した。あるいは、もっと強い言葉で言えば、彼らは「階級矛盾の分析の中央に置かれ、しかしそれだけに還元されてはいない政治の戦略的理論」の諸要素を認識しそこなったのだ。「マルクスとエンゲルスは階級を、分析の基本的単位、そして集合的行動の枠組みとして扱い続けている」と彼女は説明した。「しかし階級とナショナリストの目的とのあいだの、階級と国民の「意識」とのあいだの、関係は、標準的な階級還元論者の説明が許すよりもはるかに複雑で変化しやすいもののように思える」。ポスト－マルクス主義者はどうかと言えば、「彼らのもっとも鋭い批判の多くが、何がナショナリズムについての十分な説明を構成するのかということに関する、ひびが入った仮定に基づいている」。一部分これは単に歴史的単純さである。ベルリンの壁の崩壊後は、「ポスト共産主義のナショナリズムはすべて民主的で西側を向いているに違いないと考えるのは理にかなっているように思えた。この安易な憶測が一九八九年の激変のあとで困惑させられたのは、一八四八年の出来事が国民と共和主義的同胞主義のあいだのマッツィーニ流の同一視を転覆させたのと同じことである[21]」。

ベナーはときおりマルクスの一節から他の読者以上に多くの意味を見出したかもしれないが、彼女によるマルクスの思想の再編成は力業である。相当な数の文献の中で、植民地主義に対するマルクスとエンゲルスの見解や、いわゆる「歴史なき民」、そして自己決定権をめぐる論争が長いことおこなわれてきたが、ナショナリズムについての彼らの考えを政治に関する唯物論的理論という背景の中にきちんと置いたのは彼女が最初だった[22]。ベナーの説明は、わたしの加筆ともども、マルクスとエンゲルスの階級の政治とナショナリズムに関する最も拡大された分析という逆説的な文脈の中に一番うまくはまり込む。つまり有名ではあるが、しかし未だに多くの面で知られていない、一八四八年の革命についての論文や論評、パンフレットなどの中に。〈共産主義者同盟〉によって創刊されたケルンの新聞『新ライン新聞』の中でマルクスとエンゲルスは、パリ、ベルリン、ウィーン、ブダペストの反乱の前進を包括的に記録し、ドイツの、民主的勢力の幅広い連合による「下からの」団結を擁護した。アイルランドとアフリカ系アメリカ人に関する後の論争の中で再浮上することになる印象的な定式化の中で[23]、エンゲルスは「民主的ポーランドを生み出すことが民主的なドイツを生み出す第一条件である」という考えを提出した。彼とマルクスは、革命的なフランスと同盟を結びポーランドの解放を主要な目標として掲げた戦争をロシアとおこなうことが民主的なナショナリズムに中央ヨーロッパで権力を持たせる唯一の道であるということで意見が一致していた[24]。

一八四九年からのロンドンでの追放生活の中でマルクスはフランスの二月革命の運命に注意を向け、実際にその追悼記事を書いた。『フランスにおける階級闘争　一八四八‐五〇年』とその続編である『ルイ・ボナパルトのブリュメール十八日』は一つのテキストとして読むのが一番いい。前者の真価を認めそこなうことが、これまでしばしば後者のゆがめられた解釈に繋がってきた。（それに加えて、海外追放された『新ライン新聞〔政治・経済〕評論』に発表された「評論　一八五〇年五月‐十月」も読まれるべきで、ここでマルクスは、ヨーロッパの地震の世界的な地政学的・経済的座標を大胆にスケッチした）。これらフランスに関する著作は、単なる理論としても、ジャーナリズムや現在の歴史としても分類されることに反発し、おそらく政治的著作の独自の分野として理解されるのが一番よく、そこでは、社会主義の政治を考え、実行しようとする過程で、理論的概念が展開され適用されているが、抽象的に定式化されてはいない。そのうえマルクスは、生産諸関係と、政治的に組織された経済的利害関係の衝突とのあいだにある中景に関する政治的社会学の発端と解釈できる用語を使っている――「階級内分派」、「派閥」、「党派の結合」、「ルンペン・プロレタリアート」等々。実際テレル・カーバーは、「マルクスの多彩で、突飛で、乱雑で、一見したところ理論的でない語彙は、実は最良の政治理論なのだ」と論じている[25]。

理論的命題へと翻訳されれば、マルクスはフランスに関する著作の中で、ポスト‐マルクス主義者の「階級・対・国民」というステレオタイプとも、生産諸関係の不変の因果関係上の優位性ともほとんど一致することのない重要な主張をしているのだ。

●いくつもの革命が、国民（現存する、ないしは成らんとしている国民国家）、世界市場、ヨーロッパの国家システム（神聖同盟）という三連空間の中で同時に進展した。マルクスはとりわけこういう空間の相互関連に興味を抱いていた。たとえば、東アジアと太平洋への資本主義の目覚ましい突進——アヘン貿易、オランダによるジャワの征服、オーストラリアとカリフォルニアのゴールド・ラッシュ——がヨーロッパの反乱という情勢にどのような影響を与えたか。またいかにして大陸の革命が英国のチャーチスト運動をラジカル化させることができたのか。

●『共産党宣言』の中でマルクスとエンゲルスは、「労働者は祖国を持たない」と書いたが、すぐに、プロレタリアは「政治的支配」を獲得するために「国民の支配階級へと昇りつめなければならず、自らを国民として構成しなければならない」のであるから、それ自身が「国民的である」とつけ加えた七。この不明瞭な定式化はのちにケルンとロンドンでマルクスが、神聖同盟に対する防衛戦争は、それを通してフランスのプロレタリアートとドイツの革命的民主主義者が、農民や中流階級ともどもその「支配」をひとまとめに獲得することを望める、必要な方法である、と論じることではっきりとさせられた。

●最初のうち一八四八年の革命は都市に限定された孤立した反乱の集まりだった。次の一歩は、農民との民主的同盟でなければならないとマルクスは強調した。田舎は革命的‐民主主義的反乱の勝利を確実にするか、その墓掘人になるだろう。そうした同盟は革命的ナショナリズムの地勢の上に、そして外国からの干渉に抗して築かれなければならない。ナショナリズムを非難するどころか、社会主義者は国の防衛を組織すべきである。

●手詰まりになったり未成熟であったりする階級闘争という一定の条件のもとでは、国家装置は「それ自体の執行委員会」になり、それ自体の泥棒政治的[八]利害の中で権力を振るえるようになることがある。

● 政治／ナショナリズムの経済的内容は――危機の時期や最も先進的な国民のあいだ以外では――通例は「搾取の二次的形態」、すなわち、財産の異なった範疇間の衝突から派生する。マルクスは実際一八五〇年代の大部分を、フランスやその他の場所の出来事であれほども大きな役割を果たした通貨と信用の自律的な政治を理解しようとして費やすことになる。

階級とナショナリズム

剃刀のように鋭い皮肉と、「ほとんどラブレー的な情熱」に満ちた散文の中でマルクスは、フランスの社会的諸階級が、国民的なレベルで、そして国民的利益についての議論を通して、戦略的に行動できるそれぞれに異なった能力についての、不完全ではあったとしても、驚くべき分析を提出した[26]。

一八四八年のフランスの出来事はただ前駆的な意味での労働と資本との闘いに過ぎなかった。〈社会共和国〉の名における六月蜂起は稲妻の一閃であり、新しい歴史的時代を告げ知らせたが、それ以上のものではなかった。いまだに大きく農業中心だったフランス経済は、異なった生産様式と搾取形態のあいだの過渡期にあった。産業革命がいくつかの都市や地方に近代的生産の孤立した場所を作り出

七　『全集』第四巻、四九二―三頁。

八　泥棒政治とは、官僚や政治家が人民の資金を横領して自らの富と権力を増大させる腐敗した政治体制のこと。

していたとしても、工場の労働者階級とその支配者たちは全国的な規模で意識的に組織された社会階級ではまだなかった。確かに、パリではさまざまな趣の社会主義が世界中のどこよりも強かった。たとえば一八五一年にはこの都市には「社会主義者に鼓舞された労働者の協会」が二〇〇近くもあった。とはいえ左派は、民主的‐共和派の小ブルジョアジーとのジャコバン的つながりを形作っていた職人労働者の、世界主義的ではあるが前産業的な文化に根を下ろしていた[27]。最大の潮流であるプルードンの追随者たちは反権威主義的な連合主義者で連邦主義者であり、彼らにとって、*pays*――本拠地、故郷の町ないしは地方――が本当の*patrie*〔祖国〕だった。

マルクスの見解では、ナショナリズムはまず第一に、フランスの人口の大部分を含む二つの不定形な社会、ないしは「準階級」――都市の職人や商店主、そして小商人を一方にし、田舎の小自作農をもう一方とした――にとっての阿片だった。のちにゾラが全二〇冊のルーゴン・マッカール小説群の中で驚くべき詳細さで記録することになるように、こうした集団はフランス社会の近代化と、その結果としての、工場プロレタリアートと大資本との二極化によって失うべきものを最も多く持っていた。小資産所有者と独立した生産者にとって一八四八年の「国民」は、階級闘争の魔法のような廃絶と、社会的諸勢力の架空の平衡を意味していた。都市と田舎は、大衆的ナショナリズムと歴史的記憶に関する、部分的には重なり合っていたとしても、異なった解釈に固執していた。いまだに一七九二‐九四年〔第一共和政〕に忠実な都市の小ブルジョアは、大概においては民主的であるナショナリズムを受け入れ、その一方で、田舎の多くは、彼らの父親や祖父たちを包み込んだ帝国とナポレオンの栄光にあこがれた。六月に社会主義者を大虐殺したあと〈憲法制定国民議会〉ではルドリュ‐ロランに率いられた共和主義の多数派は国民の名において三色旗を翻したが、マルクスの意見では彼らは真の政党ではなく、むしろ、「共和主義者のような考え方をするブルジョアや、物書き、弁護士、士官、役人たちの」気難しい「派閥で、彼らはルイ・フィリップ個人に対する田舎の反感に、また古い共和国の記憶に、多数の熱狂者の共和国に対する信念に、しかしながらとりわけフランスのナショナリズムに、独自の影響力を持っていて、ウィーン条約とイギリスとの同盟に対する憎悪を常に目覚めさせていた」[28]。

その一方で、小自作農の田舎では、ナポレオンの「不死身の古参近衛隊」の息子たちや孫たちが、一方からは借金や税金で押し潰され、もう一方からは遺産を分割できることで、ゆっくりとではあれ情け容赦なく農地の大きさを縮小させていた——状況は県によって異なったが、全体としては次第に田舎を貧困化させ農民を「穴居人[九]」に変えていきつつあった。マルクスは、「フランスの農地を抵当とした借金は、英国の国債すべての年間利子に等しい額の利子の支払いをフランスの農民に課している」と推計した。田舎に対する税金を即座に引き上げた共和国への急速な幻滅は、農民が国家の栄光ばかりではなく、土地、そして抵当なしの所有と同等視した帝国への懐旧の念をただ増大させるばかりだった。マルクスにとって「すべての階級は国民を、そして時には全人類を、自己の持つイメージで思い描く傾向があった」とソロモン・ブルームは述べた。「それに続いてどの階級もそのイメー

九　フランスでは「一六〇〇万の農民（女子供をふくめて）が穴のなかに住んで」いた。全集第八巻、一九七頁。

ジを崇拝した。それぞれの階級に異なった『祖国』があった」。農民の場合は、「制服が彼ら自身の礼服であり、戦争が彼らの詩であり、想像の中で拡大され整えられた小さな所有地は彼らの祖国であり、愛国心が彼らの所有意識の理想形態だった[29]」。ユージーン・ウェーバーによって実に見事に述べられたように、フランスの田舎の強烈な郷土愛は、一九世紀もごく遅くなるまで、大都市や遠く離れた地方との国民的一体化を困難にしたかもしれないが、「帝国」の記憶は野原の牛[一〇]だったのだ。

しかし多額の借金を抱えた都市の小ブルジョアジーも、税金にあえぐ田舎の小自作農も、必ずしも純粋に反射的に行動したわけでも、あらかじめ決められたように行動したわけでもなかった。それどころか経済的に生き残るという自分たちの問題を一番うまく処理する、組織化された階級ないしは党に順応したのだ。「マルクスは――エンゲルスは常にというわけではなかったが――準階級のメンバーは先天的に外国人嫌いだということも、「偽りの意識」の巧みな策略にはまりがちだということも否定した」とベナーは書いている。「彼らが特定のナショナリストの政策を支持したことは、条件付きだとみなされたのであって、全面的に不合理であるとみなされたわけではない。そして決定的な条件には安全と物質的に幸福であることに対する具体的な利害が含まれていた[30]」。マルクスは、ナショナリズムの大衆的論理は犠牲と利益の微積分学に依存していると示唆している。すなわち、単に天国と栄光の約束ばかりではなく、抑圧のくびきを外す、あるいはもっと良いのは、誰かほかの人の財産を都合よく再分配するという約束に、である。言い換えれば、保守的な農民たちだけが必然的に「ひと袋のジャガイモ」[一一]なのだ。マルクスは階級の構成は究極的には偶然の過程で、経済的発展のレベルと、階級的・政治行為者が国民の代表として自らを合法化できる能力によって条件づけられる、とはっきりと見ていた。「国民のイデオロギーは」とベナーは強調する、「この文脈の中で、単一の階級による支配の、固定した、あるいは一枚岩の仕組みとしてではなく、政治的権力を求める戦いにおける重要な教義上の闘技場として姿を現わす[31]」。

事実、『ブリュメール十八日』は、主要な登場人物たちによってなされた戦略的決定のあまりに厳しいバランスシートで、マルクスはそこで階級の立場、取り決められた集団的利害、そしてこうした利害の政治的表現のあいだの、はっきりとした区別をおこなっている[32]。第二共和国では諸政党は、現代的な意味ではせいぜいのところまだ萌芽的で、そしてどんな社会階級も他の社会階級に対してナショナリズムの単一の修辞法を押しつけるだけの結束も政治的技術も持ち合わせていなかった。一八四八年六月の、早すぎた反乱に敗北し、全国的に組織化されてもいなかったパリのプロレタリアートは、早々に舞台から押し出され、その一方で漠然として幅広いブルジョアジーは、ひとたびバリケードが取り除かれ、社会主義者が即座に処刑され、あるいはアルジェリアに追放されると、支配権を握った階級へと団結することはできなかった（以前にマルクスが『ドイツ・イデオロギー』の中で、「切り離された諸個人は、他の階級に対して共通の戦いを遂行しなければならない限りにおいてのみ階級を形成する。他の面では彼らはお互いに競争相手として敵対的関係にある」と指摘したとおりである[33]）。

同盟と陰謀の入り組んだ舞踏の後に、ナポレオンの甥だったルイ・ボナパルトが田舎の多数派によ

一〇　事実だと信じてはいても実際はそうではないこと。
一一　本書八三頁を参照。

って大統領に選出され、その一方で、伝統的に分割されていた *haute bourgeoisie*〔上層中産階級〕──つまり、大土地所有者〔正統王朝派〔反革命〕〕と投機家－金融業者〔オルレアン王朝派〔右翼〕〕──は〈秩序党〉の中で不安定に結びついた。彼らはさらに進んで、普通選挙権も含めた二月革命の成果を一つ一つ引き剝がしにかかり、そしてボナパルトと共にローマに遠征隊を送りガリバルディの素晴らしい共和国を転覆させた。共和主義者の反対派である「山岳派」は一八四九年六月一三日に生ぬるい反乱の試みをおこなったが、これはたやすく蹴散らされた。しかし〈秩序党〉による民主主義への攻撃の成功は、同時に〈国民議会〉の正統性の土台を掘り崩し、階級ではなく国民を代表しているという、ボナパルトによるでたらめな主張に力を与えた。常軌を逸した非難の中で、「議会外のブルジョアジー」は──政治的動乱を現在進行中の不景気の原因だと見て──政治に熱心で学者ぶった、彼ら自身の代表を拒絶し、ボナパルトのクーデターと国民投票に黙って同意した。ボナパルトは第二共和国をきっちりとどぶに流し去った[34]。

これまで常に読者を驚かせてきた、あるいは憤慨させさえしてきたのは、マルクスが絶対主義のあの先祖伝来の財産、すなわちフランス国家、に与えた「独立した権力」としての余地である。〈第二共和国〉内部の対立のせいでいかなる階級も、階級の連合も、議会の支配を安定させるだけの力をもって権力を握りそこねたとき、この危機は国民投票による独裁によって解決される。『ブリュメール十八日』は社会に対する国家の、階級に対する派閥の、民主主義に対するナショナリズムの〈先祖返り的な形での〉奇怪な勝利をもって結ばれる[35]。もし〈第二帝政〉がすぐに崩壊していたら〈マルクスの本来の予想〉、それは一時的な逸脱として簡単に退けることができていただろう。しかしこの体制が一世代にわたって続いたことと、ナポレオン三世が大陸の政治を支配したことで『ブリュメール十八日』でおこなわれた定式化にはマルクスが最初に意図していた以上の重要性が与えられた。かくして、ブルジョアジーがそれに対して損得勘定をしたうえで権力を放棄する独裁主義的な国家形態としての「ボナパルティズム」は、古典的な社会主義者の分析の一範疇として時おり姿を現わすことになる。とりわけエンゲルスによるビスマルクの帝国の説明の中に、レーニンによるケレンスキー体制の性格描写の中に、タールハイマー[一二]によるファシズムの理論の中に、ヒトラーに道を開いたヒンデンブルク－フォン・パーペン政府に対するトロツキーによる検死解剖の中に[36]。

マルクス自身は、一八五六年六月と七月、そして一八五七年五月にダーナ[一三]の新聞『ニューヨーク・トリビューン』に発表した〈クレディ・モビリエ〉の論説の中でこの領域にもう一度引き返した。セルジオ・ボローニャによる一九七三年の膨大ではあるが大いに独創的な注釈のおかげで、それがなければ忘れられていたこれらのテキストが、一九七〇年代の危機のあいだに、イタリアのオートノミズム〔自治主義〕のマルクス主義者たちのインフレーションと通貨政策に関する分析に強い影響力を持った[37]。〈クレディ・モビリエ〉は有限責任の銀行兼持株会社で、以前のサン－シモン支持者だったペレール兄弟によって、産業と、オスマンのパリ改造を含む公共事業のために資本を駆り集める mobilize ために設立された。合同資本会社 joint-stock company にだけ投資をすることで、この銀行

一二　August Thalheimer（1884–1948）：ドイツのマルクス主義活動家・理論家。
一三　Charles Anderson Dana（1819–97）：アメリカのジャーナリスト、著作家。

はフランス産業の連合と再編成を促した。マルクスはこれを巨大な投機詐欺で、その崩壊がすぐに体制を打ち倒すことになったロー[一四]や〈南海泡沫事件〉を思い出させると非難した。「現在の熱狂の典型である〈クレディ・モビリエ〉の支配原理は、所定の商売に投資をすることではなく投機に投資をすることで、そしてまたそれが詐欺を中央に集中するのと同じ割合で詐欺を普遍化することである」[38]。しかし彼はまたそれが「以前は感づかれてもいなかった連合の生産力を明らかにし、産業の産物を、個々の資本家の努力では達成できない規模でこの世に呼び出し」たとも認めていた[39]。結局、「ナポレオン流社会主義」はマルクスが思ってもいなかったほどたくましかったのだ。〈クレディ・モビリエ〉が引き起こした建設ブームと投資熱のおかげで〈第二帝政〉は一八五七年の不況を楽々と乗り越えることができた。

いかなる理由であれ——おそらく小ボナパルトに対する本能的嫌悪から——マルクスは「ナポレオン的社会主義」についての分析を敷衍することは決してなかったし、『資本論』ではないにしても、唯物論的政治理論の『要綱』に含まれてもよかったかもしれないもっと多くの章を書くこともなかった。彼がときおり書いたフランスの国内情勢に関する短い論説や書簡（たいていが「わたしにはボナパルトが以前にもましてぐらついているように見える」というような希望に満ちた発言で終わっている）は、かろうじて〈第二帝政〉の投機《スペキュレーション》と壮観《スペクタクル》の、眩暈が起こりそうな文化を垣間見せてくれるに過ぎない[40]。たとえば、パリの大改造やスエズ運河の掘削といった*grands projets*〔大計画〕、「ラテン民族」という新語と、それに伴う、フランスの外交政策のための影響圏を作り出したこと。さらにこの体制の独自性を示す礎石は一八五二年に設けられた祝日〈サン‐ナポレオン〉だった。これは一九世紀のあいだずっとおこなわれた毎年最大の愛国的行事ないしはナショナリストのカーニバルで、「国家的栄光という共通の感情」に浸かるために巨大な群衆をパリで動員した[41]。マルクスはボナパルトの軍事力を過大評価していたとしても、帝国のひねくれた動力学を、また、近代的なナショナリズムの雛型を生み出すにあたって保たれ続けたフランスの卓越性（第三共和国においても復活した）をも、過小評価した。

しかし彼はナショナリズムそれ自体は過小評価することはなかった。フランスに関する著作の主要な政治的教訓はめったに思い出されることはないが、ほんのわずかな曖昧さもなく、マルクスは、ポストーマルクス主義者のステレオタイプとは反対に、戦争に関連したナショナリズムは社会革命にとって必要不可欠な燃料であり、また農民層及び下層中流階級の指導権を社会主義者がとるための前提条件であると論じているのだ。マルクスとエンゲルスは既にドイツの事例でこの議論をおこなっていて、それが『フランスにおける階級闘争』の中で再開されたのであるが、ここでマルクスは一八四八年を一七九二年と対比させ、外国からの干渉と「直面すべき国民の敵」の不在を残念に思っている。

その結果、エネルギーに火をつけ、革命の過程を急がせ、〈臨時政府〉を前に駆り立てるか、あるいはそれを放り出すことができるような、外国からの大きな問題の種が何もなかった。パリのプロレタリアートは共和国を自分たち自身が生み出したものとみなしたから、〈臨時政府〉をブルジョア社会の中にしっ

一四　John Law（1671–1729）：フランス領だったルイジアナのミシシッピ開発の成功を担保にした不換紙幣の発行を主唱した。

かりと定着させるのを促進するものならそのいちいちの行動におのずと喝采を送った……。共和国は[マルクスは革命の最初期について書いている]、国外でも国内でも何の抵抗にも出会わなかった。そこで共和国は武装解除された。その任務はもはや世界の革命的変革ではなく、ただ自らをブルジョア社会の諸関係の中に適応させることにあった(42)。

もちろんマルクスはプロレタリアのナショナリズムそのものではなく、国内的に、および隣り合った国々で、革命的変化を加速することを目的にして、国防において社会主義者が指導権を握ることを擁護していた。これは一度限りの立場ではなかった。同じような理由でマルクスとエンゲルスは一八七〇年にドイツの同志たちに対して、プロシア主導の反ナポレオン三世の同盟に支援を与えるようにと促している、とはいえ、それが国民の自己防衛戦争に留まる限りにおいてのことだが。マルクスは「フランス人には鞭打ちが必要だ」と信じていた。彼はエンゲルスに向かって次のように主張した。

[ドイツの勝利によって]西ヨーロッパの労働者の運動の重心はフランスからドイツに移転し、そして一八六六年からのこの二つの国の運動を比較しさえすれば、ドイツの労働者階級は、理論においても組織化においてもフランスに勝っていることがわかる。世界の舞台におけるドイツ労働者階級のフランスに対する優越性はまた、われわれの理論がプルードンその他の理論に対して持つ優越性を意味してもいる(43)。

一八四九年に「次の世界戦争は反動的階級と王朝とを地球の表面から消滅させるばかりでなく、すべての反動的な国民」（とりわけ「スラブの野蛮人」）をも消滅させるだろうと予言していたエンゲルスは、一八九一年にベーベルに宛てた驚くべき手紙の中でこのテーマに戻っている。ロシアとの戦争は差し迫っているように思われていた。

> これだけは確かであるとわたしは信じている――もしわれわれが負ければ、狂信的愛国主義と報復戦争がこれから先何年間にもわたって止めどもなくはびこるだろう。もしわれわれが勝利すれば、われわれの党が舵を握ることになるだろう。ドイツの勝利は、それだから、革命の勝利となり、そして、もし戦争になればわれわれはその勝利を願うばかりでなく、ありとあらゆる手段を通じてそれを促進しなければならない。[44]

驚くべきことでもないが、〈ドイツ社会民主党〉の右派は、一九一四年八月四日に国会で戦争債権に賛成の投票をしたとき、エンゲルスの権威とロシアの侵攻という幽霊を呼び出したのだ。

利害の計算

それだから、もし国民とナショナリズムが、ポスト－マルクス主義者が述べるようにマルクスがおこなった研究中の完全なアポリアではないとすれば、レジス・ドブレやその他の、マルクスは過度に単純化した階級決定論的な政治概念を抱いていたという非難についてはどうなるのか[45]？　サッチャー主義とレーガン主義が伝統的なマルクス主義の分析を受けつけないと身をもって示したと言われていた時代から、「階級の政治」は、組織化された経済的な力というよりは言説上の実践・政治的修辞法の虚構だという主張が一般になされてきている。しかし言説としての政治はそれ自体が、経済的マクロ・ストラクチャーのみならず、政治制度、それらに埋め込まれた利害、対立の様式をも否認する還元主義の一種なのだ。選挙権、憲法、議会はマルクスによる一八四八年の革命の分析にすべて突出して姿を現わしている。おそらくマルクスの、政治に関するまだ萌芽的な構想の事実上最善の定式化はロナルド・アミンゼイドが一九九三年に出版した、十九世紀半ばに産業化されつつあった三つのフランス都市における選挙改革と労働者階級の帰属意識に関する研究、『投票用紙とバリケード *Ballots and Barricades*』である。これは職人と労働者が「共和主義」と社会主義を彼らの日常の闘争という立場からいかに解釈したかについての驚くべき探求である。アミンゼイドは『フランスにおける階級闘争』にも『ブリュメール十八日』にも明確に言及してはいないが、階級的立場・組織化・イデオロギー間の関係の特徴づけは模範的なもので、マルクスについてのベナーの解釈と正確に合致している。

階級的利害を、土地所有者、商店主、労働者、資本家としての立場に基づいて、主観的な政治上の傾向、そして集合的な政治行動へと翻訳することは、政党のようなさまざまな制度と共和主義のようなイデオロギーが、そこにおいて重要な役割を演ずる政治的過程にかかっている。こうした制度やイデオロギーは物質的条件や階級諸勢力から独立はしていないし、物質的現実によって強制されることなしに言説から利害を作り出すこともどうしてもできない。生産内部における様々な構造的立場（すなわち階級的立場）が、利害の配置を決定し、それが集合的政治行動の潜在的な基盤としての役を果たしうる。そうした行動は、政治的闘技場内の客観的立場の単なる反映ではなく、機会と制約を構成する規則を備え、また複数の考え得る敵と同盟者を持った、政治組織の建設と帰属意識の創出にかかっている。このことは、まさにいかにしてそうした利害が政治的綱領と連合の中で明らかにされるのか、あるいはいかにして政治的に突出した階級に基づく利害（人種的、民族的、ないしは性差による階層化に根ざした非階級的利害にではなく）になるのかが、階級要素だけでは決して完全に決まらないということを意味している……。政治的行動の制度的・文化的決定要因の認識は政治［ナショナリズムと読め］の自律性の主張へとつながる必要はないし、また階級分析の放棄へとつながる必要もない。階級還元論者の政治に関する理解を拒絶しても、政治的行動を形作るにあたっての階級諸関係の中心性を認めることはできるのだ。[46]

この見事な定式化は、しかしながら、「階級に基づく利害」のより完全な定義を請い求めるのだ。『資本論』の注意深い読者ならだれでも知っているように、階級闘争ないしは競争は、多くの形態をとる。たとえば、賃金労働者と資本家は生産過程のペースと組織化（「実質的包摂」）に対する、労働力の値段に対する、そして労働力の社会的再生産に対する支配をめぐって争う。諸個人として、ないしは集団としての労働者はお互いに職と徒弟の身分を求めて競い合う。同じ品目を扱う会社は同様に、新しい技術と労働の分割から生ずる増大した生産性によって可能にされる「超過利潤」を求めて競争する。国内市場向け製造者は関税による保護に賛成し、輸出業者は自由貿易ないしは、少なくとも互恵主義を目指す。しかし製造業者は一般に、自分たちの製品に関税を求めようと求めまいと、労働者たちの生活費を切り縮めるために穀物の全世界的自由貿易を支持する。その一方で全体としての生産的経済（必要な商業・金融サービスも含まれる）は、土地やそのほかの天然の資産を所有することから収入を引き出す者たちと向かい合う。その他のレントシーカー[一五]たちは国家を操作することで独占を作り出したり特権を獲得しようとしたりする。さまざまな性格の金融資本は、民間経済と国家の双方に金を貸し、一方でしばしばそれ独自の所有者の立場をとる。

　フランスに関する初期の著作は、マルクスによる経済学批判の究極的な目的地だった分析の具体的な諸範疇を前もって示していたと論じられるかもしれない。彼は当時のフランスを、大部分は非生産的な二つの部分の資本によって支配されている縁故資本主義[一六]だとみなした。すなわち、正統王朝派の土地所有者と、オルレアン王朝派の金融業者および投機家である。国を支配するこうした金利生活者は、抵当、借金、税金を通じて小ブルジョアジーと小農民を情け容赦もなく搾取した。階級対立の多変数的性格をこうして認識したことが『フランスにおける階級闘争』の一つの重要な新機軸である。六月のプロレタリア虐殺の後で政治的対立を推し進めたのは、マルクスによれば、「資本の副次的搾取様式に対する戦い、すなわち、高利貸と抵当に対する農民の、あるいは卸売商、銀行家、製造業者に対する小ブルジョアの戦い」だった。「〈七月王政〉はフランスの国富を搾取するための合同資本会社以外の何物でもなかった」とマルクスはつけ加える。「ルイ・フィリップのもとで支配をおこなったのはフランスのブルジョアジーではなく、その一小部分だった。すなわち、銀行家、株式取引王、炭鉱・鉄鉱山そして森林の所有者、彼らと結びついた一部の地所持ちの事業主――いわゆる金融貴族たちである[47]」。

生産にほとんど、あるいはまったく寄与しないこの吸血鬼のようなカルテルが、国の信用と、大部分の支出と税金を支配していた。それは国債——鉄道事業やその他、それが主要な投資家となっていたものに対する——を拡大することを奨励していて、そののち小生産者に対する極めて厳しい課税でもって（それが所有する）債権のための資金を調達した。農民の搾取は、「産業プロレタリアートの搾取と形が違うだけだ」とマルクスは主張した。「搾取者は同じ、すなわち資本である。個々の資本家が抵当や高利貸を通して個々の農民を搾取する。資本家階級は農民階級を国税を通して搾取する」。マルクスは論じた。ところがその代わりに〈国民会議〉は彼らの徴収代理人になり、農民に対する税金を引き上げ、都市の商人階級が破産の淵に沈むに任せたのだ。〈秩序党〉による一八四九年のラジカルな小ブルジョアジーの抑圧は「賃労働と資本とのあいだの血なまぐさい悲劇ではなく、債権者と債務者の、監獄をいっぱいにする哀れな芝居だった」とマルクスは書いている。死ぬほどの税金を掛けられた田舎としては、第二帝政を夢見た。〈二月共和国〉の主要な任務は国債、そしてそれと共に金融業者を消滅させることのはずだった、と

ナポレオンは農民にとって一人の人間ではなく綱領だった。旗をなびかせ、太鼓を打ち鳴らし、トラン

一五　政府官庁に働きかけて、自分たちに有利になるように政治的・経済的環境を操作することで利益を得ようとする者たち。

一六　官僚や企業の役員との関係がビジネスの成功に決定的役割を果たすような資本主義経済。

ペットを響かせて彼らは投票用紙記入所に進軍し、こう叫んだ。Ne plus d'impôts, à bas le riches, à bas la République, vive l'Empereur!〔もう税金は嫌だ、金持ち打倒、共和国打倒、皇帝万歳！〕。皇帝の背後には農民戦争が隠されていた。彼らが投票で否定した共和国は金持ちの共和国だった。

同様に、「小ブルジョアジーにとってナポレオンは債権者に対する債務者の支配を意味した」[48]。

ここでジェイムズ・マディソンの有名な「ザ・フェデラリスト　第十篇」（一七八七）の中の考え――チャールズ・ビアドによれば彼自身の『憲法の経済的解釈』（一九一三）の着想のもととなったもの――との興味深い比較が可能だ[49]。マディソンはモンテスキューに反論して、大きな、一つの大陸でさえあるような共和国では、古典的な共和国理論で求められる小ささく、参加の機会がある国家よりもうまく党派的対立を食い止めることができると論じた。提案された憲法のもとでは利害関係団体のまさにこの増加は破壊的な対立を減らし、連合形成を促し国会における協定を助けると主張した。しかし、現実の経済的事実に当惑させられなかったマディソンは、派閥争いは自由な経済においてはまさに富の蓄積の本質から生じるのであるから、他の方法では抑えがたいと信じていた。対立には三つの大きな軸があった。

もっとも一般的で恒久的な派閥の根源は、これまでずっと資産のさまざまに異なる不平等な分配だった。資産を持つ者と資産を持たない者は常に異なった利害を社会において持ってきた。債権者は、そして債務者も、似たような区分に入る。地主の利害、製造業者の利害、商人の利害、金持ちの利害は、多くのより小さな利害ともども、必然的に文明国においては成長し、異なった心情と見解によって行動させられる異なった階級へと彼らを分割する。これらさまざまに異なりお互いに邪魔をしあう利益の規制が、近代的法制の主要な任務となり、また政府の必要で通常な業務の中に政党や派閥の精神を巻き込む。(50)

マルクスは経済的対立の形式的な分類学を試みることはなかったが、適切な範疇が『全集』の頁から我々の方をじっと見つめている。アミンゼイドによれば、もし根本的な階級的立場が「集合的政治行動の潜在的基礎として役に立ちうる利害の配置をはっきりと決めるとすれば」、われわれは、マルクスの「副次的搾取様式」から派生するこうした「立場」――マディソン的なあるいはビアド的な――のための概念的余地を作らなければならない。ボブ・ジェソップが『ブリュメール十八日』の明敏な解釈の中で指摘したように、「政治の社会的内容は、生産様式のレベルで見極められる抽象的な利害に関連しているというよりは、特定の結びつき、および／あるいはまた、時期における、そして特定の社会編成における、相争う階級と階級分派の経済的利害におもに関連しているのである」(51)。マルクスの「中間レベル」の諸概念――彼の〈二月革命〉の分析に極めて重大だった――は彼の遺産のその後の発展の中で大部分失われてしまったとはいえ、グラムシはおそらく間違いなく、農民および小ブルジョアジーとひとまとめになったプロレタリアの国民的指導権についての重要な考えを取り戻していた。他の点では、ナショナリズムに関する――あるいはそれに関して言えば、政治一般に関する――ほとんどのマルクス主義的分析についての主要な問題は、言説上のもの、文化的なもの、そして民族的なものの自律性の否定だったのではなく、所有関係とそこから派生する対立の全領域を包括的に地図に示しそこなったことだったと示唆する必要がある。そう言うのは異端ではあっても、われわれはもっと多くの経済的説明を必要としているのであって、もっと少なくではない。

第三章　来るべき砂漠——クロポトキン、火星、そしてアジアの鼓動

人為的起源による気候変動は通例近年の発見だとして描き出され、その系譜は一九六〇年代のマウナ・ロア山頂近くの観測所で大気中のガスを抽出したチャールズ・キーリングか、あるいはどんなにいってもせいぜい一八九六年にスバンテ・アレーニウスが発表した二酸化炭素排出と地球の温室化に関する伝説的論文にまでしか遡らない。実際は、経済成長が気象に与える有害な影響、とりわけ森林伐採とプランテーション農業が大気の湿度のレベルに与える影響は、啓蒙運動から一九世紀末まで広く認められ、しばしば誇張されていた。しかしながら、ビクトリア朝の科学の皮肉は、一方で、土地を切り開いた結果であれ、産業による汚染などの結果であれ、人間が気象・天候に対して影響を及ぼしていることが広く認められていて、そして時には大都市に近づきつつある審判の日として思い描かれていた（ジョン・ラスキンの幻覚を起こさせるような喚き声「一九世紀の暗雲」を見よ）のに、主要な思想家たちで、古代ないしは近代の歴史の中に気象の自然な変動性をはっきりと認めていた者がほとんどいなかったということだ。ダーウィンの『種の起源』で祀り上げられたライエル[一]流の世界観は、

一　Charles Lyell（1797–1875）：スコットランドの地質学者、ダーウィンの友人。

計り知れない時間を通じたゆっくりとした地質学的・環境的展開という見方によって聖書的天変地異説を押しのけた。スイスの地質学者ルイ・アガシーによって一八三〇年代後半に氷河期が発見されていたにもかかわらず、当時の科学は、周期的なものであれ進行的なものであれ、歴史的な時間の尺度内で環境が混乱するという考えに対しては偏見を抱いていた。気候変動は、進化と同じで世紀ではなく、途方もなく長い時間で測られていた。

奇妙な話だが、アナーキストの地質学者クロポトキンによって一八七〇年代後半に最初に提出された、氷河の極大期からの一万四〇〇〇年間は、大陸の内陸部で現在進行中の破滅的な乾燥の時代であるという考えに最終的に火をつけたのは、火星の上で死にかけていると思われた文明の「発見」だった。この理論――「歴史の古代気候的解釈」と呼んでもいいかもしれない――は二十世紀初頭には大いに影響力があったのだが、一九四〇年代に大気力学が出現して自己調整的な物理的平衡を強調するにつれて急速に衰退した(1)。世界史にとって一つのカギになると多くの人々が熱烈に信じたものが発見され、そして失われて、その発見者は、赤い惑星の上に運河を見た(そしてある場合には写真に撮ったと主張した)高名な天文学者たちと同じくらい完全に信用を失った。この論争は主にドイツ語・英語圏内の地理学者と東洋学者を巻き込み、そのもともとの命題――ユーラシア史の駆動力としてのポスト氷河期の乾燥――はロシア帝国の高等研究所、すなわちペテルブルクの悪名高いペテロパブロフスク要塞の内で定式化されたのだが、ここには若き貴公子ピョートル・クロポトキンが、他の高名なロシアの知識人ともども政治犯として囚われていた。

シベリアの探査

この高名なアナーキストはまた第一級の自然科学者で自然地理学者、そして探検家だった。一八六二年に彼は、次第に反動的になってゆく宮廷で、廷臣としておくる息詰まるような生活から逃れるために自ら進んで五年間東シベリアに逃避した。アレクサンドル二世から好きな連隊で任務に就いていいと言われて、彼は遠く離れたバイカル湖の東で新しく編成されたコサック部隊を選択し、そこでその教育、勇気、忍耐強さのために、近ごろ帝国に併合された広大でまだ踏査されていない、山とタイガの原野の縺れに向けた一連の遠征――科学と、帝国によるスパイ活動という両方の目的で――を指揮するよう推挙された。物理的な困難さから言っても、科学的業績から言っても、クロポトキンのアムール川下流域と満州中央部への探検、そしてそれに続く、「北シベリアのレナ川と、チタ近辺のアムール川上流とのあいだの広大な荒れ果てた山岳地域」の並はずれて大胆な偵察行は、一八世紀のビトゥス・ベーリングの〈大北方探検〉や当時のジョン・ウェルズリー・パウエルとクラレンス・キングによるコロラド高原の探検にも匹敵するものだった。[2]何千マイルも旅をした後、たいていは極端な地形の中でクロポトキンは、北アジアの山地地形学はアレクザンダー・フォン・フンボルトとその弟子たちが思い描いたものとは相当に違っていると示すことができた。[3]それに加えて彼は、この高原が「地球の起伏の基本的かつ独自の型」で、「分布は山脈と同じくらい」広いことを初めて実証した。[4]

クロポトキンはまたシベリアで、のちにスカンジナビアで解決しようと試みた謎と出くわした。レナ川とアムール川上流のあいだの山の多い地勢を大規模に旅するあいだに、彼の僚友で動物学者であるポリアコフは「縮小した湖の乾いた湖底に旧石器時代の遺跡と、その他の、アジアが乾燥したことの証拠となる観察結果」を見出した。これは他の探検家たちが中央アジア――とりわけカスピ海周辺のステップとタリム盆地――で見つけた砂漠の中の廃墟となった都市、そしてかつては大きな湖だった乾燥した盆地の観察結果と一致していた[5]。シベリアからの帰還後、クロポトキンは〈ロシア地理学協会〉から任命されてスウェーデンとフィンランドの氷河が運んだ石の堆積物〔モレーン〕と湖を調査することになった。アガシーの氷河期理論はロシアの科学界では激しく議論されていたが、氷の物理学はほとんど理解されていなかった。筋のある岩の表面を詳しく研究してクロポトキンは、純然たる大陸の氷床が、ほとんど超粘性の液体のように自在に形を変えて流れたと推論した――ある科学史家によればクロポトキンの「もっとも重要な科学的業績」である[6]。彼はまた、ユーラシアの氷床は遠く北緯五十度までステップを南に広がっていたと確信するようになった。もしこれが実際そのとおりだとしたら、氷の後退とともに北方のステップは湖と湿地の広大なモザイクとなり（彼はユーラシアの大部分はかつてはピンスク湿地のように見えたと思い描いた）、それから次第に乾いて草原に、そして最終的には砂漠に変わり始めたということになる。乾燥化は継続的な過程で（降雨量の減少で引き起こされるのではなく、降雨量の減少を引き起こす）、クロポトキンはそれが北半球全体で観察できると信じていた[7]。

この大胆な理論の概要は一八七四年三月の〈地理学協会〉の会合で最初に発表された。この講演のすぐ後にクロポトキンは恐ろしい皇帝官房第三部[二]によって逮捕され、「ボロディン」、すなわち反ツァーリスト地下集団であるチャイコフスキー団の一員であるということで告発された。この、「私に与えられた偶然の余暇」とツァーによる特別な許可のおかげで（クロポトキンは何と言っても依然として公爵だったのだ）、彼は本を手に入れ、牢獄で科学的著述を続けることができ、そこで氷河と気候の理論に関する予定された二巻の解説書のほとんどを完成させた[8]。

　これは、文明の歴史の原動力は自然の気候変動だと包括的に唱えた最初の科学的試みだった[9]。前に記したように、啓蒙運動と初期ビクトリア朝の思想は、気候は歴史的に安定していて、傾向に変化はなく、平均状態の単なる異常値として極端な出来事もあると広く決めてかかっていた。それとは対照的に、人間による風景の改変が大気中の水の循環に与える衝撃はギリシャ人以来議論されてきた。たとえばリュケイオン[三]におけるアリストテレスの後継者テオプラストスは、テサリーのラリッサ[四]近郊にある湖の水を抜いたことが森林の成長を減少させ気候を寒冷化させたと信じていたと伝えられている[10]。二〇〇〇年後に、（短いリストを上げただけで）ビュフォン伯爵とボルネー伯爵、トーマス・ジェファーソン、アレクサンダー・フォン・フンボルト、ジャン＝バティスト・ブサンゴー、アンリ・ベクレルが、ヨーロッパの植民地主義が森林伐採と粗放農業を通していかに急激に地元の気象を変えつつあったかという例を次から次へと上げている[11]（「ビュフォンは、人間は気象を極端に規制する、あ

二　ロシアの秘密政治警察。
三　アリストテレスが哲学を教えたアテネの園。
四　Thessaly はエーゲ海に面したギリシャの草原。Larisa はギリシャ中部の都市。

るいは変更することができると結論を下した」とクラレンス・グラッケンは書いた[12]。気象パターンが自然に大きく変動したことを明かすかもしれない長期的な気候の記録が一切なかったから、この哲学者たちは、その代わりにプランテーション農業がおこなわれるようになった後で、島の植民地に降る雨の量が減ったという数えきれないほどの状況的な報告に注意を引きつけられた。同じような調子で、オーギュスト・ブランキの兄である経済学者のジェローム＝アドルフ・ブランキはのちにマルタを人間が作った島の砂漠の例として引き、フランス・アルプスの麓の過度に伐採された丘が、不毛な「アラビア・ペトラエア」[五]になる危険があると警告している[13]。マイケル・ウィリアムズによれば、一八四〇年代までには「森林伐採とその結果としての乾燥は、すべての教養ある人間が知っている大きな『歴史的教訓』の一つだった」[14]。

　こうした教養ある人たちの中の二人がマルクスとエンゲルスで、彼らはともにバイエルンの植物学者カール・フラースによる、東地中海の気象が土地の開墾と放牧によって変化したことの警告的な説明に心を引きつけられた。フラースは、バイエルンの王子オットーが一八三二年にギリシャ王となった時に同行した従者で、強い印象を与える科学者だった[15]。一八六八年三月のエンゲルスへの手紙で、マルクスはフラースの本についての感激を記した。

> 彼は、耕作の結果として、そしてその程度に比例して、農民に大いに愛されている「湿気」が失われ（それゆえにまた植物が南から北へ移動する）そしてやがてはステップの形成が始まると主張する。耕作の最初の結果は有用で、後は森林伐採その他のせいで破壊的だ。この男は完全な学識を備えた言語学者

（彼はギリシャ語で本を書いている）でもあり、化学者で農業の専門家その他でもある。全体の結論は、耕作は、原始的な方法で前進し、意識的にコントロールされていなければ（もちろんブルジョアとして彼はここまで達していない）、そのあとには砂漠を残す、ペルシャ、メソポタミアその他、ギリシャ。ここでまたもう一つ、うっかりと社会主義者の性癖が出た[16]！

同様にエンゲルスも、のちに『自然の弁証法』の中で地中海地方の森林伐採に言及し、人間のすべての「勝利」の後で「自然は復讐する」と警告した。「それぞれの勝利は、確かに、最初はわれわれが期待していた結果をもたらすが、二番目、三番目には、それはまったく異なった、予測もできない影響を及ぼし、それはあまりにしばしばただ最初の結果を取り消してしまう[17]」。しかし自然に、人間の征服に噛みつき返す歯があったとしても、エンゲルスは歴史的時間という期間の内では、独立して変化を起こす力として自然の力が働いている証拠を何も見ることはなかった。当時のドイツの風景を説明する中で彼が強調したように、耕作はプロメテウスのように強力である一方、自然はせいぜいのところでも反応を返すだけだ。

ゲルマン民族がドイツへ移って来た時の「自然」はものすごくわずかしか残っていない。地球の表面、気候、植生、動物相、そして人間そのものが、際限もなく変化を遂げてしまい、そしてこのすべてが人

五　かつてのローマ帝国の属州で、現在のヨルダン、シナイ半島、シリア南部、サウジアラビア北西部からなる。

間活動に起因していて、その一方で、この期間にドイツで人間の介入なしで起こった自然の変化は見積もることもできないほど小さい[18]。

地震、彗星、疫病、そして極寒の冬が、ニュートン、ハレー、ライプニッツといった大碩学のあいだで自然の大変動という見方を強化した一七世紀とは対照的に[19]、一九世紀ヨーロッパの気象と地質学は究極の基準（gold standard）のように何十年も安定していた。少なくともこうした理由で、マルクスとエンゲルスは、過去二〇〇〇年から三〇〇〇年にわたって生産の自然的条件が一方行に向かっての進化や大規模な変動にさらされていたかもしれないという可能性についても、それだから気候が独自の顕著な歴史を持っていて、異なった社会的編成の連続を何度も区切ったり、重層決定したりしていたかもしれないという可能性にも、思いを凝らすことはなかった。確かに彼らは、自然は歴史を持っていると信じてはいたが、しかしそれは長い、進化論的ないしは地質学的な時間規模で展開されていたのだ。彼らはビクトリア朝中期のイングランドのもっとも科学的教養を持った人たちと同じく、ダーウィンがそれに基づいて自然選択の理論を作り上げた、地球の歴史に対するチャールズ・ライエル卿の斉一論[六]的見解を受け入れ、その一方で英国の進歩主義的なイデオロギーが、地質学的漸進主義に反映していると風刺していた。

アガシーの〈大氷河時代〉の「発見」をめぐって一八三〇年代から始まっていた論争は、当時君臨していたこの人為的起源のモデルを疑問に付していなかった、というのは、地質学者は何十年も更新世の年代学の問題で悩まされていたからだ。つまり、氷河の漂積物同士の連続の順番を確証することも、その発見が中期ビクトリア時代の中心的なセンセーションだった古代人類と巨大動物の化石との相対的年代を推測することもできなかったのだ。[20]「氷河の研究が、地質学的時間に照らして短時間で起こった気象の変化という現実を洞察する道を均した」とはいえ、氷河時代が現代の気象からどれほど時間的に離れているのか測定法が全くなかった。[21] 一九世紀末のもっとも偉大なアメリカの気象学者だったクリーブランド・アッベは、一八八九年に「地質時代にはおそらく五万年おきに大変化が起きてきた」が「人間の歴史が始まって以来、重要な気象的変化はいまだかつて実証されていない」と書いた時、「純粋理論気象学」派の一致した見解を表明していたのだ。[22]

アジアと火星の乾燥

クロポトキンは、氷河時代の終わりと現代とのあいだの全地球的な気象的動力学の連続性を力説することで、この正統派的学説に異議を唱えた。昔の気象学者が信じたように静止的であるどころか、気候は一方向に、また全歴史を通じて人間の助けを借りずに、絶えず変化をしてきたのだ。一九〇四年に、彼がロシアの地理学者に向けて初めての発表をおこなった三〇周年記念に、そしてスウェーデンの地理学者スウェン・ヘディンやアメリカの地質学者ラファエル・パンペリーによる最近の内陸アジアへの遠征に対する興味が大いに高まる中で、〈王立地理学協会〉はクロポトキンに現在の見解の

六　過去の地質現象も現在のそれと同じであったとする説。

概説を求めた。

　この論文の中で彼は、ヘディンがおこなったような最近の調査でポスト－氷河期における急速な乾燥という理論の真実性が完全に立証されたし、「毎年砂漠の境界は広がっている」と証明されたと論じた。氷床から湖水地帯、そして草原から砂漠へというこの動かしがたい傾向に基づいて、彼は歴史の驚くべき新理論を提出した[23]。東トルキスタンと中央モンゴルはかつては水が豊かで「文明が進んでいた」と主張したのだ。

　このすべてが現在では失われていて、この地域の急速な乾燥化こそが、その住人を阿拉山口[七]に殺到させ、バルハシ湖とオビの低地へと下らせ、そこから低地の以前の住民を押しやりながら、われわれの紀元で最初の数世紀の間に起こったヨーロッパへの移住と侵略を引き起こしたに違いない[24]。

　その上これは単に周期的な変動でもなかった。進行性の乾燥「は地質学上の事実であり」、そして湖水期（完新世）は干ばつ拡大の時代として概念化されなければならない、とクロポトキンは強調した。彼がすでに五年前に書いていた通り、「今や我々は完全に、急速な乾燥の時期にあり、それに伴って乾燥したプレーリーやステップが形成され、人間は、既に中央アジアがその犠牲になり南東ヨーロッパを脅かしているこの乾燥化を食い止める手段を見出さなければならない」のだ[25]。大胆で全地球的に協調した行動――何百万本もの木を植え、何千もの掘り抜き井戸を掘る――だけが将来の砂漠化を食い止められる[26]。

クロポトキンによる自然で、進行的な気候変動の仮説はさまざまに異なった受け取られ方をした。英語を話す国々でよりも、あるいは砂漠の環境で働いている科学者の間でよりも、ヨーロッパ大陸でのほうがより懐疑的に迎えられた。彼の自然地理学に対する貢献がよく知られていたロシアでは、一八九一―二年の大飢饉の後で、小麦生産の新天地だった黒土のステップでの干ばつは耕作の結果なのか、忍び寄る砂漠化の前兆なのかを理解することに大きな関心があった。結局、この問題に関する国際的に認められた二人の権威、アレクサンドル・ボエイコフ――近代気象学の先駆者で一八七〇年代から〈地理学協会〉でのクロポトキンの古い同僚――とバシーリー・ドクチャエフ――土壌科学の父とたたえられている――はどちらの過程も作用しているという証拠はほとんど見つけられなかった。彼らの見解では、ステップの気候は、本質的には多雨と乾燥の年が周期的に続くのかもしれないが、歴史的時間内には変化しなかった。ボエイコフは当時のヨーロッパの多くの科学者たちと同様に、ドイツの才気あふれる氷河学者エデュアルト・ブリュックナーが提出した気候変動の考えを確信してはいないとしても、それに興味をそそられていた。[27]

ブリュックナーが一八九〇年に発表した画期的な『一七〇〇年以来の気候変動』（残念なことに英語に翻訳されることはなかった）は歴史的時間内で、数十年単位で気象が変動することへの擁護論を唱えた。[28] エマニュエル・ル・ロワ・ラデュリとヒュバート・ラムの研究までその厳密さにおいて並ぶもののなかった、驚くほど近代的な方法で、彼はブドウ収穫の日付や、後退する氷河、極寒の冬の記述な

七　中国とカザフスタンの国境をなす峠。

どといった文書とその代用となる資料を、前世紀の、異なった観測所からの観測機器によるデータの分析と組み合わせて、準周期的な湿潤／寒冷、乾燥／温暖が三五年で循環していることを示す姿に到達したが、それがヨーロッパの収穫を加減し、そしておそらく全体としての世界の気候を定めていた。気象学についてはほとんど知らず、大気の全般的循環についてはまったく知らなかったブリュックナーは、気候変動に関する次世代の議論を汚染した推論や裏づけに乏しい主張は避ける、という規則に厳密に従い、ブリュックナー・サイクルとして知られるようになった因果律についてあれこれと推測をすることを賢明にも拒んだ。その科学的風土が大きくドイツ的だった国々（中央ヨーロッパのほとんど、そして世紀の変わり目のロシア）では、ブリュックナーの注意深い気候変動のモデルはクロポトキンによる気象的な天変地異説よりも好まれたのだ。[29]

他方、英語を話す国々では、クロポトキンの一九〇四年の論文――一見したところ、アメリカ西部、サハラ、中央アジアの巨大な湖水の痕跡や干上がった河川の最近の科学的調査によって支持されたように見えた――は一般に大きな興味を持って受け入れられた。しかしそのもっとも直接的で驚くべき衝撃は、地球外のものだった。ボストンの裕福な社会的・文化的エリートだったパーシバル・ローウェルは一八九四年に東洋学者から転身してアリゾナ州フラグスタフに天文台を建設し、そこで、一八七七年にジョバンニ・スキアパレッリによって「発見」され、のちに何人かの優れた天文学者たちによって「確認」された火星の *canali*〔溝〕を研究することができた。ローウェルまでは、これら幻覚の水路ないしは亀裂は、この赤い惑星の自然な特徴だと大抵の人に信じられていた、とはいえ、ベルファストのジャーナリスト兼ＳＦ作家であるロバート・クローミーは既に一八九〇年の小説で、運河は乾燥し死にかけている世界に、進んだ文明によって作られたオアシスであると示唆してはいたのだが。[30]その五年後、ローウェルはセンセーションを呼んだ著書『火星』の中で、クローミーの小説は観察可能な科学なのだと唱えた。すなわち、その幾何学的形状から運河は知的生命体によって建設された人工的灌漑施設に違いないというのだ。その上火星の文明は、全火星的規模の建設をおこなうために「国民」と戦争を明らかに廃絶していた。しかし、「彼らがどのような存在であるのかわれわれには想像するだけのデータもない[31]」。

世界中の新聞の読者は衝撃を受け、作曲家たちは火星行進曲を書き、ウェルズという名前の、あるイギリスのジャーナリストは、いまだに読者を魅了し、怯えさせている本のプロットを見出した。ローウェルはすぐさま、自然選択の発見者の一人でクロポトキンの知り合いであるアルフレッド・ラッセル・ウォレスのような容赦のない科学上の敵を得た。しかし大衆的出版物を味方につけた彼は、火星の文明は事実であり憶測ではない、と世論に信じ込ませた。彼は「運河」の写真で読者をびっくりさせることを好んだ、かすんだ画像をいつも詫びながら。[32]しかしこの異星の文明の本質と歴史は何だったのか？　ローウェルはクロポトキンが一九〇一年にボストンのローウェル研究所で進化論について一連の講演をおこなった時、彼に会っていたかもしれないが、実際はどうであれ、進行的乾燥に関する一九〇四年の論文はローウェルに稲妻のような衝撃を与えた。ここには「火星の悲劇」のみならず、地球の運命についても語る基本的な説明があったのだ。ローウェルは、火星ではその小ささゆえに惑星進化が加速され、それだからこれから遠い先に地球に来るべき変化を予告しているのだと論じた。一九〇六年の著書『火星とその運河』の中で彼は、「われわれ自身の世界では、現在と過去しか研究できない。火星ではある程度はわれわれの将来を垣間見ることができる」と書いた。その将来は惑星の温暖化で、大洋は蒸発し、乾いて陸地になり、森林はステップに取って代わられ、草地は砂漠になる。彼は、乾燥化の速度においてクロポトキンに同意していた。すなわち、「パレスチナは歴史的時間のうちに乾燥した(33)」。

二年後、『生命の住居としての火星』という表題で出版された大衆向けの講演集の中で、ローウェルは一つの講演を「火星と地球の将来」に捧げ、「これらの星に関する宇宙的な事実で一番恐ろしいのは砂漠が存在することではなく、砂漠が生まれ始めていることだ」と警告した。「それは局所的で回避可能な災禍としてだけでなく、われわれの世界に対する普遍的で言語に絶する死の爪として描き出されるべきである」。彼の第一の例は、当然のことながら、中央アジアだった。「カスピ海はわれわれの目の前で消滅しつつあり、それは岸辺から相当に離れた、かつては港だったものの遺跡が黙って告げている通りである」。いつかある日、この「人類の惑星が衰え、崩壊する中で生存のための戦い」における唯一残された選択肢は、火星人を見習って極地の水を残された最後のオアシスに引くために運河を建設することになるだろう(34)。熟達した数学者ではあったが不運な地質学者であったローウェルは、アリゾナへの訪問者に、作用している乾燥化の例として〈化石の森〉で感銘を与えることを好んだ、とはいえ、これらの木の化石は二億二五〇〇万年前の三畳紀にさかのぼるものなのだが。同様に、彼は一方行で急激な地球上の気候変動を示す証拠を当然のものと考えた。

事実としては、風景の印象とユーラシアの氷床についての仮説に基づいたクロポトキンの理論は、過去の気候に関するデータも、その原因も遥かに越えた推論的跳躍だった。実際、それは本質的に実証不能だった。たとえば、記述的気象学と比べて理論的気象学はまだ産着に包まれた状態だった。偶然にも、クロポトキンの論文はビルヘルム・ビヤークネスというノルウェー人科学者のあまり人目につかない論文とほとんど同時に発表されたのだが、それは、流体力学と熱力学から引き出された六つの基本的な方程式という形で大気の物理に最初の基礎を据えたものだった。ある地球物理学の歴史家は、「彼［ビヤークネス］は純粋に機械的かつ物理学的な視点から大気は、太陽の輻射によって駆動され、回転によって歪められる気団循環機関で、速度、密度、気圧、温度、湿度の局所的違いで表現されると考えた」と述べている。こうした概念的種子が現代の大気力学へと成長するには半世紀以上かかることになる。それまでのあいだは、クロポトキンの理論に気候モデルを提出することは不可能だった。[35]

過去の気候を理解するための量的な証拠も同様に空っぽの戸棚だった。ブリュックナーは印象的な技術で、観測器機による記録を使ってはいたが、フランス革命以後の期間のものだけだった。一九〇一年にスウェーデンの気象学者ニルス・エクホルムは『王立気象学協会季刊誌』の論文で、入手できる観測器機以前の文書による証拠を冷静に調査し、その多くはまったく価値がないことを見出していた。「古い記録が当てになる報告をおこなっているほとんど唯一の気象現象は極寒の冬だけだ」。ティコ・ブラーエがデンマーク海岸沖の島で一五七九‐八二年におこなった先駆的な機械的観測による気象示度を同じ場所の現代的測量と比較してエクホルムは、三世紀まえと比べて冬はより温暖で、北ヨーロッパの気候は一般的により「海洋性」であることの指標をいくつか発見した。しかしこれが厳密な推測の限界だった。「他の面での特色とこの変動の原因は不明である。この変動が周期的なものなのか、進行的なものなのか、あるいは偶然のものなのかはっきりと断定はできないし、その空間的・時間的範囲がどこまで及ぶのかも言明はできない」。エクホルムは、日射量は少なくとも過去一〇〇万年は一定で、地球の軌道の変動は過去一〇〇〇年間の気候にごくわずかな影響しか与えてこなかったと合理的に仮定し、気候変動のもっとも考えられる原因は（彼の同僚であるスバンテ・アレーニウスの有名な実験に基づいて）大気中の二酸化炭素の変動、そしてそれによる温室効果であると考えた[36]。

病的科学 八

しかし一般大衆だけでなく科学者や地理学者のあいだにも、より大胆な理論に対する渇望があり、また〈王立協会〉が疑いもなく期待していた通り、クロポトキンの論文は、ローウェルを火星に熱中させたことをのぞいても、第一次世界大戦の前夜まで続いた広範囲に及ぶ議論を引き起こしたのだ。インド総督だったカーゾン卿は決然としてこの論争に乗り出し、気候変動を否定する「旅をしていない科学者たち」よりも、砂漠化を直接目撃した探検家たちの味方をした[37]。高名な旅行家・科学者で進行的な乾燥化の証拠を信じた者たちの一人は、ヨーロッパのもう一人の赤い貴公子レオーネ・カエターニで、彼の*Annali dell'Islam*〔イスラム年代記〕（全十巻、一九〇五–二九年）は西洋におけるイスラム研究の礎石になった。諸外国語に精通していた彼は左翼政治に引き入れられる前はムスリム世界を広く旅していた。カトリックの公爵だったにもかかわらず彼は反教権主義の〈急進党〉の国会議員になり、一九一一年には〈社会党〉の多数派と共にリビア侵略に反対した。ファシズムの台頭後は彼はカナダに移り『年代記』の仕事を続けた[38]。カエターニは、もともとは肥沃だったアラビア半島はすべてのセム族文化の故郷だったが、乾燥化と、それに続く人口過剰とで一グループずつよそに移ってゆくことを余儀なくされたという仮説を立てた。実際、乾燥は、イスラム教拡大の背後にあった環境的駆動力だった。有名なドイツの考古学者／言語学者で、ヒッタイトの失われた首都であるハットゥシャを発見したフーゴー・ビンクラーも独自に同じ考えに到達していて、「ビンクラー＝カエターニ」説、あるいは「セム族の波」説はその後、一九二〇年代・三〇年代の汎アラブ・イデオロギーの基準となった[39]。

しかし、乾燥仮説のもっとも熱心な支持者はイェール大学の地理学者エルスワース・ハンティントンで、彼は元トルコで宣教師をしていて、一九〇三年のカスピ海東へのパンペリー遠征隊と、一九〇五年の東トルキスタンへのバーレット遠征隊に参加していた古強者だった。後のほうの遠征で彼がおこなった観察は、以前に新疆ウイグルを旅した者たちの観測を確認し、クロポトキンの理論を支持した。すなわち、「アジアの、より乾燥した部分はすべて、カスピ海から東方に向かって二五〇〇マイル以上、気候の変動にさらされてきて、それによってここ二〇〇〇年か三〇〇〇年のあいだますます人が住めないようになってきたと思える[40]」。最初ハンティントンは精力的にクロポトキンの考えを一字一句たがえず擁護したが、一九〇七年の著書『アジアの鼓動』の中で彼はその理論を一つの決定的な点において修正した。考え得る気候の仮説のメニュー——「斉一、森林伐採［人為的変化］、進行

八　観察者の願望に従って、存在しない現象を多くの人が観測してしまうようなことで成り立つ「科学的」研究。

的変化、脈動的変化」――の中から彼は今や最後のものに賛成したのだ。気候変動は大きな、太陽を原動力とする、数世紀の期間にわたる揺らぎという形をとるとハンティントンは論じた。すなわち、湿った時期の後には大干ばつが続くのだ[41]。彼はこの考えをブリュックナーを読んだことに帰しているものの、ハンティントンのサイクルは、周期は一桁長く、クロポトキンによる進行的乾燥化から非常に大きな影響を受けていた。

ローウェルと同じく、ハンティントンは素晴らしい宣伝者だった。彼はパレスチナ、ユカタン半島、そしてアメリカ西部で積極的に循環理論を支持するさらなる証拠を探したが、アメリカ西部では古代のカリフォルニアのセコイア〔スギ科の巨木〕林の中で年輪研究の先駆者アンドリュー・ダグラス（以前ローウェルの天文台で助手を務めていた[42]）と共に仕事をした。ひとつひとつの新しい調査から、社会と文明はこうした気候変動と共に興隆し、衰亡したという主張を支持する論文や著作が発表された。「われわれが中央アジアで感じてきた気候の脈動一回ごとに文明の中心はあちらに、こちらにと移動した。それぞれの鼓動が痛みと腐食を全盛期を過ぎた土地に送り込み、生命と活力をこれから全盛期を迎えようとしていた土地に送り込んできた[43]」（一九四〇年の古典的研究『中国の内陸アジアの辺境』の著者オーウェン・ラティモアは、「晴雨計が軽く揺れれば、とつぜん消滅し始める草原を求めて、失われた地平線に向かって出発する用意ができている、迷走する遊牧民たちの群れ」というハンティントンのイメージをパロディ化した[44]）。

ハンティントンの雄大な変動は、歴史の究極的因果関係を探求している者たちにとっては思いもかけない贈り物で、『アジアの鼓動』はアーノルド・トインビーに、環境の挑戦に対する反応によって駆り立てられる文明の循環という有名な理論を吹き込んだ(45)。しかしハンティントンの包括的な主張に他の者たちは神経質になった。〈王立地理学協会〉とイェール大学（ハンティントンの教授昇格を考えていた）はともに密かに主要な権威者たちの意見を聞いて回った。探検家のスウェン・ヘディンは乾燥化という考え全体をあざ笑った。「人とラクダ、国と気象——どれも述べるに値するような変化を被ってはいない(46)」。近代的自然地理学の巨人の一人であるアルブレヒト・ペンクはハンティントンについて穏やかに、「時として彼の思考は事実の先を駆ける」と述べた。「彼は批評能力というよりは、力強い科学的想像力と共に仕事をするほうが多い(47)」。

ウィーンではハンティントンが師の一人だと認めていたエデュアルド・ブリュックナーが、礼儀正しくはあったが、その評価においては痛烈だった。

彼は歴史的研究からのデータを適切に検証することなく取り入れる。彼はどこまでデータを事実として用いていいか十分に意識していない。特に、考古学的な成果は決して彼自身が『アジアの鼓動』の中で説明しているようには決定的なものではない……。彼は何度か事実を自分の理論に合わせたいという欲求を示してきた。わたしがイェール大学を訪問したあいだにハンティントン博士は、気象の揺らぎと関連した古い木の年輪についての調査結果を見せてくれた。彼は大変興味深い資料を集めていたが、ここでも私は、彼は注意深い人間が引き出すべき以上の結論をその曲線から引き出しているという印象を受けた。いくつかの事例で彼はその曲線に対応が見えると主張したが、わたしには何も見えなかった(48)。

ハンティントンは昇進させてもらえず、イェールを去った。

ブリュックナーの批判は、「病的科学」を「主観的影響や、希望的思考、あるいは閾値ぎりぎりの相互作用によって正道から逸れてしまう」研究としたアービング・ラングミュアの有名な定義を先取りしていた[49]。偶然の一致を相関関係と、相関関係を因果関係と混同してしまうというよくある罪に加えて、ハンティントンと彼の仲間の何人かの有名な思想家――とりわけクラーク大学の地理学者チャールズ・ブルックス――は循環論法の常用者だった。「ハンティントンはモンゴル人の移動を、中央アジアの乾燥地帯における降水量と気圧の変動で説明した」とル・ロワ・ラデュリは『気候の歴史』の中で書いている。「ブルックスは、中央アジアにおける降水量のグラフをモンゴル人の移動に基づかせることで優れた研究を押し進めたのだ！[50]」。もう一つ別の例では、熱帯の気候は先進文明を支えられないという点でハンティントンの説を信じていたブルックスは、アンコールワットの存在は紀元六〇〇年のカンボジアの気候がもっと穏やかだったことを証明すると結論を下した[51]。

砂漠の中の壮大な遺跡に関しては、地理学者で歴史家のローズ・マーフィーは一九五一年に、ある反ハンティントンの論文の中で、北アフリカの場合はローマ時代から気候変動の証拠はほとんどないと実証した。その代わりに、かつては小麦の畑とローマの都市が栄えていた場所が荒れ果てた光景になっているのは、貯水施設を怠ったか、破壊されたかした結果なのだと説明した（ハンティントンは砂漠の社会が雨よりも地下水に依存していることを忘れていたように思える）。ジャレド・ダイアモンドが何十年ものちに歴史学者たちに採用するようにと説くことになるような「自然の実験」の古典的な例の一つで、マーフィーはニジェールのアイル山地を例に引いたが、ここでは一九一七年にフランス人が反抗的なトゥアレグ族を強制的に立ち退かせた。「人口が減少するにつれて、壁、庭園、家畜は荒廃するがままにまかされ、一年とたたないうちにこの地区は、進行的乾燥の証拠として使われていたほかの地区とまさに同じように見えた(52)」。

こうしたことがすべてあったとしても、歴史における自然な気候変動に関するクロポトキン－ハンティントン論争は、それが自然地理学の領域にとどまっていたらもっと実り多い遺産を残していたかもしれない。しかしながらハンティントンは気象の循環に関する彼特有の考えを、ドイツの地理学者フリードリッヒ・ラッツェルと彼のアメリカの門人だったエレン・チャーチル・センプルによって唱えられた極端な環境決定論と融合させた。彼らは、文化的・民族的特色は、自然の生息環境、とりわけ気候によって自動的かつ取り消しがたく人間集団に刷り込まれる、と論じた。ハンティントンはまた、シラキューズ大学のチャールズ・クルマーというドイツ語教授の奇怪な考えに魅了された。クルマーは、人間の精神活動は、個人的なものも社会的なものも共に、低気圧の電気的ポテンシャルに支配されると信じていたのだ。ハンティントンの伝記作家が説明しているように、「クルマーは図書館から持って来たノンフィクションの本の数と、そうした時代の気圧を照らし合わせた。『高気圧の時にはまじめな本が多く、低気圧の時には少ない』」。ハンティントンはクルマーの発見に「衝撃を受け」、こう書いた。「私はイタリアのルネサンスについて大いに考えを巡らしてきた。そして今、ひょっとしたらそれは何か嵐の頻度の変化と関連していたのではないかと思っている」。ハンティントンはその後、友人の子供たちに何か月間にもわたって毎日スペンサーの『妖精の女王』から三連《スタンザ》を読んで聞かせ、それをタイプさせ、また父親たちには気圧を記録させることでクルマーの理論をテストした。

ハンティントンはそれから誤りのパターンを比較した。「天気と精神能力とのあいだにはこれまで考えられていた以上のつながりがあるように思える。わたしは今これを日本に適用しようとしている」[53]。

しかしハンティントンはすぐに気圧測定を放り出し、実際は気温こそが、おそらく湿度と共謀して、人間の精神的鋭敏さと産業上の効率を決定するという結論を下した。この「気象学的テイラー主義」とジェイムズ・フレミングが呼んだものは、それから優生学と人種工学に対するハンティントンの情熱に包摂された[54]。一九一七年にアナーキスト運動を助けるためにロシアに帰っていた病めるクロポトキンが厳然たる科学的遺言、『氷河および湖水期[55]』の完成を急いでいるあいだにハンティントンは、オーストラリアの熱帯地方への白人の順応性や、朝鮮において気候が人間の生産性に与える衝撃に関する、ますます奇怪な論文を発表し続けていた。数年後、彼は人口過剰が中国人の性格に与える影響を理解しようと奮闘し、プエルトリコ人のニューヨークへの移民を非難し、『ハーパーズ・マガジン』に「気温と諸国民の運命」についてもったいぶった記事を書いていた[56]。要するにハンティントンは、ラッツェルやセンプル、そしてその他大勢と同じく、ヘロドトスとモンテスキューの風土的民族理論――前者はギリシャが人間の完全な居住環境だと確信しており、後者はフランスだと信じていた――を無限定の気象学的人類学に拡大していたのだ。

一九一〇年代と一九二〇年代は科学的人種差別主義（ハンティントンはその熱烈な主唱者の一人だった）の全盛期で、こうした考えは学問の主流にたやすく受け入れられた。しかしながら一九三〇年代末には新しい世代の研究者が、白人優越性と、その極致であるファシズムと接合された環境決定主義の暗い関係から後ずさりし始めた。彼の伝記作家が極めて慎重に述べている通り、「ハンティントンが先天的な能力の階層秩序を主張し、そして一九三〇年代に優生学的根拠を一貫して研究し続けたことはおそらく残念なことだった。第二次世界大戦前夜に、彼がブロンドの髪と青い目をした白色人種は他の者たちよりも長い寿命を持っていると唱えたとき、彼の発言は特に *non sequitur*〔不合理な結論〕だと思えた」[57]（一方でナチは乾燥論者の考えを、ポーランドとソ連の住民を移動させ、大量虐殺するための彼らの理論的根拠の中に組み込みつつあった。スラブ人たちはビスワ川東のポスト氷河期の湿地を排水しそこなったことと、それらの土地が砂漠に変わる――*Versteppung*〔草原化〕――のを許したことで同時に非難された。支配民族だけが大乾燥を食い止められるだろう[58]）。ハンティントンの途方もない理論と粗雑な決定論は、信頼できる歴史的気象データの欠如と相まって、ほとんどの地理学者や歴史家にとっての気象史の企てを汚し始めた。一九三七年に物理学者で、生涯を費やして気象データの構築を追求してきたサー・ギルバート・ウォーカーは、彼が占星術と同列においた気候決定論の死亡記事を書いた。

わたしは一般にはびこっている、周期によって気象が有効な支配力を持つという信仰は、一つには記入されたデータの誤った扱いに基づき、また一つには、気象に対する月の影響という信仰のように、わたしたちの祖先が、定まった周期で循環する天体によって人事が支配されると信じていた時代からわたしたちの多くの中に生き残っている本能に基づいているのだと考えている。[59]

そのうえ、戦後になると「新しい学問的意見の一致」が気象学者たちのあいだで姿を現わした。「すなわち、全地球的気候システムにはほかのすべてに優先する平衡過程があって、長期的な気候変動に対する回復力を与えている」[60]。一方、その気候史の秘密を隠している深ユーラシアという自然の記録保管所は立ち入り禁止だった。冷戦期にタリム盆地を訪れた西洋人はCIAのスパイだけだった（ロプノール[九]は中国の核実験場だった）。最終的に二〇一〇－一一年、シュタイン、ヘディン、ハンティントンの論争を招いた探検から一世紀後に、中国、アメリカ、スイス、オーストラリアの学際チームの研究者たちがタリム盆地で野外活動可能なひとシーズンを過ごし、前の時代の陸水学的構造の模型を作り、現在では失われてしまったロプノール湖の沈殿物や砂丘に埋もれた枯木などといった気候の記録保管所となる可能性があるものの標本を採集したりした。

彼らの成果は二〇一八年の初めに発表された。乾燥化は近代の現象で、古代からの呪いではない。「タリム盆地は少なくとも紀元一一八〇年の昔から一八〇〇年代までずっと今日よりも湿っていた」。これは大雑把に見積もられた小氷河期のパラメーター内に収まり、研究者たちはこの湿潤化を亜寒帯偏西風が南方に移動して山地に大量の雪を降らせ、それがタリム川およびその姉妹河川に流れ込んだためだとした。砂漠の情け容赦ない拡大ではなく、この「砂漠の緑化」こそが中世後期と近代初期の歴史の推進力だったのだ。

内陸アジアの砂漠回廊地帯の湿潤化に刺激されて冬の放牧地が南方へと移動し、それが馬を走らせてユーラシアの砂漠を横断したモンゴル人による征服を煽るのに非常に重要だったとわれわれは提唱する。その上、現在よりも湿潤だったアジアの砂漠は、牧畜がモンゴルの中核地域から外に広がるのを助け、モンゴル族とステップの周辺にいるチュルク語を話す集団間の文化的・経済的関係を強化した。[61]

しかしながら、一九世紀末からの内陸アジアの漸進的温暖化は掛け値なしの乾燥を生み出してきて、それは将来砂漠が北に拡大する前奏曲なのかもしれないと研究者たちは警告している。その一方で別の気象科学者たちは、西アジアの降水系もまた急激に変化しつつあるという懸念を表明してきた。コロンビア大学の〈ラモント－ドハーティ地球観測所〉を拠点とするある研究グループは、現代および歴史上の大干ばつを研究しているのだが、観測史上最も厳しく、社会不安を引き起こす大きな要因となった、シリアにおける二〇〇七－一〇年の破滅的干ばつは、温室効果ガスの排出増大と関連した「長期的乾燥傾向」の一部らしいと警告する論文を最近発表した[62]。これはヨルダン川流域からザグロス山脈の麓の丘陵地帯にかけての、気候学的に〈肥沃な三日月地帯〉全体が今世紀末までに消滅するかもしれないと予言する以前の研究と不気味にも一致している。「古代の天水農業のおかげで〈肥沃な三角地帯〉では文明が栄えることができたが、この天恵は人間が引き起こした気候変動のせいで今にも消え失せようとしている[63]」。人新世[一〇]はどうやら結局のところクロポトキンの正当性を証明しそうだ。

九『さまよえる湖』で有名。

一〇　人間活動が地球の気候や生態系に大きな影響を及ぼすようになった産業革命以降（場合によっては農耕開始以降）の時代をさす言葉で、ノーベル賞を受けた気象学者パウル・クルッツェンの造語。

第四章　誰が箱舟を作るのか？(1)

これから話すことは、オーソン・ウェルズの『上海から来た女』（一九四七）の中の有名な法廷の場面に似ている。支配階級の頽廃に取り囲まれたプロレタリアの美徳を描くこのノワール・アレゴリー〔黒い寓話〕の中でウェルズはマイケル・オハラという名の左翼の船乗りを演じ、彼は *femme fatale*〔妖婦〕リタ・ヘイワースと懇ろな関係になり、やがて殺人の濡れ衣を着せられる。エベレット・スローンが演じる、彼女の夫であるアーサー・バニスターはアメリカでもっとも有名な刑事弁護士で、ライバルを有罪にし処刑するのに都合がいいように、オハラを説得して自分を弁護人に選任させる。裁判の山場で検察側から「またもや偉大なるバニスターの有名なペテンだ」と非難されながらも弁護士バニスターは傷つけられた夫バニスターを証人席に呼び出し、素早く分裂病のような質問で彼＝自分自身を尋問し陪審員たちを笑わせる。『上海から来た女』の精神にのっとり、この章はわたし自身との議論、つまり論理的な絶望とユートピア的可能性とのあいだの精神的馬上槍試合として構成されていて、それは個人的には、そしておそらく客観的にも、決着がつけられない。

最初の部分、「知識人の悲観論」の中でわたしは、わたしたちが地球温暖化との闘いの、最初にして画期的な段階で既に負けてしまったと信じる理由を提示する。〈京都議定書〉は、その主要な敵の一人の気取った、しかし悲しいまでに真実をついた言葉で言えば、気候変動に関して「計測できる何ものも」なしてはこなかったのである。全地球的な二酸化炭素の排出は、この議定書のおかげで低下すると思われていたのと同じ量だけ増大しているのだ[2]。温室効果ガスの蓄積が二〇二〇年までに四五〇ppmというよく知られた「レッドライン」を超えずに安定させられる可能性はとても低い。もしそうなら、わたしたちの子供の世代がこの上もなく英雄的な努力をしても、生態環境、水資源、農業システムを根本的に作り変えることは不可能になるだろう。その上、より暖かな世界では社会経済的な不平等が気象学上の決定権を持つことになり、自らの炭素排出で完新世の気候の平衡を破壊してきた豊かな北半球の国々が、もっとも干ばつや洪水を受けやすい貧しい亜熱帯の国々を適応させるために資源を分け合おうとする動機はほとんどなくなるだろう。

この章の第二部である「想像力の楽観論」はわたしの自己反駁である。わたしは地球温暖化のただ一つのもっとも重要な原因——人類の都市化——がまた二一世紀後半における人類の生存という問題に対する潜在的に第一の解決策だというパラドックスに訴える。現在の惨めな政治に任せたら、もちろん、貧困の都市はほとんど間違いなく希望の棺桶となるだろう。われわれがますますノアのように考え始めなければならない理由である。歴史上の巨木のほとんどがすでに切り倒されているから、新しい箱舟は死にもの狂いとなった人類が、反乱を起こした共同体で、剽窃した科学技術で、密輸されたメディアで、反逆の科学で、そして忘れられたユートピアで、手近に見出すような材料で作られる必要があるだろう。

I　知識人の悲観論

わたしたちの旧世界、わたしたちが過去一万二〇〇〇年間住んできたものは終わってしまったのだ、たとえまだどの新聞もその科学的な死亡記事を印刷していないとしても。これは〈ロンドン地質学協会〉の層序学[一]委員会による判断である。一八〇七年に創設されたこの〈協会〉は世界最古の地球科学者たちの団体で、その層序学委員会は地質年代の区分を決定する枢機卿団の役割を果たしている。層序学者は堆積層に保存された地球の歴史を、大量絶滅、新種の発生、あるいは大気化学の突然の変化といった「黄金の釘[二]」によって示される累代、代、紀、世という階層に切り分ける。地質学においては、生物学や歴史学と同じで、時代区分は複雑で、物議をかもす人為的行為である。一九世紀の英国科学におけるもっとも激しい確執——いまだに「大デボン紀論争」として知られている——は地味なウェールズの硬砂岩とイングランドの旧赤色砂岩の、互いに矛盾しあう解釈をめぐって争われた。その結果として地球科学はいかなる新しい地質学的区分の認定に対しても極めて厳格な基準を定めている。地質学的な影響力としての都市-産業化社会の登場によって定義される「人新世」という考えは、文献の中ではずっと前から流通していたのだが、層序学者はその権利を認めてこなかった。

一　地層の新旧関係を研究する学問。
二　地質時代の区分の変化を示すような全地球的出来事によって作られる地質学的指標。

少なくとも〈ロンドン協会〉に関する限りはこの地位は今や変更された。「われわれは現在、人新世に生きているか？」という質問に対して、委員会の二一人のメンバーは全員一致で「イエス」と答えた。二〇〇八年の報告書の中で彼らは、完新世――農業と都市文明の急速な進化を許した例外的に安定した気候の間氷期――は終了し、地球は今や過去何百万年に「近い類例を見ない層序学的期間」に突入したという仮説を支持する確固たる証拠を並べ立てた。[3] 温室効果ガスの蓄積に加えて、「今や[毎年の] 自然の堆積物の生産を一桁上回る」人間による光景の変形、大洋の不吉な酸性化、そして情け容赦もない生物相の破壊を層序学者は引き合いに出している。

この新時代は温暖化傾向――最もよく似ているのは五六〇〇万年前の〈突発的温暖化事件〉として知られている破局――および、将来の環境に予期される徹底した不安定性の両者によって定義される。陰鬱な文章で、彼らはこう警告した。

> 絶滅、全地球的な種の移動、自然の植生が農業による単一栽培に取って代わられること、これらが組み合わさってはっきりと現代の生層序学的（biostratigraphic）きっかけを生み出している。これらの結果は、将来の進化が、生き残った（そしてしばしば人為的に移転させられた）動植物の種から起こることになるので、永続的である。[4]

言い換えれば、進化そのものが無理やりあたらしい軌道に乗せられているということだ。

自発的脱炭素？

〈委員会〉による人新世の認定は、ＩＰＣＣ〈国連気候変動に関する政府間パネル〉の第四次報告書をめぐる科学的論争の高まりと同時に起こった。もちろんＩＰＣＣには気候変動の受け入れられる範囲を査定し、排出削減の適切な目標値を定める権限が与えられている。もっとも重要な基準線には、増大する温室効果ガスの蓄積に対する「気候感受性」の推定と、将来のエネルギー利用とその結果としての排出の、さまざまに異なった姿を構成する社会経済的な描写も含まれる。しかし、ＩＰＣＣ自体の作業部会の重要な参加者も含めて驚くほどの数の上級研究者たちが最近この四巻に及ぶ四次報告書の方法論に関して不安ないしは異論を表明していて、彼らはそれが地球物理学と社会科学において是認しがたいほど楽観的だと非難しているのだ(5)。

もっとも有名な反対者はＮＡＳＡ〈ゴダード宇宙科学研究所〉のジェイムズ・ハンセンである。有名な一九八八年の聴聞会で議会に対して最初に温室化の危機を警告したこの地球温暖化のポール・リビア[三]は、ＩＰＣＣが決定的に重要な地球システムのフィードバックを限定要素化しそこなっていることで、さらなる炭素排出にあまりに多くの許容量を与えている、という厄介なメッセージを携えてワシントンに帰還した。ＩＰＣＣが提案した四五〇ｐｐｍの二酸化炭素というレッドラインの代わりに、ハンセンの研究チームは安全の閾値は三五〇ｐｐｍか、もっと小さいという説得力のある古気候学的な証拠を発見した。気候感受性のこの再調整「から当然引き出される驚くべき結論は」と彼は証

三　アメリカ独立戦争当時の愛国者。

言した、「地球温暖化を摂氏一度以下に保つというしばしば述べられた目標は、救済のためではなく全地球的大惨事のための処方である」[6]。実際、現在のレベルが約三八五ｐｐｍなのだから、われわれは既に悪名高い「転換点」を越えてしまっているかもしれないのだ。ハンセンは科学者と環境活動家の義俠軍を動員して、緊急炭素税によって世界を救おうとしているが、そうなれば二〇一五年までに温室効果ガスの濃度を二〇〇〇年よりも前のレベルに逆転させられるだろう[四]。

わたしにはハンセンの議論にも、この惑星のサーモスタットの適切な設定に関しても意見を表明する科学的資格はない。けれども、社会科学に携わっている者、あるいはただ長期的な傾向に定期的な注意を払っているだけの者でも、誰でもが〈四次報告書〉のもう一つの根本理念をめぐる論争に加わることに尻込みすべきではない。すなわち、その社会経済的な計画であり、わたしたちがその「政治的無意識」と呼んでもいいかもしれないものである。現在のシナリオはＩＰＣＣによって二〇〇〇年に採用されたもので、人口増加と科学技術的・経済的発展についてのさまざまに異なった「あらすじ」に基づいて将来の全地球的排出のモデルを作っている。委員団の主要なシナリオ――Ａ1群[五]、Ｂ2、等々――は政策決定者や温室効果の活動家にはよく知られているが、研究者以外の人は実際にはその細目を、とりわけより高いエネルギー効率が将来の経済発展の「必然的」副産物になるだろうというＩＰＣＣの誇大な自信を、ほとんど読んでいない。実際、すべてのシナリオは、「通常通りの業務」版ですら、将来の炭素減少のほとんど六〇パーセントは明確な温室化緩和方策とは関係なく起こるだろうと決めてかかっている[7]。

ＩＰＣＣは事実上、牧場を、というよりはこの惑星を、市場を原動力とするポスト炭素世界経済に向けての進化に賭けたのだ六。これは国際的な排出上限や炭素取引だけでなく、例えば炭素回収機だとか、きれいな石炭、また水素と進んだ交通システム、そしてセルロースのバイオ燃料といった、原型ですらほとんど存在しないような科学技術への自発的・共同的参加を要求する移行である。批判者たちがずっと前から指摘してきたように、多くの「シナリオ」において、炭素を排出しないエネルギー供給システムの配備は「一九九〇年の全世界のエネルギーシステムの大きさを超えているのだ[8]」。

京都型の合意と炭素市場――ケインズ流の呼び水的経済政策とほとんど相似の――が予定されていて、自然な脱炭素化とそれぞれのシナリオで要求される排出目標値とのあいだのギャップに橋を架けようとしている。ＩＰＣＣは決してはっきりとは説明していないが、その緩和目標には、次の世代にわたって高い化石燃料代による棚ぼた的利益が効率的に再生可能エネルギーへと再循環され、一マイルもの高さの高層ビルや、資産バブル、株主への巨大な支払いに浪費されないという仮定が必然的になされている。全体として、〈国際エネルギー機関〉は二〇五〇年までに温室効果ガスを半分にするには約四十五兆ドルかかるだろうと推計している[9]。しかし、エネルギー効率の高い比率での「自動的」な増大がなければこの橋は決して架けられることはないだろうし、ＩＰＣＣの目標は達成不可能だろう。最悪の場合――現在のエネルギー利用をそのまま当てはめれば――炭素の排出は世紀半ばに

四　二〇一七年の二酸化炭素濃度は世界平均で四〇五・五ｐｐｍ。二〇一九年の日本付近でおおむね四一二ｐｐｍ近辺。
五　Ａ１群は高度成長型シナリオ、Ｂ２は地域共存型社会シナリオ。
六　bet the farm という表現があり、「絶対間違いない」、「確信している」という意味。

はたやすく三倍になるだろう。

批判者は過去《ラスト》――失われた《ロスト》――一〇年間の炭素の暗い記録を引いて、市場と科学技術に関するIPCC基準線の推定はほとんど根拠のない妄信に過ぎないと説明する。EUによる上限および取引システムの採用は大いに称賛されたにもかかわらず、ヨーロッパの炭素排出は、セクターによっては劇的に、上昇し続けている。同様に、IPCCのシナリオの*sine qua non*〔必須条件〕である近年のエネルギー効率の自動的増大にはほとんど証拠が上がっていない。あらすじが新技術の効率性として描き出すものの多くが実は合衆国、ヨーロッパ、旧ソビエト圏の重工業が閉鎖された結果だった。エネルギー集約生産の東アジアへの移転はいくつかのOECD諸国の炭素貸借対照表を光らせているが、脱工業化は自然な脱炭素化と混同されるべきではない。ほとんどの研究者はエネルギー使用量は実際には二〇〇〇年以来上昇していると信じている――ということはつまり、全地球的二酸化炭素排出はエネルギー利用と歩調を合わせているか、あるいはほんの僅かばかり上回っているということだ[10]。

王者石炭の復帰

その上、IPCCの炭素予算は既に破綻しているのだ。収支を記録している〈グローバル・カーボン・プロジェクト〉によれば排出量はIPCCの最悪のシナリオで予想されたよりも早く上昇している。二〇〇〇年から二〇〇七年まで二酸化炭素は毎年、IPCCの予想の二・七パーセント、あるいは一九九〇年代に記録された〇・九パーセントと比べて、三・五パーセントの上昇を示した[11]。言い換えれば、われわれは既にIPCCの予想最大数値の外に出てしまっていて、そしてこの温室効果ガス排出の予見できなかった加速の責めは大部分が石炭にあるのかもしれない。石炭の産出は過去十年間で劇的な再生を遂げ、それにつれて一九世紀の悪夢が帰って来て二一世紀につきまとっているのだ。中国では五〇〇万人の鉱夫が危険な条件の下であくせくと働いてこの汚い鉱物を掘り出していて、そのおかげで北京では石炭を燃料にした新しい発電所が毎週ひとつずつ稼働できるようになっていると伝えられている。石炭の消費はヨーロッパでも急増していて、向こう何年間かで石炭を燃料にした五〇の新しい火力発電所が稼働する予定が立てられており[12]、また北アメリカでは二〇〇の発電所が計画されている。ウェストバージニアに建設中の巨大な発電所は一〇〇万台の車の排気ガスに等しい炭素を排出することになるだろう。

『石炭の未来』という表題の展望の利いた研究の中で、MITの工学者たちは予見可能ないかなるシナリオの下でも、高い炭素税すらものともせずに、石炭の使用は増大することだろうと結論を下した。その上、炭素回収除去技術への投資は「まったく不十分」であるし、それが本当に実用的だとしても炭素回収除去は二〇三〇年かそれ以後にならなければ実用規模の代替手段とはならないだろう。合衆国では「緑のエネルギー」立法は、発電所からの排出は、「無料二酸化炭素許容量が認可されることで、将来の炭素排出規制の一部として『既得権化』されるだろうという期待」の下で、ただ公益事業体が石炭を燃やす発電所をより多く建設するという「ひねくれた刺激」を生み出してきただけだった[13]。その一方で、石炭生産者、石炭を燃やす公共事業体、石炭を運搬する鉄道の団体――自らを〈きれいな石炭電力のためのアメリカ連合〉と称している――は二〇〇八年の選挙の全過程にわたって四千万ドルを使って、両方の大統領候補に最も汚いが最も安い燃料の長所を、間違いなく声をそろえて賛美するよう仕向けた。

大部分は石炭、すなわち二〇〇〇年分の供給量があると証明されている化石燃料の人気が原因で、エネルギー単位当たりの炭素含有量は実際に増加するかもしれない。[14] アメリカの経済が崩壊する前に〈合衆国エネルギー省〉は全国のエネルギー生産が次の一世代のあいだに少なくとも二〇パーセント増加するだろうと算出していた。全世界的には化石燃料の全消費量は、五五パーセント上昇し、国際的な石油輸出量は倍増すると予想されている。再生可能エネルギー目標値を独自に研究してきた〈国連開発計画〉は、暴走する温暖化のレッド・ゾーンの外に人類をとどめておくには、二〇五〇年までに全世界で温室効果ガスの排出を一九九〇年のレベルと比較して五十パーセントカットする必要があると警告している。[15] しかし〈国際エネルギー機関〉は、十中八九そうした排出は次の半世紀間で百パーセント増加すると予言している――わたしたちを駆り立てて、いくつかの決定的な転換点を通過させるに十分な温室効果ガスである。〈国際エネルギー機関〉はまた、水力は別にして再生可能エネルギーは二〇三〇年に発電量の四パーセントしかまかなえないだろうと算出している――今日の一パーセントからの増加である。[16]

緑の景気後退?

現在の世界的不況――IPCCのシナリオがそのあらすじの中で無視しているような突発的な出来事――は一時的な猶予を与えてくれるかもしれない。特に、低く抑えられている石油価格が、タールサンドやオイル・シェールなどの新たな巨大炭素貯蔵庫というパンドラの箱の蓋を開けるのを遅らせれば。しかし不景気がアマゾンの熱帯雨林の破壊を遅らせそうにはない、なぜならブラジルの農民は当然のことながら生産を拡大することで自分たちの総収入を守ろうとするからだ。そして電力の需要は自動車の使用ほど弾力性がないから炭素排出に占める石炭の割合は増加し続けるだろう。実際、合衆国では石炭生産は、現在労働者を一時解雇しているのではなく、雇用している数少ない民間産業の一つなのだ。より重要なことに、下落中の化石燃料価格とひっ迫した金融市場が、資本集約的な風力・太陽光といった代替物を開発することへの積極的な動機づけを起業家に与える基盤を掘り崩している。ウォール街では省エネルギー株は全体としての市場以上に急速に落ち込んでしまっているし、投資資金は事実上消滅してしまい、〈テスラ・モーターズ〉や〈クリア・スカイズ・ソーラー〉といった、いくつかのもっとも有名なクリーン・エネルギーの新規事業者を突然死の危機に放置している。オバマによって唱えられているような税額控除がこの緑の不況を逆転しそうもない。あるベンチャー資本の管理者が『ニューヨーク・タイムズ』に語ったように「天然ガスが六ドルなら、風力は疑わしい考えのように見えてしまい、太陽光発電は測り知れないほど高価に見えてしまう(17)」。

こうして経済危機が、またもや祭壇の前で花嫁を置き去りにするための、受け入れざるを得ないような言い訳を花婿に与え、大企業もまた再生可能エネルギーに対する公約を履行しない。合衆国ではテキサスの億万長者T・ブーン・ピケンズが世界最大の風力発電所を作るという計画を縮小し、また〈ロイヤル・ダッチ・シェル〉は〈ロンドン・アレイ七〉に投資するという計画を中断した。さまざ

七　イギリスのケント州の沖合一〇キロにある世界第二位の風力発電所。

まな政府・与党はこれまでずっと同じように炭素の負債を逃れたくてたまらなかった。西部の石油・石炭業者たちに支持された〈カナダ保守党〉は二〇〇七年の炭素税に基づく〈自由党〉の「緑への移行」予定表を覆し、同様にワシントンは炭素除去技術への大きな新規構想を反故にした。

大西洋のより緑のはずの側ではベルルスコーニ政権――イタリアの電力を石油から石炭に転換しつつあった――は二〇二〇年までに排出を二〇パーセント削減するというEUの目標は「支払い難い犠牲だ」と非難した。またドイツ政府は『フィナンシャル・タイムズ』の言葉を借りれば、「企業に対して、排出している二酸化炭素への支払いを強制するという提案に」、製造業に対するほとんど完全な除外を支援することで、「厳しい一撃を与えた」。「この危機は優先順位を変化させる」とドイツの外務大臣はおどおどと説明した。[18] 悲観論が今や溢れかえっている。〈国連気候変動枠組み条約〉の事務局長イボ・デ・ボーアでさえが、経済危機が持続する限りは「ほとんどの賢明な政府は［産業に対して］炭素排出上限という形で新しい犠牲を課すのを嫌がるだろう」と認めている。それだから、たとえ見えざる手と、介入主義の指導者たちが経済成長のエンジンを再始動させることができたとしても、暴走する気候変動を防ぐのに間に合うよう世界のサーモスタットを下げられそうもない。またG7にだろうがG20にだろうが、自らが作り出してしまった混乱を熱心に片づけることを期待すべきではないだろう。[19]

生態学的不平等

京都‐コペンハーゲン基準に基づいた気候外交は、ひとたび主要関係国がIPCC報告の科学的合意を受け入れたら、彼らは温室効果に対するコントロールを獲得することに、他のすべてに優先する共通の興味を認めるだろうと仮定している。しかし地球温暖化は、H・G・ウェルズの『宇宙戦争』のように、侵略してきた火星人が階級も民族も区別なしに、人類を民主的に全滅させるわけではない。そのかわり、気候変動は全地域、全社会階級にわたって、劇的に不平等な衝撃を生み出し、有効な適応をするための資源が最少の貧しい国々に最大の被害を与えるだろう。この、排出源が、環境的影響が及ぶ場所から地理的に分離されていることが積極的な団結の土台を削り取る。〈国連開発計画〉が強調してきたように、地球温暖化は、貧しい者とまだ生まれていない者、つまり「政治的発言権をほとんど、あるいはまったく持たない二つの選挙民集団」に対してとりわけ脅威となっているのだ[20]。彼らのための協調した全世界的行動は、従って、彼らへの革命的な権限移譲——ＩＰＣＣでは考えられていないシナリオ——か、あるいは富める国々と階級の自己利益を、歴史上ほとんど例を見ない、啓蒙された「団結」へと変えるかのどちらかである。

合理的行為者の視点からはあとの結果だけが現実的だと思える——もし特権集団に優先権のある「出口」の選択はまったくないと、また国際主義的な世論が主要国で政策決定を促すだろうと、そして温室効果ガスの排出削減は北半球の生活水準を大きく犠牲にすることなしに達成可能だと、示すことができさえすれば。しかしそのどれをとっても可能だとは思えない。その上、イェール大学の経済学者ウィリアム・ノードハウスやロバート・メンデルソンのような、貧しい国々がより豊かになり、そうして自分たちでもっとコストを負担できるようになるまで削減を延期したほうがより道理にかなっている、といつでも説明する用意のできている高名な擁護者にこと欠くことはない。言い換えれば、壮大な技術革新や国際的協同を刺激して活性化させる代わりに、増大する環境的・社会経済的混乱は、ただ、エリート連中を自らを壁の中に囲って他の人類と隔離しようというもっと血迷った試みに追いやるだけなのかもしれない。この未調査ではあるが起こりえなくはないシナリオにおいては、ある程度はすでになされてきたように地球のファースト・クラスの乗客だけが適用をうけることへの投資を選択して、全地球的な削減は暗黙の裡に捨て去られるだろう。目ざすのは、そこ以外は打ちひしがれた惑星の上に、永遠に豊かで緑の、ゲート付きのオアシスを建設することである。

もちろんそれでもまだ条約や炭素クレジット[八]、救荒、人道主義的離れ業、そしておそらくいくつかのヨーロッパの都市や小国で再生可能エネルギーへの全面的な転換ということがあるだろう。しかし気候変動への世界的適応には、貧困・中所得諸国の都市と田舎のインフラストラクチャーに何兆ドルもの投資と、アフリカとアジアからの何千万人もの移民支援が前提で、必然的に収入と権力の再分配のほとんど神話的規模の革命が必要とされるだろう。その一方で、わたしたちは二〇三〇年ごろの、あるいはもっと以前の、破滅的なランデブーに向かって疾走しているが、この時、気候変動、石油産出の頂点、水産出の頂点[九]、そしてこの地球上に加わる十五億人の人口が、おそらくわれわれに想像もできない負の相乗効果を生み出すことになる。

根本的な疑問は、豊かな国々がＩＰＣＣの目標値を達成するために政治的意思と経済資源とを果たして本当に動員するか、すなわち、必然的ですでに「のっぴきならなくなっている」地球温暖化の比率に貧しい国々が適応するのを助けるかということである。もっとはっきり言えば、豊かな国々の選挙民が現在の頑迷さと塀で囲まれた国境を捨て、干ばつと砂漠化の中心――マグリブ、メキシコ、エチオピア、パキスタン――からの避難民を受け入れるか？　人口当たりの海外支援で測れば最もしみったれの国民であるアメリカ人が、バングラデシュのような人口密度の高いメガ・デルタ地帯からあふれ出しそうな何百万もの人たちを新しい場所に移転させるのを助けるために進んで自らに課税するだろうか？　そして地球温暖化の恩恵を受けそうな北アメリカの農業ビジネスは、売り手市場で利益を得ることでなく、世界の食料の安定を自発的に最優先させるだろうか？

もちろん市場志向の楽観論は〈クリーン開発メカニズムＣＤＭ〉[一〇]のような実証規模のカーボン・オフセット計画を目指すだろうし、それは第三世界への緑の投資を保証すると彼らは主張している。しかしＣＤＭが与える衝撃は、国内及び都市での化石燃料に対する根本的な投資というよりは、小規模な森林再生と、産業廃棄物をごしごし洗ってこすり落とすことに助成金を与えるという程度の、取るに足りないものなのだ。その上、途上国の立場は、北は自分たちで引き起こしてきた環境的大惨事を認め、それをきれいに片づけることに責任を取るべきだというものである。貧しい国々は、人新世に順応するという最大の重荷が、もっとも炭素を排出してこず、二世紀にわたる産業革命からほとんど利益を引き出してこなかった者たちに掛けられるという考えを、正当にも罵っているのだ。経済的グローバライゼーションの一九六一年から以降の環境的コスト――森林伐採の、気候変動の、乱獲の、

八　先進国間で取引可能な温室効果ガスの排出削減量証明。

九　帯水層からの地下水のくみ出しを石油の産出と同じように考える見方。

一〇　先進国の政府や企業が途上国で温暖化対策プログラムを実施し、そこで削減した分を自国での削減分に宛てられるという制度。

オゾン枯渇の、マングローブ林転換の、そして農業拡大の――に関する最新の評価で、最も豊かな国々は世界中で環境悪化の四十二パーセントを生み出し、その一方で結果としてかかるコストのたった三パーセントしか負担していないということがわかった[21]。

南のラジカル派は正当にもまた別の負債を指摘する。三〇年間にわたって発展途上国の都市は、猛烈なスピードで成長したが、それに対応するインフラストラクチャー、住宅、公衆衛生に対する公共投資が伴わなかった。これは一つには独裁者によって契約された外国からの負債とIMFによるその支払いの強要、そして〈世界銀行〉の「構造調整」協定によって公共支出が縮小ないしは再分配されたことの結果だった。この機会と社会正義の世界的な欠如は、〈国連人間居住計画〉によれば現在一〇億人以上の人々がスラムに暮らし、その数は二〇三〇年までには倍増するだろうと予想されているという事実に要約されている。それと同じ数、あるいはそれ以上が、いわゆる非正規部門――大量の失業に対する第一世界の婉曲語法である――で食料を探している。一方、純粋に人口統計学的な勢いでは、世界の都市人口は次の四〇年間で三〇億人増加し、その九十パーセントが貧しい都市に住むことになるだろう。誰一人として――国連、〈世界銀行〉、G20ではなしに、誰一人として――増大しつつある食料・エネルギー危機を抱えたスラムの惑星が、どのようにして彼らの生物学的生存という願いをかなえるか、ましてや基本的幸福と威厳とに対する熱望をかなえるか、手がかりをつかんでいない。

地球温暖化が熱帯・亜熱帯の農業に与えそうな影響に関する現在までのもっとも精密な調査がウィリアム・クラインによる国ごとの研究に要約されていて、これは気候予想を農作物の生産過程および新リカード学派の農業生産高モデルと組み合わせ、さまざまなレベルでの二酸化炭素施肥効果[22]を考慮に入れて、考えられる人間の将来の栄養摂取を見ている。見通しは暗い。クラインの最も楽観的なシミュレーションでもパキスタン（現在の農業生産高のマイナス二〇パーセント）と北西インド（マイナス三〇パーセント）で農業システムは荒廃させられそうで、中東の大部分、マグリブ、サハラ砂漠南縁地帯、南部アフリカの一部、カリブ諸国、そしてメキシコも同様である。二九の発展途上国が現在の二〇パーセントかそれ以上の農業生産高を地球温暖化で失いそうで、それに対して既に豊かな北は平均して八パーセントの増大を受けそうである[22]。

発展途上国における農業生産力のこの潜在的喪失は、今世紀半ばの地球の人口を養うためには食糧生産を倍増させる必要があるだろうという国連の警告を背景にするとよりいっそう不吉である。生物燃料ブームによっていっそう悪化させられた二〇〇八年の食料入手難は、混沌の控えめな前兆に過ぎず、それは資源の枯渇、執拗な不平等、そして気候変動が集中して、すぐに拡大しかねない。こうした危険に直面して、人間の結束そのものが、南極西部の棚氷のように砕けて一〇〇〇の破片へと粉々になるかもしれない。

Ⅱ　想像力の楽観論

人口増加の頂点、農業の崩壊、突然の気候変動、石油産出の頂点、そしてある地域では水産出の頂

一一　大気中の二酸化炭素の増加によって植物の光合成の割合が増加すること。

点、そして都市を顧みなかったことへの蓄積した罰、こうしたことの相乗的な可能性と立ち向かうには学術的調査は遅きに失してしまった。これから先何十年かのあいだに、多様に決定される世界の危機が引き起こす国家安全保障上の含意に関してドイツ政府や、ペンタゴン、ＣＩＡがおこなってきた調査にハリウッド的な響きがこもっていたとしても、ほとんど驚くべきことではない。二〇〇七／二〇〇八年の〈国連人間開発報告書〉が述べるように、「その緊急性においてはっきりと気候変動問題に比べられるような事例は歴史上なかった」[23]。古気象学が、温暖化する地球の非線形物理学を予想する助けにはなっても、二〇五〇年代に人類が九〇億から一一〇億人という人口の頂点に達し、気候の混沌と枯渇した化石燃料に順応しようと苦闘している時、何が起こるか理解するための歴史的先例も視座も存在しない。文明の崩壊から核融合エネルギーの新しい黄金時代に至るまで、ほとんどありとあらゆるシナリオがわたしたちの孫の将来という未知のスクリーンに投影できる。

しかしながら、間違いなく都市が収束のゼロ地点であることに変わりないだろう。森林伐採と輸出目的の単一栽培があたらしい地質時代への移行に基本的な役割を果たしてきたとはいえ、原動力は北半球の都市に残された炭素の足跡（カーボン・フットプリント）のほとんど指数関数的な増加だった。都市の建造環境の冷暖房だけで現在の炭素排出に推計三五-四五パーセントの責任があり、都市の産業や交通がさらに三五-四〇パーセントの原因となっている。ある意味では都市生活が急速に生態学的適所——完新世の気候的安定——を破壊していて、そのことが都市生活を可能な限り複雑なものに進化させた。

だがここにアッと驚く逆説がある。都市地域を環境的にそれほどまでも持続不可能にしているものはまさに、最大の巨大都市においてすら、もっとも反都市的、ないしは半都市的特徴なのだ。第一に、これらの都市地域には広大な水平的広がりがあり、それが生命維持に必要な自然施設——帯水層、河川の流域、市場向け野菜農園、森林、沿岸の生態系——の悪化を、無計画に広がるインフラストラクチャーを供給する高い経費と結びつける。結果として生じるのは、グロテスクなまでに特大の環境フットプリント[一三]で、同時に起こる、交通と大気汚染の増大、そしてたいていの場合、廃棄物の川下への投棄／投げ売りを含む。どこに都市ができるかが投機家と開発者によって決定され、計画と資源に対する民主的コントロールを迂回するような場所では、予想できる社会的結果は収入や民族による極端な空間的隔離であり、また子供や老人そして特別な必要がある者たちにとって危険な環境である。貧困者の多い都心部の過密地帯の開発は、追い立てを通したジェントリフィケーション〔高級住宅地化〕として構想され、その過程で労働者階級の都市文化を破壊する。これらに、資本家によるグローバライゼーションという条件下にある巨大都市の社会‐政治的特徴をつけ加えてもいいだろう。すなわち、周辺地区のスラムと非正規雇用の増大、公共空間の民営化、生活のための犯罪者と警察の軽い交戦状態、「殺菌」された歴史的中心部ないしは塀をめぐらされた郊外への富める者たちの囲い込み。

　それとは対照的に、もっとも「伝統的に」都市に属する様々な特質は、小さな都市や町の規模でさえ、結びついてより良い循環を作る。都市と田舎にははっきりとした境界がある場所では、都市の成長

一二　ある過程のすべてを通じて使われる化石燃料の消費量。
一三　カーボン・フットプリントと同じ。

は空き地と活力に満ちた自然システムを残すことができ、その一方で交通機関と住宅の建設に、環境的な〈規模の経済〉を生み出す。周辺から都心への接近が可能になり交通はより効率的に規制できる。廃棄物はもっと簡単にリサイクルされ、川下へと排出されることはなくなる。典型的な都市像では、欲望と帰属意識の社会化によって共同の都市空間の内部で、公共の贅沢品が私有化された消費に置き換わる。公共の、利益を目的としない住宅の広い領域は、都市の全域でフラクタルな比率での民族的・収入的不均質さを再生産する。平等な公共サービスと都市景観が子供、老人、特別な必要を持った人たちを念頭に置いて設計される。民主的なコントロールが、高いレベルでの政治的動員と市民参加を伴った累進課税と計画のための、また独占的なイコンよりも市民の記憶を優先させるための、そして仕事、リクリエーション、家庭生活の空間的統合のための、力強い可能性を提出する。

それ自体の解決策としての都市

都市生活の「良い」特徴と「悪い」特徴のこのようなはっきりとした区分は、標準的な都市志向ないしは反都市志向を抽出するための有名な二〇世紀の試みを思い出させる。ルイス・マンフォードとジェーン・ジェイコブズ、そしてフランク・ロイド・ライトとウォルト・ディズニー、コルビュジエとCIAM〔近代建築国際会議〕宣言、アンドレ・ドゥアニーとピーター・カルソープの「ニュー・アーバニズム」等々。だが誰も、構築環境と、その環境が育みあるいは反対するような社会的相互作用の長所と短所について雄弁な意見を抱くために都市理論家を必要とはしない。しかし、そうした道徳的な一覧表でわたしたちがしばしば気づかずに見逃してしまうのは、社会的正義と環境的正義のあいだの、つまり共同社会の精神と緑の都市志向のあいだの、首尾一貫した親和性である。それらが互いに引きつけあうのは、必然ではないにしても、磁石のようである。たとえば、都市の緑の空間と水辺の風景は同時に、都市の代謝作用の極めて重要な自然の要素を維持しもすればまた大衆階級にレジャーと文化のための資源を与えもする。より良い計画ともっと多くの公共輸送で郊外の渋滞を減らせば、沿道とは関係なくただ自動車を大量に流すだけの交通下水[一四]を昔ながらの近所の通りにかえし、その一方で温室効果ガスの排出を減らす。

こうした例は数限りなくあり、それらはすべて一つにまとめられる原則を指示している。すなわち、低炭素都市の礎石はいかなる特定の緑化計画でも技術でもなく、私有財産よりも社会の豊かさに与えられる優先権である。

わたしたちのすべてが知っているように、人類全員が車が二台ある芝生つきの郊外の家で暮らせるようになるにはあといくつか地球が必要で、この明白な制約は、限りある資源を上昇してゆく生活水準と両立させるのが不可能だということを正当化するためにときおり呼び起こされる。豊かな国でも貧しい国でも現在の都市はほとんどが、人間の居住地の密度について回る潜在的な環境効率を抑えつけている。都市の生態学的特質は相変わらず巨大な、大部分は隠された力のままで残っている。しかしもしわたしたちが進んで、個々の単位に区切られた私的消費ではなく、民主的な公共空間を持続可

一四　Traffic sewer：高速道路やバイパスのように地域とは無関係で通例はそこから隔てられている、ただ車を流すだけの道路を指す。

能な平等性の原動力にしようとするなら、惑星の「収容能力」に不足はないのだ。公共の豊かさ——大きな都市公園、無料の美術館・博物館、図書館、そして人間の相互作用のための無限の可能性で表わされる——は地球に優しい群居性を基盤にした豊かな生活水準へのもう一つの道を示している。学術的な都市理論家にはめったに気づかれていないのだが、大学の構内はしばしば小さな半社会主義的な楽園で、学習と研究、実践、そして人間の再生産のための豊かな公共空間を取り囲んでいる。

近代都市に対する、生態学によるユートピア的批判は、職人に戻った英国の労働者のための庭園都市というギルド社会主義の夢——クロポトキンの生態地域主義の考えに、そしてのちにはゲデス[一五]に、影響された——に始まり、一九三四年のオーストリア内戦中の、赤いウィーンでのコミューン生活の偉大なる実験だったカール・マルクス・ホーフへの砲撃で終わった。そのあいだにはロシアとポーランドの社会主義者によるキブツの創出、バウハウスによるモダニズムの公営住宅の計画、そしてソ連で一九二〇年代におこなわれたアーバニズム（都会的生活様式）をめぐる驚くべき議論があった。このラジカルな都市の想像力は一九三〇年代、一九四〇年代の悲劇の犠牲者だった。一方ではスターリン主義が建築と美術でモニュメンタリズムに向かって舵を切り、それは規模と構造とにおいて非人間的で、第三帝国のアルベルト・シュペーアのワーグナー的誇張法とほとんど変わるところがない。他方、戦後の社会民主主義は、新しいアーバニズムを放棄し、安い郊外の地所に高層建築を立てるという計画で、規模の経済を強調するケインズ流のマスハウジング政策に賛成し、それによって伝統的な労働者階級の都市との一体意識を根こそぎにした。

しかし一九世紀遅くと二〇世紀初めの「社会主義者の町」についての対話は現今の危機を考えるた

めの極めて貴重な出発点を与えてくれる。たとえば、構成主義者を考えてみよ。エル・リシツキー、メーリニコフ、レオニドフ、ゴロソフ、ベスニン兄弟、そしてその他の輝かしい社会主義者のデザイナーたちは――初期ソビエトの都市の惨めさと公共投資の徹底的な不足に縛られはしたものの――密集したアパート暮らしを、見事に設計された労働者クラブ、人民劇場、複合スポーツ施設で救おうと提案した。彼らは共同の炊事場、保育所、公衆浴場、そしてあらゆるものの協同組合を組織することでプロレタリアの女性を解放することに最優先順位を与えた。彼らは流れ作業の大量生産工場と、そして場合によっては高層化した住宅と、結びついた労働者クラブと社会センターを、新しいプロレタリア文明の「社会的凝縮器」と思い描いたが、それだけでなく、そのままでは厳しい環境の中で、貧しい都市労働者の生活水準のてこ入れをするために実際的な戦略を苦心して作り上げたのだ。

世界の環境的非常時という背景のなかで、この構成主義者の計画は、都市生活の平等主義的な側面が資源保護と炭素削減のために最善の社会学的・物質的支援を一貫して供給するという命題に翻訳できるだろう。実際、地球温暖化を制御する動きが、生活水準を上げ、世界の貧困を消滅させるための闘いと一つにまとめられない限り、温室効果ガスを削減することにも人の生息環境を人新世に適合させることにもほとんど希望はないだろう。そして実生活では、ＩＰＣＣの過度に単純化されたシナリオを越えて、このことは都市空間、資本の移動、資源貯蔵庫、そして大規模生産手段の民主的なコントロールのための闘いに参加することを意味する。

一五　Patrick Geddes（1854-1932）：植物学者、数学者、都市計画家。

今日の環境政策における内的危機は、貧困、エネルギー、生物多様性、気候変動といった難問を人類の進歩という統合された未来像の中で扱う大胆な構想をまさしく欠いていることである。もちろんミクロレベルでは代替技術や自然エネルギー住宅の開発に巨大な進歩があったが、豊かな社会や富める国での実証プロジェクトは世界を救うことはないだろう。確かに、富裕な者たちは現在、エコ生活のための多数の計画から選択はできるが、究極的な目標は何なのか。善意の有名人たちにそのゼロ炭素の生活スタイルについて自慢させることなのか、あるいは太陽エネルギー、トイレ、小児科医院、大量交通機関を貧しい都市の社会にもたらすことなのか？

グリーン・ゾーンを越えて

全地球のための、そして単にいくつかの特権的な国々や社会階級のためだけのではない、持続可能な都市計画という難問に取り組むには、例えばブフテマス〔一六〕やバウハウスのメーデーに存在していた学問芸術のような、想像力の広大な舞台が必要になる。それにはネオリベラル資本主義の地平を越えて、非正規労働者階級と田舎の貧しい者の労働を、彼らの構築環境と生活を持続可能な再構築において統合しなおすような世界革命を目指すラジカルな意志を前提条件とする。もちろんこれは完全に非現実的なシナリオだが、建築家、技術者、生態学者、そして活動家が、*alter-monde*〔もう一つの世界〕をより可能とするために小さくはあるが必要不可欠な役割を果たしうると信じて希望への旅に乗り出すか、設計者が、単にエリート層に金で雇われただけの企画立案者・代替的存在であるような未来を甘受するか、そのどちらかしかないのだ。惑星の「グリーン・ゾーン」は個々人の夢を記念碑で永遠に残すというファラオのような機会を与えてくれるかもしれないが、建築と計画の道徳的問題は「レッド・ゾーン」の借家とスプロール化の中でしか解決され得ない。

　こうした視点からすれば、はっきりとユートピア的な思考へと戻ることだけが、次第に一点に集中してゆく、惑星のさまざまな危機と直面して人類の団結を保持するための極小条件を明らかにしうる。イタリアのマルクス主義建築家のタフーリとダル・コが「ユートピア的なものへと退行」しないよう警告した時に何を意味したのか、わたしは理解していると思っている。しかし、人新世の課題に対して想像力を掻き立てるために、わたしたちは主体、実践、そして社会的諸関係の代替的輪郭を思い描けなければならないし、そしてそのためには今度は逆に、わたしたちを現在に縛りつけている政治－経済的仮説を一時棚上げにすることが必要になる。しかしユートピア的理想主義は必ずしも至福千年説ではないし、街頭の演壇と説教壇とに限られたものでもない。あの、地球温暖化が発展に与える影響を研究者と活動家が論じ合う、姿を現わしつつある知的空間の中でもっとも勇気づけられる進展の一つは、単に「実際的」なものではなく「必要な」ものを擁護しようという新たなる意思だった。高まりつつある専門家の声のコーラスは、わたしたちが都市の貧困と気候変動というますます縺れ合ってゆく危機への「ありえない」解決策を求めて闘うのか、あるいは人類の事実上のトリアージ〔死傷者分類〕の共犯になるのかのどちらかだと警告している。

　だから二〇〇八年の『ネイチャー』の論説には励まされるとわたしは思う。「止めどない都市化と

一六　ソ連の国立高等美術工芸工房。新時代の革新的な美術教育をおこなう。

いう難問には、統合された、多くの学問領域にわたる研究方法とあたらしい思考が求められている」と説明して編集者は、発展途上国のゼロ炭素革命に豊かな国々が融資すべきだと力説する。彼らはこう書いている。

居住者の多くがかろうじて頭の上に屋根を載せていられるだけの、発展途上国の巨大都市で技術革新を促すことはユートピア的理想主義に見えるかもしれない。しかしこうした国々は既に、例えば固定電話のインフラストラクチャーを飛び越して携帯電話を受け入れていることなどから、技術的早送りに対する才能を示している。そして多くの貧しい国々が建物を地元の習慣や環境、気候に適合させる豊かな伝統を持っている――それは西洋ではほとんど失われてしまった、統合設計に対する地元に根差した取り組みである。彼らには今やこうした伝統的な取り組み方と現代の科学技術を組み合わせる好機がある。[24]

同様に〈国連人間開発報告〉は「将来の人類の一体性」は発展途上国が気候ショックに適応するのを助ける大規模な援助計画にかかっていると警告する。〈報告〉は、「危険な気候変動を避けるのに必要な低炭素技術に対する早急な支出への障碍」を取り除くことを求めている――「世界の貧しい人たちが沈むがままに、あるいは自分たちの資源だけで泳ぐよう放置され、豊かな国々が市民を気候防御要塞の背後で守るなどということがあってはならない」。「ぶっきらぼうに言えば」とそれは続ける、「世界の貧しい人々と、将来の世代は、気候変動についての国際交渉を特徴づけ続けている自己満足と言い逃れをしている余裕はない」。全人類のために断固として行動するのを拒否することは、「歴史上類を見ない規模の道徳的怠慢」となるだろう。もしこれがバリケードへの感傷的な呼びかけ、四〇年前の教室、街頭、工房からの木霊と聞こえるとしても、それならそれでいい。目の前にある証拠に基づいて人類の将来を「現実主義的」に見てみれば、わたしたちはメデューサの首を見るように、ただだは石に変えられてしまうだけだろう。

訳者あとがき

Mike Davisが、そのジャーナリスティックなスタイルと、アカデミックな視点、そして自分の生まれ育った土地への感傷も込めてロサンゼルスの歴史を見事に描き出した*City of Quartz*（Verso, 1990,『要塞都市ＬＡ』、村山敏勝、日比野啓訳、青土社、二〇〇一年）で一躍脚光を浴びたのはもう三十年も前になる。今回、その彼が二〇〇七年以来十年余の沈黙の後で、初めて正面からマルクスに取り組んだのが*Old Gods, New Enigmas*（2018, Verso）であり、本書はその全訳である。

カリフォルニア州フォンタナで一九四六年に生まれたMike Davisは、本書の序にもあるように食肉工業で働き、トラックの運転手をしながら左翼運動に係わり、のちにカリフォルニア大学で学ぶ。いくつかの大学での教職をへたのち、現在はカリフォルニア大学の名誉教授である。出世作となった『要塞都市ＬＡ』から、今回の『マルクス　古き神々と新しき謎』に至るまで、彼の基本的なものの見方、姿勢は、一貫しており、かつ進化している。その全体の流れの中に置かれたとき、本書の位置がより理解しやすくなるかと思うので、すでに日本語で紹介された文献だけに限るが、これまで彼がたどってきた軌跡を概観してみたいと思う。

『要塞都市ＬＡ』では、南国の陽光を浴びたファッショナブルな街と見られているＬＡ、しかしここではおそらく他のどこよりも「文化闘争の絶対軸は、つねに文化神話の構築／解釈だったのであり、これが投機と支配のデザインとなって現実の風景に入り込んでいる」と彼は語り始める。ＬＡは最初から何よりも不動産資本主義の産物だった。それは必然的に持てる者と持たざる者との分裂と軋轢をもたらし、この新たな階級間闘争がここでは構築環境レベルで存在している。街は一方では、塀に取り囲まれ、警備員が常駐する制限された入口、警察と民間警備員の両方によるサービスで守られた豊かな者たちの「城塞都市」と、もう一方では、徹底した差別性に基づいて非白人に対して武力を行使する警察と、犯罪者にさせられた貧困層とが交戦する「恐怖の場所」とに二分されてしまった。そして後者においては、「低成長の人種差別性は、本性からしてマルサス的最終解決法にじりじり向かっているようだ。……メキシコ国境を閉鎖し、あらゆる種類の移民を根源的に制限し、家族計画を義務付ける」。このように、陽光とノワールとで対比される街の歴史が綴られているのだが、彼のナラティブは三十年たった現在でも生き生きとした力を失っていない。そして、こののち『スラムの惑星』へと発展してゆく、都市とスラムの構図がすでにこの中に見えている。

時節柄われわれの興味を最も引くのは二〇〇五年に出版された*The Monster at our Door*（The New Press.『感染爆発』、柴田裕之、斎藤隆央訳、紀伊国屋書店、２００６年）であろう。本書は二〇〇〇年代に流行した鳥インフルエンザを扱っているのだが、ここで書かれた内容があまりにも現今の新型コロナウィルスにも当てはまっているのには思わず唸ってしまう。いわく、「富裕国には、迫りくるパンデミックに備えてグローバルな防御ネットワークを構築する時間が十年近くあった〔これが書かれたのは十五年前である〕。……ワシントンやロンドンや東京では保健担当の閣僚が、製薬業界の特許や利権を崇め奉るかのごとく尊重する一方で、救命に欠かせない薬の基本的な備えを怠っている」。その一方で、「この火急のメッセージを大統領や首相、国王たちに理解させることはＷＨＯに課せられた緊急課題だった。しかしその取り組みは中国やアメリカといった大国の利益を不当に尊重することによって損なわれ……断固たる行動は何一つ生み出さなかった」。挙句の果てにわれわれが新型ウィルスと「戦う武器はマスクと隔離という中世以来変わらぬもの」であるとしているが、これはまったく現在の状況そのものである。Davisは一九六〇年代にはじまるネオリベラリズムに基づくグローバル化が「人類と病原菌の関係の再形成」の一つの転換点かもしれないとする。そして鳥インフルエンザの世界的流行の原因の一つとして、ＩＭＦと世界銀行による発展途上国の産業の解体と鶏飼育の大規模工場化、そして職を奪われた現地住民がスラムに流入することをあげ、この二つの密集がウィルス増殖の温床であるとしている。世界的な公衆衛生インフラに相応の投資をしないまま経済がグローバル化することは、確実に大惨事をもたらすことになり、「第三世界における「巨大都市」とスラムの出現はパンデミックの拡大と毒性の進化を促しうる人的媒介として第三のグローバルな条件となる」とするDavisは、次の著作ではそのスラムに直接向き合うことになる。

Planet of Slums（Verso, 2006,『スラムの惑星』明石書店、二〇一〇年）では、現在進行中の、「新石器革命や産業革命に匹敵する、人類史上の分水嶺」を越える人口の都市への集中化へと焦点を当てる。「一九八〇年代のなかば以来、南側諸国の巨大な工業都市はすべて、大規模な工場閉鎖と脱工業化の進行にみまわれた。それ以外の場所では都市化は工業化からだけではなく、開発そのものからすらいっそう徹底的に切り離されており、しかもサハラ砂漠以南のアフリカでは、都市化の必須条件と考え

られていた農業生産力の向上から切り離されている」。経済の縮小にもかかわらず、それに反比例するような都市成長率が維持されているのは「ＩＭＦと世界銀行が推進している農業の規制緩和と金融改革政策が過剰な農業労働力を生み出し、それが都市のスラムに向けて脱出するのを促し続けている」からである。そして「第三世界の全域で植民地独立後のエリートは隔離された植民地都市の物理的なひな形を継承し、貪欲に再生産している」。つまり、構造調整は持続的で安定的な成長の条件どころか、第三世界諸国にとっては新たなる帝国主義支配そのものとなっている。「一九世紀の終わりには、アジアとアフリカの、偉大なる自給的小農の多くが世界市場に組み入れられたが、そのせいで何百万もの人が餓死し、何千万を越える人々が伝統的な土地保有から根こそぎにされた。最終的な結果は農村の「半プロレタリアート化」（これはラテンアメリカにおける結果でもあった）、つまりは最低限度の生活水準での生存を可能にする生命の保障すら欠いた、貧困化した半小農と農場労働者というグローバルな階級が莫大な規模で創出されたのだ。その結果、二〇世紀は、古典的なマルクス主義者が想像した都市革命の時代ではなく、前代未聞の農民叛乱と、小農に基礎をおく民族解放戦争の時代になってしまった」という視点は『マルクス　古き神々と新しき謎』の第一章における農業・農民問題の検討、および第二章「マルクスの失われた理論」の関心へと直接つながってくるだろう。非正規性はスラムにおいては常態であり、「一九八〇年以来、経済のインフォーマル性は怒涛のように回帰し、都市における周縁性と職業上の周縁性との相関関係は反論不能で不可抗力のものになった」。そして「インフォーマル部門がネオリベラルの狂信者が想像してきたすばらしい新世界ではないのだとしたら、人間搾取の生きた博物館にほかならない。……ポストモダンのグローバリゼーションによって新たに生み出された原始的な搾取形態のことなのだ――そして子どもの労働が顕著な例である」。

こうした社会的経済的な不公正・不平等から生み出されて来るものは何か？　自動車爆弾は間違いなくその一つである。*Buda's Wagon: A brief history of the car bomb*（Verso, 2007,『自動車爆弾の歴史』金田智之、比嘉徹徳訳、河出書房新社、二〇〇七年）では、テロリズムの主要な武器となった自動車爆弾を扱う。「乗り物爆弾が寄主の社会とその敵対者に入り込むや否や、その使用は際限なく増殖する傾向にあり」、それは「貧者の空軍」として急速に準-戦略兵器となった。レジス・ドブレは「自動車爆弾とは他人の血で書かれた声明書」だと言う。どれほど強力な独裁体制下だとしても、爆破は起こってしまえば否定も検閲もしようがなく、世界に耳を傾けさせるこの確実性こそが一番の魅力になっているのだと。あらゆる対立の根本を見ない限り、「どんな社会経済的な変革もうまく行く可能性はわずかであり、大規模な「精神の武装解除」を導くはずの独立や民族的自決についてはいつも妥協が生じるおかげで、自動車爆弾は輝かしい未来を確実に手に入れる」。

かくして多様化し、分散し、更に集積する矛盾のただなかで、スラムの子供たちの見る夢が自動車爆弾か売春婦になることであるような現実を解決し「精神の武装解除」を成し遂げるために、この失業と不正規就労とスラムの世界で革命の主体と階級意識はいかにして形成されるのかを探求してDavisは、直接にマルクスと、一世紀にわたる労働運動の記録に向き合う。

本書の〈序〉によれば、それは「教職を退き、長く患っていたことで、ついに私は、今や英語で、そしてネット上で無料で手に入る海賊版で『マルクス・エンゲルス全集』を手当たり次第にあちこちと読む暇ができた」ことの結果でもあった。

ジャーナリズムと学術研究の間が曖昧であるともいわれるDavisのスタイルは、時にさまざまな批判にさらされることもあるが、本書の一番大きな部分を占める第一章「古き神々、新しき謎——革命的主体についての覚え書き」においても貫かれていて、それが彼の著作の力強い魅力になっていることは間違いない。ここで、マルクスの通読と、膨大な歴史的資料の渉猟の中で、階級意識なり、革命の主体なりの形成を、何か定式化されたものでなく、状況と闘争との動力学の中で生み出されるものとして描き出すというのは、Davisにとっては必然の方法で、またこの主題については最も有効な取り組み方なのだろう。それだからDavisは単なる結論を提示することはない。むしろ、ここで示されるのは行動の指針であり、結論は読む者に対して開かれているのである。

第二章「マルクスの失われた理論——一八四八年のナショナリズムの政治」では、第一章でも問題になった農業・農民問題とナショナリズムの問題をさらに深く掘り下げる。『フランスにおける階級闘争　一八四八年-五〇年』と『ルイ・ボナパルトのブリュメール十八日』を「単なる理論としても、ジャーナリズムや現在の歴史としても分類されることに反発し、おそらく政治的著作の独自の分野」をなし、「生産諸関係と、政治的に組織された経済的利害関係の衝突とのあいだにある中景に関する政治的社会学の発端」とDavisは見るのだが、もしかしたらDavisは、ここに自分と同じ姿勢のマルクスを見ているのかもしれない。

自らを「マルクス主義環境主義者」と呼ぶDavisは自然と人為による環境の変動とそれが歴史に与える影響について、すでに*Late Victorian Holocausts: El Niño Famines and the Making of the Third World*（Verso, 2000、邦訳版は明石書店より近日刊）において論考を加えている。エルニーニョ・南方振動と、植民地主義と資本主義化、それによってもたらされる飢饉を関係づけ、数百万人が「世界システム」の外ではなく、強制的にその経済的・政治的構造に組み込まれる中で、自由資本主義の黄金時代にスミス、ベンサム、ミルの「神聖な原理の神学的応用によって」殺害されたとする。そしてここに「第三世界」という人類の大きな亀裂が生まれてくる。

そうした文脈の中で、第三章「来るべき砂漠――クロポトキン、火星、そしてアジアの鼓動」と第四章「誰が箱舟を作るのか?」で、前者では気象変動という考えが（迷路にはまり込んでしまったことも含め）たどった道筋を明らかにし、後者においてはDavisがさまざまに告発してきた政治的・経済的不平等が端的に姿をとったものとして、人類の存在そのものを脅かす、最大の不正義である地球温暖化をとりあげ、長いこと彼自身の中心的興味であった都市問題を逆転させることでその解決を提案している。そうして、資本主義によって生じた人類の間の大きな亀裂の修復を試みようとする。なお、この章の「誰が箱舟を作るのか?」と同じ表題を持った本が、近々刊行される予定であるが、その中でここで取りあげられた問題のさらなる詳述が期待される。

さて、最後にいささか個人的なことにもわたりますが、今回この本の「解説」の執筆を宇波彰さんに依頼し、快諾していただいたことは訳者の何よりの喜びとするところです。宇波さんには心から感謝申し上げたいと思いますし、同氏の解説によってこの本の価値が一層高まることを確信しています。明石書店編輯担当は神野斉君で、この仕事で三十数年ぶりの再会でした。

二〇二〇年四月

佐復　秀樹

解説

一　はじめに

本書の著者マイク・デイヴィスは、すでに始まりつつある二一世紀の状況について、次のような認識を示している。「歴史は二一世紀初頭に、人口の増加と歩調を合わせて職を生み出せず、食料の安定も保証できず、破局的な気候変動に人間の生活環境を適応させることもできない世界経済の中で、完全にひと巡りした」（二一一頁）。この数行に、著者が本書で取り組もうとした問題の所在がはっきりと表現されている。世界の人口は急激に増えつつあるのに、人工知能の発達なども加わって、人間が行なえる仕事が少なくなり、失業者が増え、さまざまな要因から食料が不足している上に、自然的な気候変動と人為的理由による地球温暖化の進行などが重なっている。そのため人類はいまや「黙示録的」というほかはないような、異常なほどの危機に直面しつつある。こうした多様で、しかもきわめて大きな危機こそ、本書において著者がその解決を考えようとした今日的問題にほかならない。このような状況にある現代世界において、つまり非常な危機に直面している今日において、われわれはどうすればいいのか？　著者が試みるのは、基本的には「マルクス、エンゲルスの読み直し」であり、その作業を通じて「彼らの失われてしまった理論」を回復し、定式化することであり、それによって「二一世紀におけるマルクス主義の意義」を確認することである。

そのために本書の第一章は、革命運動の主体としての労働者の問題を扱う。具体的には、マルクス、エンゲルスの理論と一九、二〇世紀における欧米の労働運動の歴史とを同時的に検討し、彼らの理論がどのように「失われて」きたのか、それを「理論」として定式化し、再生するためにはどうすればいいのかということが、この章のテーマになる。第二章は、国家、ナショナリズムの問題をマルクス、エンゲルスの思想を彼らが活躍した時代の状況と重ね合わせて考え直そうとする。その際、著者が特に注目し、高く評価しているのは、イギリスの政治学者エリカ・ベナーのマルクス、エンゲルス論である。第三章は地球上の自然的な気候変動、特に乾燥の問題を人間の「移動」の状況と重ねて論じようとする。そこでは思いがけないことに、ロシアのアナーキストとして知られているピョートル・クロポトキンの地理学、気候論が再検討される。第四章は、最近になって特に論じられることが多くなった、文明化の負の所産である「温室ガス効果」を考察している。これが全四章からなる本書のおおよその骨格である。つまり、今日の緊急の諸問題を多角的・総合的に考えようとするのが、本書のテーマである。

二　労働運動の意義、階級の問題

二一世紀の労働者は、すでに「剰余価値を生まない労働者」になっている。著者はこの「余分で価値のない労働者が二一世紀のマルクス主義の中核的な問題になった」と指摘する（三五頁）。今日しばしば論じられる非正規雇用の労働者は、労働組合を作ることもできない状況にあり、マルクス、エンゲルスが考えていた一九世紀の労働者とはかなり異なっている。プロレタリア的主体は消滅したのである。しかし著者は、そのような時代的な差異を超えて、彼らの理論が労働問題に関しても今日でもいかに有効であるかを熱を込めて説こうとする。

そしてその考察の前提として、マルクスの思想と一九、二〇世紀の欧米の労働運動とを重ねて考察することから始める。そのため著者は、『マルクス全集』と一九世紀、二〇世紀初頭の欧米の労働運動史を仔細に検討する。ヨーロッパのみならず、アメリカにおける労働運動の歴史も分析され、またそれと同時に、アメリカにおけるマルクス研究の展開のプロセスも論じられる。その過程で、著者が明らかにしたことは、「階級能力は絡み合って発生する」ということであり（二二頁）、またマルクスが「戦争のなかった時代」のひとであったことが強調される。つまり労働者の問題は、「国際的」な視点から見ることが求められるということであり、これはマルクスの国家についての考え方と関係する。

それは必然的に「労働者階級とは何か」という問題と直結する。基本的には労働運動とは、労働者による資本家に対する闘争である。しかし、そのばあいの労働者は、個人としての労働者であるわけがなく、かならず「集団」となって行動するはずである。それはどのような階級的集団なのか？　著者は、数多いマルクスの著作のなかで、『資本論』の次に『フランスにおける階級闘争』と『ルイ・ボナパルトのブリュメール十八日』を特に重視するが、それは彼が労働者階級を、単に労働運動の主体としてではなく、政治的な意味においてもどう位置付けしようとしていたかを論点にしているからである。

著者が労働運動の歴史を重視するのは、そこに現代の労働問題の根源があると見ているためである。著者は、二〇世紀の「運動の民主主義」が「一七九二年と一八七一年の古典的特色の多くを再現した」と主張する（一九七頁）。つまり二〇世紀の労働運動は、フランス革命と、パリ・コミューンを、何らかの意味で再現し、反復しているのである。民主主義運動には「歴史」が存在するのであり、それを無視することはできない。そのために著者は労働運動の歴史をていねいにたどったのだといえよう。つまり、労働運動は長い歴史を持っているのであり、「通時的」である。しかしそれは同時に「共時的」つまり「国際的」でもあって、そのため常にパリが労働運動の中心地になると説く（二〇〇頁）。「プロレタリアートにとっての本当の首都はパリ」である（二〇〇頁）。

また著者は、労働者の問題に関して、マルクスが情報のメディアの役割を重視していたことに注目する。マルクスは、一八六一〜六三年に、新聞がイギリスの都市労働者の「生活手段」になっていたと書いている（一六一頁）。一八七九年に、ドイツの社会主義的雑誌の発行部数は一五〇万部だった。つまり、プロレタリアートが「文化の担い手」だったということである。すでに、一八三〇年代のイギリスにおける選挙権獲得のためのチャーチスト運動も、出版物によって展開されたものであった。細部にこだわるならば、著者はアルチュセールのマルクス論を批判しているようにみえる。「若きマルクス」がアルチュセールによって「悪しきマルクス」になった（一三頁）というのであり、これはアルチュセールの「マルクスにおける認識論的切断」という考えの批判である。

三 国家の問題

本書の第二章は「マルクスの失われた理論」というタイトルで、それにはさらに「一八四八年のナショナリズムの政治」というサブタイトルが付されている。今日のナショナリズムは世界の「全地球化」（グローバライゼイション）によって非常に変化し、「自国中心主義」の傾向が進みつつある。現代がそのような時代であることを前提にするならば、著者が再検討する、「実際に存在するナショナリズム」として見ていたマルクス、エンゲルスの国家論には大きな意味が含まれるであろう。「失われた理論」とは、「見失われた理論」のことであると理解すべきであり、彼らの時代にさかのぼって「国家」の問題を再検討することになる

この章でも多くの論者が登場するが、著者が特に高く評価するのは、エリカ・ベナー（一九六二〜）である。ベナーはマキャベリ研究で著名な、日本生まれのイギリスの政治学者である。彼女が二〇一七年に刊行した『狐のようにあれ』（*Be like the fox*, Penguin Books, 2017）は、マキャベリの生涯を通時的に詳しく描いた伝記であるが、同時に当時のフィレンツェの歴史もいきいきと描いている、

小説的な作品である。この伝記について、テリー・イーグルトンはイギリスの新聞『ザ・ガーディアン』での書評（二〇一七年三月一五日）で次のように書いている。われわれはマキャベリがいわゆるマキャベリズム、つまり「権謀術数」の政治思想家だと考えてきたが、「エリカ・ベナーの生き生きとした、まことにリーダブルな伝記は、このような見方を問題視する。彼女はマキャベリを非マキャベリ的なひととして見ているだけではなく、心の優しい、ゲーリー・リネカーのような男としても描いている」。リネカーは有名なサッカー選手であるが、ここではマキャベリが「人間的な」、ベナーの言葉を借りるならば「倫理的」なひとであったとするベナーの見方をイーグルトンが評価したということである。

著者が注目するのは、のちに述べるように、このようなマキャベリ研究と密接に繋がっているベナーのマルクス、エンゲルス論である。著者が「ベナーによるマルクスの思想の再構成は力業である」として高く評価するのは、彼女が一九九五年に刊行した『実際に存在しているナショナリズム——マルクスとエンゲルスからのポスト共産主義的見解』(*Really exsiting nationalisms*, Oxford Clarendon, 1995) である（二二〇頁）（この著作は二〇一八年に新しい「序論」を付して再刊されている）。ベナーのどういう論点が「力業」なのか？　それは彼女が「植民地主義に対するマルクスとエンゲルスの見解」と、「ナショナリズムについての彼らの見解を唯物論的理論という背景のなかにきちんと置いた」ということである（二二二頁）。著者によるならば、マルクスの遺産は、「その後の発展のなかで大部分失われてしまった」（二四一頁）のであり、その回復の作業にベナーがかかわったということである。ベナーは一八四八、四九年のヨーロッパの政治状況に関するマルクス、エンゲルスの論考を仔細に検討し、また『フランスにおける階級闘争』と『ルイ・ボナパルトのブリュメール十八日』とを、『資本論』につぐ重要な「ひとつのテクスト」として読むことによって、彼らの政治思想が「抽象的に定式化されてはいない」（二二三頁）とし、それが「理論的命題へと翻訳」されなくてはならないと説く。つまり、「マルクスの失われた理論」とは、定式化、理論化されなかった理論ということにほかならず、ベナーによってその道が開かれたといっているのである。

ここはベナーの考えを紹介する場ではないが、国家もしくはナショナリズムの問題に関して注目すべき彼女の論点のいくつかに触れておきたい。まず第一に彼女は、一八四八～四九年はヨーロッパ諸国でナショナリズムが広がりつつあった時代であるとし、それを同時代的に見ていたマルクス、エンゲルスが「国家の政治学について、現代の論者たちよりも、もっと完全で幅の広い理解を示していた」と指摘している。

第二に、ベナーが強調しているのは、ナショナリズム、国家の問題は、一国の国内問題ではなく、国際的な問題として考えるべきだというマルクス、エンゲルスの立場である。第三に、マルクス、エンゲルスの国家、政治論の根本にあるのは、「政治的解放は人間的解放を前提とする」という彼らの基本的な思想であるということである。実際、ベナーのこの著作には「倫理的」（ethical）ということばがしばしば使われている。その思考態度は、彼女のマキャベリ伝において、このフィレンツェの政治家、思想家を「マキャベリスト」としてではなく、「人間」として描いていることと不可分である。

ベナーは、マルクス、エンゲルスの国家論を、まず『ドイツ・イデオロギー』の場面へと戻す。つまり、「分裂状態にあった現実の連邦ドイツ」と、統一国家を求めるブルジョワジーとの対立という図式で考える。当時のドイツは「三五の王国と四つの自由都市から成る連邦国家」であり、ドイツの中産階級が統一ドイツの成立を求めていたのであるが、その際ベナーは、マルクス、エンゲルスは最初から統一された国民国家ドイツを目指していたのではなく、人間相互の個人的なつながりを基本とする共同体を考えていたのだとする。ベナーはそのことを『ドイツ・イデオロギー』を再検討することによって明らかにしようとした。

もちろんマルクス、エンゲルスの「読み直し」の仕事はベナーひとりが行なっているものではなく、著者によると、マルクスの「政治に関するまだ萌芽的な構想の事実上の定式化」は、ロナルド・アミンゼイドによってもなされている（二三六頁）。著者は、ナショナリズムについての議論がいかに多くの「合致しない学問的見方」の迷宮入り、不協和音状態に陥ってしまったかを、「概念的曖昧さという無効化するオーラ」という人類学者クリフォード・ギアーツ（一九二六〜二〇〇六）の概念を用いて説明する。元来明確であったはずの理論が、それを曖昧な概念の介入で無効にしてしまうということであり、それが現実にマルクス、エンゲルスの理論に関して生じたと考えたのである。その「迷宮化」した理論を定式化することが求められたのである。

この論点を整理するならば、次のように「定式化」できるであろう。著者は「国家」を基本的には「資本家階級が農民とその変形である都市労働者を搾取する形態」であると考える。そのような「国家」についての認識が、マルクスの国家論を定式化することである。この考えをさらに深めると、国家を背後で支えるものとしての経済的要素を特に重視する著者の立場が見えてくる。著者はボブ・ジエソップの次のような考えに同意する。「政治の社会的内容は……相争う階級と階級分派の経済的利害におもに関連している」（二四一頁）。したがって「われわれは（国家についての）もっと多くの経済的説明を必要としている」のである。

ジクムント・バウマンなどが説いているように、今日の国家・社会は極度に液状化していて、ひとびとは安心して生活できなくなりつつある。そうした国家・社会の危機に対する対策を著者は「マルクスの読み直し」のなかに求めている。特に、国家が経済的構造に支えられていることをマルクスにさかのぼって再認識しなくてはならないというのが著者の主張である。

四　気象変動の問題

第三章は、気候変動の問題を扱っている。古代と近代で、「気象の自然な変動性をはっきり認めていた者」がほとんどいなかったという著者の指摘には驚くほかはない。しかし、世界が大規模な気象変動によって危機に陥りつつあることを、早くから予見していた理論家として高く評価されているのが、アナーキズムの革命家として知られているピョートル・クロポトキン（一八四二〜一九二一）であるとしていることは、読者にとって意外であるかもしれない。通常われわれはクロポトキンといえば、ロシアの大貴族の公爵であり、レーニンと対立した無政府主義者の代表のように考えているからである。まるで小説のような彼の自伝『ある革命家の手記』（高杉一郎訳、岩波文庫、一九七九）を読むと、クロポトキン公爵家は三つの県に広大な領地を持っていて、一二〇〇人の農奴を抱えていたことがわかる。モスクワの家には五〇人、田舎の家には二五人の召使いがいたという。またクロポトキンが貴族出身の軍人という身分でありながら、シベリアから中国東北地域にまで及ぶ地理的、自然科学的な探検、調査をどのようにして行なっていたのか、そしてシベリアの地図をどのように描き変えたのか、いかなる政治的活動をして「要塞監獄」に閉じ込められ、陽のあたらない部屋で壊血病や痛風などに悩まされながら、そこからどうやって「脱獄」したのかなどといったことを幾分かは知ることができる。また彼の『ロシア文学の理想と現実』（高杉一郎訳、岩波文庫、一九八五）を読むと、彼がトルストイ、ドストエフスキーといった大作家のみならず、ロシアの非常にマイナーな作家や批評家の仕事もていねいに読んでいたことがわかる。つまり、いかに彼がロシアを愛していたかが伝わってくる。

しかし著者はクロポトキンを無政府主義者、文学の批評家としてではなく、今日の重要な問題のひとつである気象変動論、民族移動論の重要な先駆的論者として再生させる。エンゲルスが、自然科学についての認識が不足していることを自覚して、一八六九年に創刊されたイギリスの科学雑誌『ネイチャー』を熱心に読んでいたというのは有名な話であるが、クロポトキンはその『ネイチャー』に寄稿していた（二四頁）。しかし、クロポトキンの自然科学、シベリア調査に関する著作がロシアで再刊され始めたのはごく最近のことであるという（二四頁）。雑誌『現代思想』（二〇二〇年三月号）は「気候変動」を特集しているが、そこにもクロポトキンの名を見ることはできない。つまりクロポトキンの地理学者・自然科学者・環境論者としての仕事は、これまでほとんど無視され、忘れられてきたのであり、著者はその「失われた」クロポトキンを復活させ、評価しようとする。クロポトキンは一八七四年に政治犯として逮捕され、有名なサンクト・ペテルブルクの要塞監獄に入れられる。しかしその獄中の部屋で、シベリアの氷河と気象の関係に関する研究を二巻の著作『氷河および湖水期』（一九一七）にまとめたのである。著者は、クロポトキンのこの研究が「文明の歴史の原動力は自然の気候変動であるという考えの始まり」であったとして高く評価する（二四七頁）。クロポトキンを「第一級の自然科学者、自然地理学者、探検家」として再生させたのである（二四五頁）。

もちろん著者は、マルクス、エンゲルスも気候変動について考えていたことも想起させている。特にエンゲルスが『自然の弁証法』のなかで、地中海沿岸地域での森林伐採がその地域の気候変動に影響したと論じていたことに注目している。また著者は、気候変動について考察するためにはエマニュエル・ル・ロワ・ラデュリ（一九二九〜）の登場が必要であったとも指摘している。ル・ロワ・ラデュリは、カーニヴァルの最中に、実際に農民の反乱が起きて、祭りと現実が混在し、入り乱れて同時に進行する状況を描いた『南仏ロマンの謝肉祭』（蔵持不三也訳、新評論、二〇〇二）によってわが国にも知られているフランスの歴史家であるが、主著に上下二巻の『紀元一〇〇〇年以後の気候の歴史』（Le Roy Ladurie, *Histoire du climat depuis l'an mil*, Flamarion, 1983）がある。彼はそのなかで、「気候の歴史と人間の歴史との統合」という方向を開拓しようとした（上巻、二八頁）。フランス農業史の研究を出発点とするル・ロワ・ラデュリによるこの気候史の大著は、まさに文献・資料の「博捜」を基盤にしたものであるが、少なくともその詳細な索引には、彼の「先駆者」であったはずのクロポトキンの名は出てこない。それはクロポトキンがいかに無視もしくは忘却されてきたかを示すひとつの証拠であるともいえよう。著者はこのように無視され、忘れられてきた、気候学者としてのクロポトキンを現代に呼び戻したのである。

五　地球温暖化の問題

著者は「世界の根本的な変化」を惹起しているのは、（1）人間による光景の変形（2）大洋の不吉な酸性化（3）生物相の破壊であるとする（二七二頁）。これらの要因は、相互に関連しつつわれわれの生活に影響している。

第三章で論じられている気候変動は、基本的には自然がもたらしたものである。しかし、第四章のテーマは、人為的原因による危機である。つまり、今日いたるところで論じられるようになってきた「地球温暖化」は、産業革命以降に人間が作り出したものであり、その責任は人間に帰せられる。著者は、地球温暖化の問題についての決定的な理論家はまだ登場していないと見ている。しかし彼はこの問題の根源には、「人類の都市化」があると考える。最近使われるようになった「人新世」という時代区分は、「地質学的な影響力としての都市‐産業化社会が登場した時代」として定義されている。特に中国、アメリカにおける火力発電所の極端な増加について、それがいかに「地球温室ガス効果」をもたらしているか、またそれと関連して、中国における五〇〇万人の炭坑労働者の労苦について論じている（二七七頁）。

しかし著者は世界の都市化を否定するのではない。都市化は人類の必然的な方向である。地球温暖化は確かに都市化の結果である。すなわち、「都市化が急速に生態学的な適所——完新世の気候的安定――を破壊した」ことは確かであり、つまり都市化が温室効果ガスを発生させたのである。しかしここで著者はけっして悲観的ではない。「止めどない都市化という難問」があることは認めつつも、「民主的な公共空間を持続可能な平等性の原動力にしようとするなら、惑星(地球)の収容能力に不足はない」(二八九〜二九〇頁)とし、むしろ現代の都市の可能性を求めようとしているのである。

六 おわりに

以上が本書のおよその構成である。全体として、著者の論の進め方は論理的であり、きわめて広範に及ぶ文献の使い方も厳密である。しかしそれ以上に重要なものは、そして基本にあるものは、著者のマルクス、エンゲルスに対する無限の敬意である。それによってこそ、「失われた」彼らの理論が発掘され、再評価されるにいたるといわなくてはならない。

二〇二〇年五月

宇波　彰

注

【序】

（1）ラリー・マクマートリーとバルター・ベンヤミンに謝罪。

（2）Hans-Josef Steinberg and Nicholas Jacobs, "Workers' Libraries in Germany before 1914," *History Workshop* 1 (Spring 1976), pp. 175-6.

　アイザック・ドイッチャーはよく、若き共産主義者として『資本論』への入り口を見つけるのに苦労した話をしたものだった。「私はイグナチ・ダシンスキー、われらが有名な国会議員にして社会主義のパイオニア、ウィーンとワルシャワの国会をその唇で動かした雄弁家、が自分もまた*Das Kapital*はあまりに手ごわいと思ったと認めたのを聞いて救われる思いがした。『私はまだそれを読んでいない』と彼は豪語した、『だが、カール・カウツキーは読んでいて、一般向けの要約を書いている。わたしはまだケレス－クラウズも読んでいないが、家の聡明なるユダヤ人、ヘルマン・ダイアモンド、われらが経済専門家はケレス－クラウズを読んでいて、そのすべてを語ってくれた』」。Isaac Deutscher, "Discovering *Das Kapital*" in *Marxism in Our Time* (San Francisco: Ramparts, 1971), p. 257.

（3）Boris Nicolaievsky and Otto Maenchen-Helfen, *Karl Marx: Man and Fighter*, expanded edn (London: Allen Lane, 1973 [1933]), London 1973, p. ix.

（4）*Marx and Engels Collected Works* (henceforward *CW*), *Vol. 1* (London: Lawrence & Wishart, 2010), p. 576.『マルクス・エンゲルス全集』（大月書店、以下『全集』と表記する）補巻一、三八九頁。

（5）Daniel Bensaïd, *Marx for Our Times: Adventures and Misadventures of a Critique* (London: Verso, 2002).

（6）『選集』はもちろん『全集』ではない。三分の二はアムステルダム、三分の一はモスクワにある、マルクス／エンゲルス・アーカイブは出版された著作に加えて、膨大な量の草稿（『資本論』の草稿四つを含め）、論文、新聞のコラム、宣言、断片、二〇〇のノートからの抜き書き、二〇〇〇人の人との手紙のやり取りを含んでいる。全体を出版するとしたら、一三〇巻から一八〇巻になるだろうと、さまざまな推測がなされてきた。そのうえ、オーストリアのマルクス主義者が一九一一年に最初の選集を提案して以来、何が含められるべきか、党のイデオロギーから編集組織をいかに隔離するかをめぐって、たえざる論争があった。時折これは死活にかかわる問題だった。ダビト・リャザーノフは一九二一年にレーニンに選ばれてマルクス・エンゲルス研究所を率いることになり、第一版（MEGA 1として知られる）の仕事を引き受けたが、一つにはマルクスとエンゲルスによる反ロシアと理解されたパンフレットに対する検閲に反対したためスターリンと衝突し、多くの研究員と共に一九三八年に銃殺された。彼の仕事は一九六〇年以降二つの異なった形で引き継がれた。一九七五年に出版が始まり今や完結している『マルクス－エンゲルス選集』（MECW）と、はるかに完全で野心的なMEGA IIで、これは東ドイツおよびソ連の崩壊後は、広い国際的な共同作業（the IMES）となり完成までにはあと何年もかかる。この複雑な歴史を概観するためには Kevin Anderson, "Uncovering Marx's Yet Unpublished Writings," *Critique* 30/31（1998）; Jurgen Rohan, "Publishing Marx and Engels after 1989: The Fate of the MEGA," *Nature, Society, and Thought* 13: 4（October 2000）; and Amy Wendling, "Comparing Two Editions of Marx-Engels Collected Works," *Socialism and Democracy* 19: 1（2005）. を見よ。MECWの浅瀬や急流を通り抜けるのは、Hal Draperの素晴らしい歴史的案内 *The Marx-Engels Chronicle*（New York: Schocken, 1985）. を使えばそれほど難しくなくなる。

（7）この推計は以下に基づいて計算されている。すなわち、ロシア内戦で一〇〇万人の赤軍兵士が死亡、イタリアとスペインを含め戦間期のヨーロッパの抑圧で一五万人、一九四九年までの中国で一五〇万人、ソ連の一九三七年の粛清で一五万人の共産主義者、ソ連の第二次大戦（党員とコムソモールのメンバーだけで）三〇〇万人、パルチザンを含めナチのヨーロッパで五〇万人、東南アジア（インドシナ、フィリピン、インドネシア）で一〇〇万人、そしてラテンアメリカで一〇万人。

（8）Barbara Taylor, *Eve and the New Jerusalem: Socialism and Feminism in the Nineteenth Century*（London: Virago, 1983）.

（9）"Marxism: Theory of Proletarian Revolution," *New Left Review* I/97 (May–June 1976).

【第1章】

（1） “History in the ‘Age of Extremes’: A Conversation with Eric Hobsbawm (1995),” *International Labor and Working-Class History* 83 (March 2013), p. 19.

（2） Secondary-sector data from statista.com. 中国の田舎が何千万人もの娘や息子を沿岸の輸出加工区で労働するよう送りだしたから、中国の労働者階級の全体的な成長は、同時に起こった国有産業部門の衰退とベテラン産業労働者の厳しいレイオフを覆い隠している。Ju Li, “From ‘Master’ to ‘Loser’: Changing Working-Class Cultural Identity in Contemporary China,” *International Labor and Working-Class History* 88 (Fall 2015), pp. 190-208.を見よ。

（3） Erik Brynjolfsson and Andew McAfee, *Race Against the Machine* (Lexington, MA: Digital Frontier, 2011); Simon Head, *Mindless: Why Smarter Machines are Making Dumber Humans* (New York: Basic Books, 2014); and John Peters, “Neoliberal Convergence in North America and Western Europe: Fiscal Austerity, Privatization, and Public Sector Reform,” *Review of International Political Economy* 19: 2 (May 2012), pp. 208-35.

（4） Shawn Sprague, “What Can Labor Productivity Tell Us About the U.S. Economy?” *BLS: Beyond the Numbers* 3: 12 (May 2014), cited in Martin Ford, *Rise of the Robots: Technology and the Threat of a Jobless Future*, (New York: Basic Books, 2015), p. 281.

（5） Martin Baily and Barry Bosworth, “U.S. Manufacturing: Understanding Its Past and Its Potential Future,” *Journal of Economic Perspectives* 28: 1 (Winter 2014), pp. 3-4.

（6） 「われわれが異議を唱えるべきはこの消滅ではなしに、その同じ仕事、ノルマ、それが消滅させつつある威厳と入手可能性を、義務として、ノルマとして、そしてすべての権利と威厳の取り換えがたい基礎として永続させようとする要求である」。André Gorz, *Reclaiming Work: Beyond the Wage-Based Society*（Cambridge: Polity, 1999 [French 1997]）, p. 1.

（7） 例えば様々な研究が、組織されたフランス労働者階級の一九七〇年代付近の広く包括的な「われわれ」という感覚を、ムスリムの移民や若い失業者たちに対する現今の憤激と対比させてきた。「かれら」は今や伝統的なプロレタリアートの「下の」者たちでもあれば「上の」者たちでもある。Michele Lamont and Nicolas Duvous, "How Has Neo-liberalism Transformed France's Symbolic Boundaries?" *Culture & Society* 32: 2 (Summer 2014), pp. 57-75; and Olivier Schwartz, "Vivons-nous encore dans une societé des classes?" September 22, 2009, at laviedesidees.fr.を見よ。

（8）アメリカの職の半分は、このあと二十年でオートメーション／コンピューター化の危険にさらされるだろうと推計されている。これは大いに議論を呼んだ Carl Frey and Michael Osborne によるthe Martin School at Oxford Universityのレポート，"The Future of Employment: How susceptible Are Jobs to Computerisation?" Working Paper, Oxford, September 2013の結論である。批判的社会についてはMelanie Arntz, Terry Gvegory, and Ulrich Zierahn, "The Risk of Automation for Jobs in OECD Countries," OECD Social Enployment and Migration Working Papers No. 189（Paris: OECD, 2016）を見よ。

（9）Gregory Woirol, *The Technological Unemployment and Structural Unemployment Debates* (Westport, CT: Greenwood, 1996); J. Jesse Ramirez, "Marcuse Among the Technocrats: America, Automation, Postcapitalist Utopias, 1900-1941," *Amerikastudien/American Studies* 57: 1 (2012), pp. 31-50; Donald Stabile, "Automation, Workers and Union Decline: Ben Seligman's Contribution to the Institutional Economics of Labor," *Labor History* 49:3 (2008), pp. 275-95; and Daniel Bell, "Government by Commission,' (the National Commission on Technology, Automation and Economic Progress, on which Bell served), *The Public Interest*, Spring 1966, pp. 3-9. を見よ。

（10）*Annual Report of the Council of Economic Advisers* (Washington, 2016), pp. 238-9.

（11）「第一の波がインターネットのインフラストラクチャーの基礎を据え、第二の波がそれに加えて重要な応用（e－コマース、ソーシャルメディア、検索など）を築いたのに対し、第三の波はこれらの技術を実質的にすべての経済の非デジタルセクター、例えば健康管理、金融、農業、製造業、そして数えきれないほどのその他の者に埋め込むことを含んでいる。Ian Hathaway, "The Third Wave of Digital Technology Meets the Rustbelt," *Brookings: The*

Avenue, May 27, 2016.

(12) John Markoff, "Skilled Work, Without the Worker," *New York Times*, August 18, 2012. 工場のオートメーション化率は加速している。合衆国の三分の二の製造業者は既に３－Ｄプリンティング技術を採用していて、その一方で全世界的には産業ロボットの採用は二〇一三年以降倍増している。Daniel Araya and Christopher Sulavik, "Disrupting Manufacturing: Innovation and the Future of Skilled Labor," *Brookings: The Brown Center Chalkboard*, May 6, 2016; and Darrel West, "How Technology Is Changing Manufacturing," *Brookings TechTank*, June 2, 2016.

(13) Markoff, "Skilled Work."

(14) "Machines Learning," *Economist, December* 3, 2016, p. 53; Commission of the European Communities, "Internet of Things: An Action Plan for Europe," June 18, 2009. (PDF).

(15) *World Employment Social Outlook: Trends 2016* (Geneva: ILO, 2016); *Toward Solutions for Youth Employment: A 2015 Baseline Report*, at s4ye.org.

(16) もちろん都市化－工業化－近代化の三連構造のリンクの解除には先例がある。たとえばトロツキーは独裁政治のロシアを「近代化なしの工業化」の例とみなした。Baruch Knei-Paz, *The Social and Political Thought of Leon Trotsky* (Oxford: OUP, 1978), pp. 94-107の魅力的な議論を見よ。

(17) Michael Goldman, "With the Declining Significance of Labor, Who Is Producing our Global Cities?" *International Labor and Working-Class History* 87 (Spring 2015), pp. 137-64 (on Bangalore); Olu Ajakaiye, Afeikhena T. Jerome, David Nabena and Olufunke A. Alaba, "Understanding the Relationship between Growth and Employment in Nigeria," *Brookings Paper*, May 2016. On the World Economic Forum's concept of the "Fourth Industrial Revolution," see weforum.org.

(18) David Neilson and Thomas Stubbs, "Relative Surplus Population and Uneven Development in the Neoliberal Era: Theory and Empirical Application," *Capital and Class* 35: 3 (2011), p. 451.

(19) "The Results of the Immediate Process of Production," CW34, p. 204.『資本論第一部草稿　直接的生産過程の諸結果』（光文社）、二七七―八頁。

(20) Schwartz, "Vivons-nous encore dans une societé des classes?" 彼がおこなった、最近二世代にわたってネオリベラリズムが、鉱夫、バスの運転手、機械工の意識に対して与えた影響の民族史的研究は、サルコジおよびマリーヌ・ルペンが成功を収めたことを理解しようとすれば必要不可欠な背景情報である。

(21) Quoted in David McLellan, *Marxism After Marx* (New York: Houghton Mifflin, 1981), p. 37.

(22) Nick Srnicek and Alex Williams, *Inventing the Future: Folk Politics and the Left* (London: Verso, 2015), p. 157.

(23) 労働統計局によれば、合衆国には現在四〇万人の機械工、二八〇万人の登録された看護師、三五〇万人のトラック運転手、三五〇万人の幼稚園から高校までの教師がいる。さらに三六〇万人のファーストフード従業員、二七〇万人の警官、刑務所看守、保安要員がいる。

(24) Simon Charlesworth, *A Phenomenology of Working-Class Experience* (Cambridge: CUP, 2000), p. 2. これは産業空洞化の人間的コストと伝統的な労働文化の破壊についての骨抜きの説明である。

(25) 非正規性の定義と数量化の複雑さはまさに悪名高いが、最新の議論は、ILO, *Measuring Informality: A Statistical Manual on the Informal Sector and Informal Employment*（Geneva: ILO, 2013）である。

(26) Christian Marazzi, "Money and Financial Capital," *Theory, Culture, Society* 32: 7-8 (2015), p. 42.

(27) *A Critique of Hegel's Philosophy of Law: Introduction*, CW 3, p. 184.『全集』第一巻、「ヘーゲル法哲学批判、序説」、四二五頁。

(28) 台頭しつつある階級の、全般的社会の利害を体現するという主張はもちろん古い支配階級によるそうした主張の否定を必然的に伴う。シエイエスは第三階級を国民と同一視することで同時に貴族に国民の敵という役を割り振った。「特権のために彼らは能動的な生産者ではなく怠惰な富の消費者となるから、特権と他の国民を支配する法の例外扱いを求めるから、そして三部会において別個の一団で審議をおこなうことで他のフランス人からのこうした差別を守ったから、彼らの利害は国民一般の利害から完全に取り除かれた」。William Sewell, *A Rhetoric of*

Bourgeois Revolution: The Abbe Sieyès and What is the Third Estate? (Chapel Hill, NC: Duke University Press, 1994), p. 5. 第三階級の法律上の概念はすべての平民を含むとはいえ、初期の革命ではそれはほとんど完全に資産ある者か専門職にある者によって代表されていた。

(29) Gil Delannoi, "Review of André Jardin, *Histoire du Libéralisme politique* ...," *Esprit* 106: 10 (October 1985), p. 105. を見よ。

(30) 「修正主義者」のフランス革命に対する説明（フュレ、オズーフ、マーサ等々）は、政治においても指導者層においてもそれは間違いなく「ブルジョア的」だったという一切の主張を退ける。実際彼らは一七八九年におけるフランス・ブルジョアジーの存在を否定する。階級一般が彼らの研究では消失する。この議論の簡潔な概観とこの事例をブルジョア革命だとする強い再声明についてはHenry Heller, "Marx, the French Revolution, and the Spectre of the Bourgeosie," *Science & Society* 74: 2 (April 2010), pp. 184–214. を見よ。

(31) Eric Hobsbawm, *Echoes of the Marseillaise* (New Brunswick, NJ: Rutgers University Press, 1990), p. 9.

(32) Quoted in Warren Breckman, *Marx, the Young Hegelians, and the Origins of Radical Social Theory* (Cambridge: CUP, 1999), p. 301.

(33) Stathis Kouvelakis, *Philosophy and Revolution: From Kant to Marx* (London: Verso, 2003), p. 270.

(34) François Furet, "Le Jeune Marx et la Revolution Francaise," in Furet, ed., *Marx et la Revolution Francaise* (Paris: Flammarion, 1986), pp. 13–43, especially p. 32. における議論を見よ。ブーシェとルーのプロジェクトは、「革命を自らの利益のために没収しようとする」ブルジョアの試みにはっきりと反撃することを目指していた。Jeremy Jennings, *Revolution and the Republic: A History of Political Thought in France Since the Eighteenth Century* (Oxford: OUP, 2011), p. 262.

(35) Quoted in Jean Bruhat, "La Revolution Française et la Formation de la Pensée de Marx," *Annales historiques de la Révolution francaise* 184 (April-June 1966), p. 127. これはこの話題に関する草分け的調査で、少なくとも私の意見では、フュレの小さな本よりも細部と説明においてより豊かだった。

（36）François Furet, *Marx and the French Revolution* (Chicago: University of Chicago Press, 1988), p. 19.

（37）Ibid., p. 23.

（38）Breckman, *Marx*, p. 283.ブレックマンは、一八四三年までにマルクスは既に社会主義に対して「倫理的関わり」をしていたと考えている。これが正しいとするなら、かれが公然と「ジャコバン」ないしは革命的民主主義を自任した時期は一年と続かなかったことになる。

（39）Lorenz von Stein, *The History of the Social Movement in France, 1789-1850*, ed. and transl. Kaethe Mengelberg (Totowa, NJ: Bedminister, 1964), pp. 264-5.これは一八五〇年の第三版のお粗末で部分的な翻訳である。引用されている部分は元の一八四二年版（*Socialism and Communism in Contemporary France*と題された）にあると思うが、良い図書館を利用できるドイツの読者は比較をしてみるべきだろう。シュタインがプロシアの警察によってこの報告書を書くよう依頼されたという事実は若いドイツの急進派たちのあいだでの人気を少しもそぐものではなかった。David McLellan, *Karl Marx: A Biography* (London: Macmillan, 1973), pp. 45-6. 一八九〇年代にフランツ・メーリングとピョートル・ストルーベはシュタインのマルクスに対する影響について記憶すべき議論をおこなった。

（40）Lloyd.Kramer, *Threshhold of a New World: Intellectuals and the Exile Experience in Paris, 1830-1848* (Ithaca: Cornell University Press,1988), p. 144.

（41）CW3' pp. 201-2『全集』第一巻、四四一頁。

（42）Neil Davidson, *How Revolutionary Were the Bourgeois Revolutions?* (Chicago: Haymarket, 2012), p. 120. My emphasis.

（43）Dorothy Thompson, *The Chartists* (London: Temple Smith, 1984), p. x. さらに、「一八四八－一八四九年という年はドイツ史上初めて全国に及ぶ労働運動の出現を見た」。Arbeiterverbruderung（労働者友愛会）、ラルフ・ロスによれば職人と労働者の協会の緩いとしても印象的なネットワーク、は四〇〇の市や町に支部があった。Ralf Roth, "*Burger* and Worker," in David Barclay and Eric Weits eds. *Between Reform and Revolution: German Socialism and Communism from 1840 to 1990* (New York: Berghahn, 1998), P. 114.

(44) 私の計算。Hal Draper, *The Marx-Engels Chronicle*, vol. 1 of *The Marx-Engels Cyclopedia* (New York: Schocken, 1985) から集計した。

(45) Théodore Dézamy, *Calomnies et Politique de M. Cabet* (Paris: Prévost, 1842), p. 8.

(46) Michael Löwy, *The Theory of Revolution in the Young Marx* (Chicago: Haymarket: 2005), pp. 104-5. 強調は原文。

(47) もっと正確には、マルクスは反対の意見を抱いていた。経済的発展を職人的／産業的の混合段階に凍結することになる空想的社会主義者ないしは小生産者主義者の計画にマルクスは批判的だった。しかし、ポスト一八四八年の視点からは、民主革命とその社会革命への「成長」の可能性に関して彼は控えめに言っても楽観的すぎた。経済的諸段階と革命のための「客観的諸条件」とのあいだの関係は、彼の著作のたえざるテーマでもあり、内的な議論でもある。

(48) Karl Marx, "Contribution to the Critique of Hegel's Philosophy of Law, Introduction," *CW* 3, p. 182. 『全集』第一巻、「ヘーゲル法哲学批判、序説」、四二二頁。

(49) 「キリスト教に対するドイツ人の批判は、フランス人急進派に啓蒙時代の無神論と唯物論、すなわちルイ・ブランのような著述家が、フランス革命に勝利し、そして真の民主的社会を作る出すのを阻止し続けたブルジョア自由主義者たちのイデオロギーだと感じ取ったものを思い出させた。ブランやその他はフランスの急進党の目的について書いた時、宗教的モデルを使うのを好んだのに対して、マルクスと急進的ヘーゲル主義者たちは、社会的批判と行動からすべての宗教的な正当化と指示物とを取り除きたいと思った」。Kramer, p. 182.

(50) Zinoviev, speaking in 1924, quoted in Lars Lih, *Lenin Rediscovered: What Is to Be Done? in Context* (Leiden: Brill, 2006), p. 30.

(51) Daniel Bensaïd, *Marx for Our Time: Adventures and Misadventures of a Critique* (London: Verso, 2002), pp. 99, 103, 107. See also Ellen Wood, *The Retreat from Class: A New "True" Socialism* (London: Verso, 1986), p. 5.

(52) Georg Lukács, *History and Class Consciousness: Studies in Marxist Dialectics* (Cambridge, MA: MIT Press, 1971 [1923]), p. 46. 『歴史と階級意識』（白水社、一九九一年）、九九頁。

(53) わたしが初期の哲学的・歴史的著作のプロレタリアートと区別して「『資本論』のプロレタリアートという時、『資本論要綱』および『一八六一−六三年の経済学草稿』を含めた未完の全著作に言及している。

(54) Marcello Musto, "The Rediscovery of Karl Marx," *International Review of Social History* 52 (2007), p. 478.

(55) Étienne Balibar, *The Philosophy of Karl Marx*, new edn (London: Verso, 2017), p. 6. バリバール『マルクスの哲学』（法政大学出版局、一九九五年）、九頁。

(56) Michael Lebowitz, *Beyond Capital: Marx's Political Economy of the Working Class* (London: Macmillan, 1992), p. 14, 152. See also Roman Rosdolsky, "Appendix 1. The Book on Wage-Labour," in his *The Making of Marx's "Capital,"* (London: Pluto, 1977), pp. 57-61. 『資本論』についての最近の実に見事な本の中で、カリニコスは、「労働日に関する章［第一部］は、『資本論』の一方性というレボウィッツの主張に対する「もっとも明快な反駁である」と論じている。しかしレボウィッツは『第一部』にプロレタリアの実践の例が含まれていることをはっきりと認めていて、その上で長々と——そしてわたしの考えでは説得力を持って——マルクスのとりわけ初期の著作から失われ、そして『賃金−労働』の章の中身となったであろう要素を列挙しているのだ。Alex Callinicos, *Deciphering Capital: Marx's Capital and Its Destiny* (London: Bookmarks, 2014), p. 309.

(57) Werner Sombart, *Why Is There No Socalism in the United States?* (London: Macmillan, 1976). Robert Michels, *Political Parties: A Sociological Study of the Oligarchical Tendencies of Modern Democracy* (New York: Free Press, 1962). The 1915 English translation is also a revision of the original 1911 German book, with an important new chapter on "Party Life in Wartime."

(58) これらの覚え書きは"The Special Class," Chapter 2 of Hal Draper, *Karl Marx's Theory of Revolution, II: The Politics of Social Classes* (New York: Monthly Review, 1978), pp. 33-48. のテーゼの大胆な拡大と思われるかもしれない。ドレイパーの三部作は、二巻本の*The Marx-Engels Cyclopeida*ともども、マルクスの政治−理論的遺産を航海し理解するための無比の情報源である。

(59) David Shaw, "Happy in Our Chains? Agency and Language in the Postmodern Age," *History and Theory* 40

(December 2001), pp. 19, 21.

（60）Alex Callinicos, *Making History: Agency, Structure, and Change in Social Theory* (Leiden: Brill, 2005［1987］).わたしはまた、階級意識と主体に関する産業社会学の重要な論争（膨大な文献）も回避する。たとえばMichael Burawoyは一九八四年の影響力ある論文の中で、戦闘的行動と意識に対するプロレタリアの潜在能力は、工場制度の内部と外部の双方にある「生産の政治」との関係で理解されなければならないと提案した。異なった工場制度が、労働過程と、家族構造、資本家間の競争、国家形態との相互作用によって形作られると彼は論じた。十九世紀のランカシャー、ニューイングランド、そしてロシアの繊維産業の複雑な比較は、この研究方法の実りの多さを見事に例証し、またそれは、その他の点では似たような産業で存在したかもしれない、複雑に変化する社会的規制の形態を例証した。Burawoyは繊維の事例研究から全国的な労働者階級の対照的な革命的可能性に関する大規模な一般化への裏づけのない飛躍をおこなったと非難されたが、彼の批判者たちは「生産の政治」は、従来のマルクス主義ないしは制度学派の労働過程と階級意識の分析に大きな概念的前進を示したことを認めた。Michael Burawoy, "Karl Marx and the Satanic Mills: Factory Politics under Early Capitalism in England, the United States, and Russia," *AJS* 90: 2 (1984), pp. 247-82. Buroway expanded his analysis of factory regimes the following year in *The Politics of Production* (London: Verso, 1985).

（61）初期のロンドンの論説のひとつ（「評論一八五〇年五月－一〇月」）の中で、マルクスは最初に、一八四八年の革命は一八四七年の経済危機によって火をつけられ、この革命的時期は一八四九年の末に繁栄が戻ってくると終わったと論じた。彼はのちにこの論説を『フランスにおける階級闘争』の四に組み込んだ。

（62）The key texts are Rosa Luxemburg, "Militarism in the Sphere of Capital Accumulation," Chapter 32 of *The Accumulation of Capital* (*Complete Works, Volume 2* (London: Verso, 2016), pp. 331-4; and Lenin, "The Impending Catastrophe and How to Combat It"［1917］, *CW* 25, pp. 323-69.

（63）アルゼンチン、オーストラリア、ニュージーランドの労働運動も容易くこのリストにつけ加えられたろうが、日本はまだであった。

（64）独断的な批判者に応えてルカーチは、フランツ・メーリングのＳＰＤの歴史を引用して工場の大きさと階級意識のあいだのいかなる単純な相関関係にも異議を唱えた。大工場の熟練機械労働者は長く根気強い組織化によってやっと社会民主主義に引き入れられたのに対して、「葉巻労働者、靴の修理屋、仕立て屋等々は革命的運動の隊列にもっと素早く加わった」。Georg Lukács, *A Defence of* History and Class Consciousness: *Tailism and the Dialectic* (London: Verso, 2000 [1925/26]), pp. 68-9.

（65）Marcel van der Linden and Wayne Thorpe, "The Rise and Fall of Revolutionary Syndicalism," in their edited volume, *Re"volutionary Syndicalism: An International Perspective* (Aldershot, UK: Scolar, 1990), pp. 1-25. における議論を見よ。

（66）BenSaïd, *Marx for Our Time*, p. 118.

（67）Roger Magraw, "Socialism, Syndicalism and French Labor Before 1914," in Dick Geary, ed., *Labour and Socialist Movements in Europe Before 1914* (Oxford: Berg, 1989), p. 53.

（68）「ル・クルーゾではシュナイダー［所有者］が代議士で、お城に住み、町の広場に自分の像を建てさせた。彼の召使が忠実な従業員たちに結婚の贈り物を運んだ」(Magraw, P. 63)。ジョージ・プルマンは住んでいる労働者に召使を使って贈り物を届けさせはしなかったが、その代わりに、「監視人」を潜入させ、「従業員たちのあいだで経営者を非難したり批判したりするいかなる兆しも言葉も上司に通報させた」。Almont Lindsey, *The Pullman Strike* (Chicago: University of Chicago Press, 1942), p. 64.

（69）Yavuz Karakisla, "The 1908 Strike Wave in the Ottoman Empire," *Turkish Studies Association Bulletin* 16: 2 (September 1992), p. 155.

（70）Kevin Callahan, "The International Socialist Peace Movement on the Eve of World War I Revisited," *Peace & Change* 29: 2 (April 2004), p. 170.

（71）Statistic fromYury Polyakove cited in Robert Gerwarth, "The Central European Counter-Revolution: Paramilitary Violence in Germany, Austria and Hungary After the Great War," *Past and Present* 200 (August

2008), p. 181.

(72) Charles Maier, *Recasting Bourgeois Europe* (Princeton, NJ: Princeton University Press, 1975), p. 136.

(73) 「この解放の頭は哲学、心臓はプロレタリアートである。プロレタリアートの廃絶なくしては哲学は現実とはなりえず、プロレタリアートは哲学が現実となされなければ廃絶させられることはない」。*CW*4, p. 187.『全集』第一巻、四二八頁。

(74) 「一八四四年　序説」、*CW*3, p. 186.『全集』第一巻、四二七頁［および三九四頁］。

(75) Joachim Singelmann and Peter Singelmann, "Lorenz von Stein and the Paradigmatic Bifurcation of Social Theory in the Nineteenth Century," *British Journal of Sociology* 37: 3 (September 1986), p. 442.

(76) *CW*4, pp. 36-7.『全集』第二巻、三四頁。

(77) Karl Kautsky, *From Handicraft to Capitalism* (London: SPGB, 1907), pp. 14, 15. This is a separate translation of a chapter in *The Class Struggle* ("The Erfurt Program"), 1892.

(78) ヘシアンのギルドから一八四八年のフランクフルトの集会へあてた請願より。P. Noyes, *Organization and Revolution: Working-Class Associations in the German Revolution of 1848-1849* (Princeton, NJ: Princeton University Press, 1966), p. 25. クリストファー・ジョンソンはリヨンの絹織工たちのあいだでイカリア共産主義が人気があったことについて書き、彼らを一八四〇年ごろに「大陸で一番成熟し政治的意識の高かった労働者階級」だと説明した。Christopher Johnson, "Communism and the Working Class before Marx: The Icarian Experience," *American Historical Review* 76: 3 (June 1971), p. 658.

(79) Karl Marx, *Grundrisse* (London: Allen Lane/New Left Review, 1973), p. 604.

(80) Marc Mulholland, "Marx, the Proletariat, and the 'Will to Socialism,'" *Critique* 37: 3 (2009), pp. 339-40.

(81) David Montgomery, "Commentary and Response," *Labor History* 40: 1 (1999), p. 37.

(82) Marx, *Grundrisse*, p. 770.

(83) Maxine Berg, Pat Hudson and Michael Sonenscher, eds, *Manufacture in Town and Country Before the Factory*

(Cambridge: CUP, 1983). におけるエッセイを見よ。

(84) Sanford Elwitt, "Politics and Ideology in the French Labor Movement," *Journal of Modern History* 49: 3 (September 1977), p. 470.

(85) Ronald Aminzade, "Class Analysis, Politics, and French Labor History," in Lenard Berlanstein, ed., *Rethinking Labor History: Essays on Discourse and Class Analysis* (Urbana, IL: University of Illinois Press, 1993), p. 93.

(86) Jacques Rancière, "The Myth of the Artisan: Critical Reflections on a Category of Social History," *International Labor and Working-Class History* 24 (Fall 1983), p. 4.

(87) Karl Marx, *Capital Volume I* (London: Penguin, 1976), p. 574.『資本論　第1部』、七一八頁〔資本論の日本語版頁数はすべて青木書店（一九五四年）による〕。マルクスはもちろん、全体としての賃金労働者がすべての先進的工業社会で圧倒的な多数を占めるだろうと確かに信じていた。

(88) Adam Przeworski, "Proletariat into a Class: The Process of Class Formation from Karl Kautsky's *The Class Struggle* to Recent Controversies," *Politics and Society* 7: 4 (1977), pp. 358-9.

(89) *Capital Volume I*, pp. 517, 574-5『資本論　第1部』、七一九頁。バーバラ・クレメンツによれば、革命以前のロシアでは「賃金のために働いている女性のほとんど半数は家事労働者だった（おおよそ一〇〇〇万人）」。Barbara Clements, "Working-Class and Peasant Women in the Russian Revolution, 1917-1923," *Signs* 8: 2 (Winter 1982), p. 225.

(90) Leonore Davidoff, "Mastered for Life: Servant and Wife in Victorian and Edwardian England," *Journal of Social History* 7 (1974), pp. 406-28. を見よ。

(91) For the legal history on both sides of the Atlantic, see Part III, "Law, Authority, and the Employment Relationship," in Christopher Tomlins, *Law, Labor, and Ideology in the Early American Republic* (Cambridge: CUP, 1993), pp. 223-94.

(92) Mary Nolan, "Economic Crisis, State Policy, and Working-Class Formation in Germany, 1870–1900," in Ira

Katznelson and Aristide Zolberg, eds, *Working-Class Formation: Nineteenth-Century Patterns in Western Europe and the United States* (Princeton, NJ: Princeton University Press, 1986), p. 364.

(93) Raphael Samuel, "Mechanization and Hand Labour in Industrializing Britain," in Lenard Berlanstein, ed., *The Industrial Revolution and Work in Nineteenth-Century Europe* (London: Routledge, 1992), p. 38. これは機械を別の諸部門に導入させるためにひとつの部門に導入するという傾向に対する逆圧力である。*Capital Volume* I, p. 393. を見よ。

(94) Gareth Stedman Jones, *Outcast London: A Study in the Relationship Between Classes in Victorian Society* (Oxford: OUP, 1971), p. 107.

(95) マルクスはロンドンにおけるユダヤ人社会主義者の初期の活動にほとんど興味を示さなかったように思えるが、彼の死後エリノアはエンゲルスの熱烈な支持を得て〈ユダヤ人社会主義者クラブ〉の常連となった。エンゲルス自身は第二インターナショナルのメンバー中の反ユダヤ主義のもっとも激烈な敵だった。

(96) *Capital Volume I*, p. 467.『資本論　第一部』、五八〇頁。

(97) *The Poverty of Philosophy*, CW6, p. 183.『全集』第四巻、一五四頁。*CW*34, p. 123.『直接的生産過程の諸結果』(光文社)、二四八頁。

(98) "The Results of the Direct Process of Production", *CW*34, pp. 428-9.『直接的生産過程の諸結果』二二四－五頁。

(99) Étienne Balibar, "On the Basic Concepts of Historical Materialism," in Louis Althusser and Étienne Balibar, *Reading Capital* (London: Verso, 2015), p. 404.『資本論を読む』(合同出版)、三四一頁。

(100) "The Results of the Immediate Process of Production," *CW*34, pp. 14–18.

(101) Carlo Vercellone, "From Formal Subsumption to General Intellect: Elements for a Marxist Reading of the Thesis of Cognitive Capitalism," *Historical Materialism* 15 (2007), p. 24.

(102) *Capital Volume I*, pp. 423, 510.『資本論　第一部』、六八六頁。「一八三〇年以降ただ労働者階級の反乱に対する武器を資本に提供することのみを目的としてなされた発明の立派な歴史だって書くことができるだろう」(p. 436. 日

本語訳七〇三頁)

(103) *CW34*, p. 30.

(104) Ibid., p. 429.強調は原文。『直接的生産過程の諸結果』、二二五頁。この区別とそれが階級形成に持つ意味についての精巧な区別については、David Neilson, "Formal and Real Subordination and the Contemporary Proletariat: Re-coupling Marxist Class Theory and Labour-Process Analysis," *Capital & Class* 31: 1 (Spring 2007), pp. 89-123を見よ。

(105) Friedrich Lenger, "Beyond Exceptionalism: Notes on the Artisanal Phase of the Labour Movement in France, England, Germany and the United States," *International Review of Social History* 36 (1991), p. 2.

(106) Robert Hoffman, *Revolutionary Justice: The Social and Political Theory of P.-J. Proudhon* (Urbana: University of Illinois Press, 1972), pp. 311-15. を見よ。特定の闘争に対して適用されるような区別を誇張すべきではない。たとえば一八四〇年代には、職人と工場労働者が単一の階級のように行動することは珍しくもなんともなかった。チャーチスト運動は両方のグループの同盟だし、一八四四年のシレジアの織工たちの大反乱はベルリンのキャリコ工場と鉄道労働者のあいだでのストライキを直接伴った。P. H. Noyes, *Organization and Revolution: Working-Class Associations in the German Revolutions of 1848-1849* (Princeton, NJ: Princeton University Press, 1966), p. 34.

(107) André Gorz, *Strategy for Labor* (Boston: Beacon, 1967), p. 3.

(108) Herbert Marcuse, *One-Dimensional Man* (Boston: Beacon, 1964), p. 26 fn 7. Rosdolskyはこの搾取と窮乏との関係に対して*The Making of Marx's "Capital,"*の中で猛然たる攻撃に乗り出し、それをまさに「伝説」と呼ぶ(p. 307)。しかし注意深い読者はRosdolskyの嘲りの対象は長期間にわたる(増大してゆく)貧窮化、つまりスターリン主義者のドグマが「絶対的窮乏化」と呼んだものであり、不況期と戦争の時に雇用と生活水準が破壊されることではないと気づくだろう。

(109) Lebowits, *Beyond Capital*, Capter 2.レボウィッツはマルクスを、わたしは正確にもと思うのだが、窮乏化はあらゆる時期に資本主義につきものであるが、その中身——再生産的最小限——はさまざまに異なると断言したと説明する。彼はまた正しくも、窮乏化はおのずと階級意識を生み出すわけではないとも強調する。しかし同時に、マルクーゼは貧窮化ないしは脅威がすべての真正の革命的危機の経験的な必要条件だという信念をマルクスに帰したという点でより正確だったとわたしは信じている。

(110) この恐慌はイングランド銀行が手形割引業者・手形仲買人などに代表される「影の銀行」を救済するのを拒んだことから起こった。この経験が、Walter Begehotが有名な*Lombard Street*（1873）の中で主張した原則に従って「最後の貸し手」としての銀行の近代的方針につながった。近年の金融の大失敗は一八六六年の出来事に対する興味を復活させている。「〈連邦準備銀行〉が二〇〇八年に〈リーマン〉を助けるのを拒んだこととそれに続く出来事との類似は単に心をそそるばかりではない。それは道理にかなっているのだ」。(Marc Flandreau and Stefano Ugolini, "Where It All Began: Lending of Last Resort and the Bank of England during the Overend-Gurney Panic of 1866," *Norge's Bank Working Paper*, 2011, p. 4.)

(111) *Capital Volume I*, p. 668.『資本論　第一部』、一〇三〇頁。

(112) Jeffry Frieden, *Global Capitalism: Its Fall and Rise in the Twentieth Century* (New York: Norton, 2006), p. 121.

(113) マルクスは、組合には労働者が不況期に譲歩するのを防ぐ力がないのだから労働に対する需要が大きい繁栄期により高い賃金を求めて戦うのはより重要なことである、と論じていた。（CW20, p 143.）『全集』十六巻、「賃金・価格および利潤」、一四六頁。

(114) Eric Hobsbawm, *The Age of Empire: 1876-1914* (New York: Vintage, 1989), pp. 46-9.

(115) 一八九二年の公表されなかった草稿の中でエンゲルスは次のように主張した。「一八六八年以降、恐慌が起こっていないということもまた、世界市場の拡大に基づくものである。これが過剰なイギリスないしはヨーロッパの資本を世界全体にわたって、交通設備資本等々に、またかなり多くの投資分野にも配分する。だから、鉄道、銀行等々、あるいはアメリカに特有な投資、ないしはインドの事業への過剰投機による恐慌は不可能になったが、アルゼンチンの恐慌のような小恐慌は三年前から可能となっている。しかしこのすべては巨大恐慌が準備されていることを証明している」。"On Certain Peculiarities in England's Economic and Political Development," September 12,1892, CW27, pp. 324-5.『全集』第二二巻、「イギリスの経済的、政治的発展の若干の特殊性について」、337頁。

(116) Leon Trotsky, *Manifesto of the Communist International to the Workers of the World*, March 6, 1919, in Jane Degras, ed, *The Communist International: Documents, 1919–1943, Volume 1 (1919–1922)* (Oxford: OUP, 1956), p. 40.

(117) *CW*11, p. 187.『全集』第八巻、一九四頁。

(118) Eric Hobsbawm, "Class Consciousness in History," in István Mészáros, ed., *Aspects of History and Class Consciousness* (London: Routledge, 1971), p. 9.

(119) Constantin Pecqueur, *Économie sociale ... sous l'influence des applications de la vapeur* (Paris: Desessart, 1839), pp. xi, 62-3.国家社会主義についてかなり不吉な意見を述べたPecqueurはこれまで時おりフランスの著述家たちによって「フランスのマルクス」と賛美されてきた。Joseph Marie, *Le socialisme de Pecqueur* (Whitefish, MT: Kessinger, 2010［1906］), pp. 66-7, 108-10. を見よ。

(120) Katherine Archibald, *Wartime Shipyard: A Study in Social Disunity* (Berkeley, CA: University of California Press, 1947).

(121) Ralph Darlington, "Shop Stewards' Leadership, Left-Wing Activism and Collective Workplace Union Organization," *Capital & Class* 76 (2002), p. 99.

(122) 時として職場の抵抗は移民グループによって工場なり鉱山なりに持ち込まれた地下の伝統によって組織された。たとえば、一八六〇年代-七〇年代にペンシルベニアの無煙炭地帯におけるMolly Maguifresは大部分がドネガル地域から来たアイルランド語を話す者たちで、秘密組織と地主の暴力に反撃する暴力の歴史を持っていた。Kevin Kennyによる注目すべき研究, *Making Sense of the Molly Maguires* (New York: New York University Press, 1995) を見よ。

(123) Kevin Murphy, *Revolution and Counterrevolution: Class Struggle in a Moscow Metal Factory* (Chicago: Haymarket, 2007), pp. 12, 18.

(124) Roger Friedlander, *The Emergence of a UAW Local, 1936–1939: A Study in Class and Culture* (Pittsburgh:

University of Pittsburgh Press, 1977).

(125) *CW6*, p. 211.『全集』第二巻、「イギリスにおける労働者階級の状態」、四五九頁。

(126) *CW6*, p. 211.『全集』第四巻、一八八–九頁。

(127) Gerald Friedman, *State-Making and Labor Movements: France and the United States, 1876–1914* (Ithaca, NY: Cornell University Press, 1998), pp. 50-1.

(128) Nick Salvatore, *Eugene V. Debs: Citizen and Socialist* (Urbana, IL: University of Illinois Press, 1992), p. 138.

(129) Michelle Perrot, "1914: Great Feminist Expectations," in Helmut Gruber and Pamela Graves, eds, *Women and Socialism, Socialism and Women: Europe Between the Two World Wars* (New York: Berghahn, 1998), p. 27.

(130) *Capital Volume I*, p. 553.『資本論　第一部』、六九〇頁。

(131) Sidney Pollard, "Factory Discipline in the Industrial Revolution," *The Notes* 241, *Economic History Review* (new series) 16: 2 (1963), p. 260.

(132) Kathleen Canning, "Gender and the Politics of Class Formation: Rethinking German Labor History," *American Historical Review* 97: 3 (June 1992), p. 757.

(133) Barrington Moore, Jr, *Injustice: The Social Bases of Obedience and Revolt* (White Plains, NY: M. E. Sharpe, 1978), p. 268.

(134) 労働者の怒りはとりわけガラス製造業者のEugine Baudouxに対して向けられたが、彼はガラス吹き職人の技術を必要としない新しい技術を導入していたのだ。ヨーロッパで一番近代的だった工場と彼の大邸宅は焼き討ちされた。Gita Deneckere, "The Transforming Impact of Collective Action: Belgium, 1886," *International Review of Social History* 38 (1993), pp. 350-2.

(135) Moore, *Injustice*, p. 253

(136) Abraham Ascher, *The Revolution of 1905: Russia in Disarray* (Palo Alto, CA: Stanford University Press, 1988), pp. 140-1.

(137) Pioneer management consultant Mary Parker Follett, quoted in Wallace Hopp and Mark Spearman, *Factory Physics: Foundations of Manufacturing Management* (Chicago, IL: Irwin, 1996), p. 40.

(138) Marcel van der Linden and Wayne Thorpe, "The Rise and Fall of Revolutionary Syndicalism," in van der Linden and Thorpe, *Revolutionary Syndicalism*, p. 11.

(139) Alain Cottereau, "The Distinctiveness of Working-Class Cultures in France, 1848–1900," in Ira Katznelson and Aristide Zolberg, *Working-Class Formation: Nineteenth-Century Patterns in Western Europe and the United States* (New Haven, NJ: Princeton, 1986), pp. 131-3, 140.

(140) Ibid., pp. 146-7.

(141) Leon Trotsky, *The History of the Russian Revolution* (three volumes in one) (New York: Simon & Schuster, 1937) p. 11.『ロシア革命史㈠帝政の転落』（角川文庫、二八－九頁）。一九〇一年のメーデーのあいだに起こった、ペテルブルクの造船所や工場での労働者と武装警官の血なまぐさい衝突に続いてBaltic Worksの所長だったRatnik将軍は冶金従業員の構成に関する洞察力にとんだ研究を配布した。労働者たちの約五分の一は最熟練で読み書きができ、トロツキーの言う「代々の労働者」層に属し、最も有能な労働者でもあれば最も危険な活動家でもあった。彼らの家族は大部分が職人ないしは小ブルジョアの出身で、あるいはもともとは田舎から出てきたとしても、都市に長いこと住んでいた。しかし従業員の大多数、特に「熱い職場」で働く者たちは新しく採用された農民で、そのうちの約半数は田舎の地割や村のきずなを維持していた。Ratnik将軍は彼らが伝統的な権威に最も敬意を払うが、同時に技術や労働生産性の要請に対処する用意が最もできていないと認めた。生産性のための闘いは、経営者がラジカルなグループから切り離された近代的労働者を獲得し、「アメリカン・ラインズ」（すなわちテイラー主義）にそった生産の再編の中で味方にすることだと結論を下した。See Heather Hogan, "Scientific Management and the Changing Nature of Work in the St Petersburg Metalworking Industry, 1900–1914," in Leopold Haimson and Charles Tilly, eds, *Strikes, Wars and Revolutions in an International Perspective* (Cambridge: CUP, 1989), pp. 356–79.

(142) Charters Wynn, *Workers, Strikes, and Pogroms: The Donbass–Dnepr Bend in Late Imperial Russia, 1870–1905* (Princeton, NJ: Princeton University Press, 1992), pp. 4-8.

(143) "Introduction" to Karl Marx's *The Class Struggles in France, 1848 to 1850* (1895), *CW* 27, p. 510. 『全集』第七巻、五一二頁。

(144) Ibid., p. 516. 『全集』第七巻、五一八－九頁。

(145) Ibid., p. 522. 『全集』第七巻、五三四頁。

(146) ヒルファーディングも、ＳＰＤの左派から、普通選挙権と社会主義者の大多数を守るための究極の武器としてゼネラルストライキを受け入れたが、その行使には「決定的な戦いへの意思」が求められるだろうとつけ加えた。カウツキーはただこの戦術の研究を提案しただけだった。Carl Schorske, *German Social Democracy, 1905–1917: The Development of the Great Schism* (Cambridge: Harvard University Press, 1955), pp. 35–6. を見よ。

(147) Phil Goodstein, *The Theory of the General Strike from the French Revolution to Poland*, Eastern European Monographs (New York: Columbia University Press, 1984), pp. 134-5.

(148) Janet Polasky, "A Revolution for Socialist Reforms: The Belgian General Strike for Universal Suffrage," *Journal of Contemporary History* 27: 3 (July 1992), p. 463.

(149) Jesper Hamark and Christer Thornqvist, "Docks and Defeat: The 1909 General Strike in Sweden and the Role of Port Labour," *Historical Studies in Industrial Relations* 34 (2013), pp. 22-3. 彼らはこの一月に渡るゼネラルストライキが、究極的には政府と雇用主たちがドックを開いておくことができたために崩壊したと論じている。

(150) Georges Sorel, *Reflections on Violence* (Glencoe, IL: Free Press, 1950), p. 145.

(151) Rosa Luxemburg, "The Mass Strike [1906]," in Helen Scott, ed., *The Essential Rosa Luxemburg* (Chicago: Haymarket, 2008), pp. 141, 147; Shorske, *German Social Democracy*, pp. 57-8. 「自然発生」に対するトロツキーのよく知られた批判についてはLeon Trotsky, "Who Led the February Insurrection?"—Chapter VIII of *The History of the Russian Revolution* (three volumes in one), Volume 1, pp. 142–52. 『ロシア革命史(一)帝政の転落』「八　だれ

が二月革命を指導したか？」を見よ。ロシア帝国の革命に加えて一〇〇万人の労働者がオーストリア帝国とザクセンでデモをおこなった。「ウィーンだけで二五万人がデモをおこなったと推測された」。Christoph Nonn, "Putting Radicalism to the Test: German Social Democracy and the 1905 Suffrage Demonstrations in Dresden," *International Review of Social History* 41 (1996), p. 186. を見よ。

（152）Lenin, "The Reorganization of the Party" (1905), CW10, p. 32; Goodstein, *Theory of the General Strike*, p. 153. レーニンはもちろん四年前に「何をなすべきか？」の中で、労働組合主義はプロレタリアートの自然な意識であると論じていた。

（153）Philip Foner, *The Industrial Workers of the World, 1905-1917* (vol. 4 of *The History of the Labor Movement in the United States*) (New York: International Publishers, 1980), pp. 281-94.

（154）Pierre Broué, *The German Revolution, 1917-1923* (Chicago: Haymarket, 2006 [1971]), p. 68.

（155）Patrick Cunninghame, "For an Analysis of Autonomia: An Interview with Sergio Bologna" (conducted in June 1995), *Left History* 7: 2 (2000), pp. 92-3.

（156）CW6, p. 354. 『全集』第四巻、三九三頁。

（157）CW34, p. 34. 『資本論』の中で蒸気を原動力とする工場の進化の説明（Andrew Ureの*Philosophy of Manufactures* 一八三五年を大いに利用した説明）を与えるに際してマルクスは、次のように述べている。「この高級な労働者たち……の仕事は機械類全体の世話をすることと、時おりそれを修理することで、彼らは「数としては取るに足りなく」、「技師や機械工、指物師などから成り立っている」。*Capital Volume I*, p. 545. 『資本論　第一部』、六八一頁。

（158）CW20, p. 11. 『全集』第一六巻、九頁。同様に、『資本論　第三部』の中に信用制度はいかにして社会主義経済を先取りした所有形態を生み出したかについて驚くべきではあるかもしれないが魅力的な説明がある。「資本主義的株式会社は協同組合工場と同じに、資本制生産様式から組合的生産様式への過渡的形態とみなされるべきであって、前者では対立が消極的に廃絶されていて、後者では積極的に廃絶されているだけである」。*Capital Volume III* (London: Penguin,1991), p. 545. 『資本論　第三部』、六二六頁。

(159) *Capital Volume I*, pp. 384-5 (sic).

(160) 英国の労働史研究者たちのあいだには似たような意見の一致がある。「熟練労働者たちは自分たちの職業的共同体をどうにかそのままに保ち、また地元の雇用主や当局者に抵抗できる強く安定した職業別組合を形成することができ、大陸の組合をはるかにしのぐ程度の団体交渉をおこなうことができた」。Flemming Mikkelsen, "Working-Class Formation in Europe and Forms of Integration: History and Theory," *Labor History* 46: 3 (August 2005), p. 288.

(161) Jhon Fosterは、一八四五年以後の急進的労働者の衰退と英国におけるビクトリア朝中期の労働貴族の台頭に関する有名な研究の中で、オールダムの重要な繊維機械産業における「請負親方」制度とその大きな木綿工業における「ペースメーカー」のエリートたちに関する詳細な説明を提出している。John Foster, *Class Struggle and the Industrial Revolution* (London: Weidenfeld & Nicholson, 1974), pp. 224-34.

(162) James Hinton, *The First Shop Stewards' Movement* (London: Allen & Unwin, 1973), p. 57.

(163) 合衆国ではもちろん科学的管理と「フォード主義」は職業別組合主義の生産時点情報管理の力に対して配備された重火器だっただけではなく、未熟練の移民を産業の「人間の燃料」として役立てるための戦略でもあった。同様に、初期のソビエト連邦ではテイラー主義は当然にも、一九一七年のプロレタリアートは内戦中に死んでしまうか、国家管理に引き抜かれるかしていたから、若く大部分は農民である労働者階級を産業的に統合するための先進技術と見られていた。

(164) 「さまざまな役割を持つ熟練労働者の消滅はまた、社会主義者の計画を引き受けそれを現実に移すことができる階級の消滅をも必然的に伴った」とGorzは主張する。「根本的に社会主義者の理論と実践の退化はその起源をここに持つ」。(Gorz, *Farewell*, p. 66)

(165) 合衆国では、強い組合の伝統のみならず硬質岩盤鉱夫としての古い技術も持ち込んだコーンウォール人の移民はすぐさまひとまとめに合衆国の鉱山管理のエリートとして昇進させられ、たいていの場合、彼らの下で働くアイルランド人労働者と衝突した。銅の中心地であったモンタナ州ビュートではこの二つのグループが別々のパレードを催しそれがしばしば乱闘と暴動で終わった七月四日〔アメリカ独立記念日〕は悪名が高かった。

(166) Eric Hobsbawm, *The Age of Capital: 1848–1875* (London: Weidenfeld & Nicolson, 1975), p. 225.

(167) Victoria Bonnell, *Roots of Rebellion: Workers' Politics and Organizations in St Petersburg and Moscow, 1900–1914* (Berkeley, CA: University of California Press, 1983), p. 159.

(168) Jeffrey *Haydu, Between Craft and Class: Skilled Workers and Factory Politics in the United States and Britain, 1890–1922* (Berkeley, CA: University of California Press, 1988) を見よ。

(169) 「一八九七年の争議は職場内での経営陣の特権をめぐって英国の産業で起こった最大の正面衝突だった」。金属加工部門内の生産の合理化は合衆国およびドイツの輸出業者との増大する競争によって駆り立てられた。R. Clarke, "The Dispute in the British Engineering Industry 1897–98: An Evaluation," *Economica*, May 1957), pp. 128-9.

(170) Michelle Perrot, "Introduction: From the Mechanic to the Metallo," in Leopold Haimson and Charles Tilly, eds, *Strikes, Wars, and Revolutions in an International Perspective: Strike Waves in the Late Nineteenth and Early Twentieth Centuries* (Cambridge: CUP, 1989), p. 266; Elisabeth Domansky, "The Rationalization of Class Struggle: Strikes and Strike 246; and Elisabeth Domansky, "The Rationbalization of Class Struggle; Strike and Strike Strategy of the German Metalworkers' Union, 1891–1922," in Haimson and Tilly, *Strikes, Wars, and Revolutions*, pp. 345-8.

(171) 大工場には実際二つのまったく別個な若年者の層があったとHaimsonは論じている。二世の親譲りの労働者と、田舎から最近流入してきた者たちである。第一のグループは「ボルシェビキ党の指導者たちと労働者大衆［第二グループ］とのあいだの中間リンクを構成し」そして「一九一三年の春と夏にはこれら元気のよい若者たちは……［臨時］ストライキ委員会から開かれた労働組合に流れ込み、より年上の世代のメンシェビキの組合主義者から指導権を奪っていた。Leopold Haimson, "The Problem of Social Stability in Urban Russia, 1905–1917 (Part One)," *Slavic Review* 23: 4 (December 1964), pp. 633-6.

(172) Chris Wrigley, "Introduction," in Wrigley, ed., *Challenges of Labour: Central and Western Europe, 1917–1920* (London: Routledge, 1993), pp. 4-5.

(173) Domansky, "Rationalization of Class Struggle," p. 350.

(174) Thierry Bonzon, "The Labour Market and Industrial Mobilization, 1915–1917," in Jay Winter and Jean-Louis Robert, eds, *Capital Cities at War: Paris, London, Berlin: 1914–1919* (Cambridge: CUP, 1997), p. 180.

(175) Ibid., p. 188.

(176) Moore, *Injustice*, p. 256.

(177) Chris Fuller, "The Mass Strike in the First World War," *International Socialism* 145 (posted January 5, 2015), at isj.org.uk.

(178) Eric Hobsbawm, *Uncommon People: Resistance, Rebellion and Jazz* (New York: New Press, 1998), p. 88.

(179) わたしはまだ文献中に包括的な類型論を見ていない。評議会の中には工場の組合から完全に独立しているものもあればまた、組合と重なり合うかあるいは工場委員会よりももっと過激なものもあった。全市的な原-ボルシェビキ的輪郭のストライキ委員会もあれば水兵や兵士を含む臨時地方自治政府もあった。ロシアではレーニンは最初、工場委員会と、彼らの、しばしばメンシェビキによって支配されていた組合の労働者による支配の要求を支持していたが、それから、メンシェビキが辞任すると、彼は元に戻って組合を支持した――そしてやがては内戦のあいだに生産の崩壊が起こると、一人でおこなう工場管理を支持した。Barbara Allen, Alexander Shlyapnikov: 1885-1937 (Chicago: Haymarket, 2016), pp. 111-12.

(180) Steve Smith, "Craft Consciousness, Class Consciousness: Petrograd 1917," *History Workshop* 11 (Spring 1981), p. 39.

(181) Ibid., pp. 39-40.

(182) Raimund Loew, "The Politics of Austro-Marxism," *New Left Review* I/118 (Nov.–Dec. 1979).

(183) Ralf Hoffrogge, *Working-Class Politics in the German Revolution* (Chicago: Haymarket, 2015), p. 110.

(184) Antonio Gramsci, "The Turin Workers' Councils," in Robin Blackburn, ed., *Revolution and Class Struggle: A Reader in Marxist Politics* (London: Fontana/Collins, 1977), p. 380.

(185) グラムシの「工場評議会」はもちろん戦略的漸近線であり、完全に実現されたビジョンではない。Carl Boggsが指摘するように「〔イタリアの〕ピエモンテ州に*Ordine nuovo*〔新秩序〕の時期に実際に現われた工場評議会は、グラムシによって明確に述べられた理論的規定に接近することはなかった。実際に姿を現わした何百ものうち、ほとんどは古い組合と提携した内部の委員会から発展してきて、これらはただ手探りですべての労働者のあいだでの真に民主的な参加へと動いていった」。その上、銀行と金融制度はブルジョアの支配下にあったままだった。Carl Boggs, "Gramsci's Theory of the Factory Councils: Nucleus of the Socialist State," *Berkeley Journal of Sociology* 19 (1974-75), p. 180.

(186) Stephen Marcusはこの章を「エンゲルスが書いたただ一つの最良のもの」とみなし、エンゲルスが機械化された工場からではなく、都市化から説明を始めたという決定に特別な重要性を与えている。Stephen Marcus, *Engels, Manchester, and the Working Class* (New York: Random House, 1974), pp. 144-5.

(187) Friedrich Engels, *The Condition of the Working-Class in England*, *CW*4, p. 418.『全集』第二巻、三五四頁。〔ただしこれは「大都市」の章ではなく、「諸結果」の中に出てくる〕。「初期の労働運動はとりわけ都市の現象だった」とLengerは主張する。「初期の工場労働者の多くは大都市に住んでいなかったから、この労働活動の都市への集中は、職人の優越が、職業的な構造が示唆するよりももっと強かったことを示唆している」。(Lenger, Beyond *Exceptionalism*, p. 4).明らかにもっとも古典的な産業の中心地のいくつか、例えばルール、サウス・ウェールズなどは異なった地理的モデルを形作った。鉱山と工場の村々のネットワークはお互いを、そしてニューポート、スウォンジー、ボーフム、エッセンなどの小・中規模の産業都市と結びつけた。

(188) Engels, *Condition of the Working-Class in England*, p. 421.『全集』第二巻、三五八頁。

(189) Chapter 1 ("Berlin") of Hugh McLeod, *Piety and Poverty: Working-Class Religion in Berlin, London and New York, 1870-1914* (New York: Holmes & Meier, 1996). を見よ。例えば結婚式ではプロレタリアのわずか三パーセントだけが生体拝受者だと考えられていた（p. 11）.

(190) Eric Hobsbawm, "Labour in the Great City," *New Left Review* I/166 (Nov.-Dec. 1987), p. 45.

(191) Ibid., p. 47.

(192) Michelle Perrot, "On the Formation of the French Working Class," in Ira Katznelson and Aristide Zolberg, eds, *Working-Class Formation: Nineteenth-Century Patterns in Western Europe and the United States* (Princeton, NJ: Princeton University Press, 1986), p. 102.

(193) Thierry Bonzon, "The Labour Market and Industrial Mobilization, 1915–1917," in Jay Winter and Jean-Louis Robert, eds, *Capital Cities at War: Paris, London, Berlin, 1914–1919* (Cambridge: CUP, 1997), p. 191.

(194) Tyler Stovall, *Paris and the Spirit of 1919* (Cambridge: CUP, 2012), p. 265.「郊外が都市の中心の幸福と文明を脅かし、門口の野蛮人を表わしているという考えはフランスでは長い歴史を持っている。それと同時に、二〇〇五年一一月の反乱が実証したように、郊外と多文化主義や不満を抱いた若者、イスラム原理主義との新しい結びつきは、政治的危機、実際に反乱の地帯としての都市辺境という考えを復活させた」(pp. 264-5)

(195) Shelton Stromquist, "'Thinking Globally; Acting Locally': Municipal Labour and Socialist Activism in Comparative Perspective, 1890–1920," *Labour History Review* 74: 3 (2009), p. 576.これは素晴らしく、大いに推奨できる論文である。

(196) もちろんすべての場所が地方自治体政治が労働運動にとって現実的な地勢にあるわけではない。ヨーロッパでは選挙で選ばれた地方政府がない都市があったし、あるいはドイツのように、中流階級に途方もない力を与えた複数投票によって選ばれる議会を持つ都市もあった。

(197) Christopher Ansell and Arhur Burris, "Bosses of the City Unite! Labor Politics and Political Machine Consolidation, 1870–1910," *Studies in American Political Development* 11: 1 (April 1997), p. 27.

(198) William Kenefick, *Red Scotland! The Rise and Fall of the Radical Left, c. 1872 to 1932* (Edinburgh: Edinburgh University Press, 2007), pp. 12-13.

(199) Steven Lewis, *Reassessing Syndicalism: The Bourses du Travail and the Origins of French Labor Politics*, Working Paper Series #39 (Cambridge, MA: Harvard Center for European Studies, 1992), pp. 2, 8-10.

(200) Carl Levy, "Currents of Italian Syndicalism before 1926," *International Review of Social History* 45 (2000), p. 230.

(201) Gwyn Williams, *Proletarian Order: Antonio Gramsci, Factory Councils and the Origins of Italian Communism, 1911-1921* (London: Pluto, 1975), p. 24.

(202) 一八四八年以降こわれてしまったフェミニズムと社会主義の本来の関係に関するまさに有名な説明に関しては、Barbara Taylor, *Eve and the New Jerusalem: Socialism and Feminism in the Nineteenth* Century (London: Virago, 1983) を見よ。

(203) ＳＰＤは畏敬すべきClara Zetkinのアジテーションがなかったら、オーストリアの党と同じような家長的態度をとっていたかもしれない。貴重な概要については、Ellen DuBois, "Woman Suffrage and the Left: An International Socialist-Feminist Perspective," *New Left Review* I/186 (July–August 1991), pp. 20-45を見よ。戦間期については Gruber and Graves, *Women and Socialism* を見よ。

(204) David Montgomery, *The Fall of the House of Labor* (New York: CUP, 1987), p. 1. Susan Porter Bensonの著作について語って、「彼女の発見は労働者階級の家族と近隣地区における相互支援と互恵関係の決定的に重要な役割を強調している。彼女は、そうした互恵的関係がたいていの場合は女性たちのあいだに存在していたが、男たちの場合は主に多かれ少なかれ自分たちの賃金を寄付する者という姿をとった。David Montgomery, "Class, Gender, and Reciprocity: An Afterward," in Susan Porter Benson, *Household Accounts: Working-Class Family Economies in the Interwar United States* (Ithaca, NY: Cornell University Press, p. 194.

(205) Temma Kaplan, "Female Consciousness and Collective Action: The Case of Barcelona, 1910–1918," *Signs* 7: 3 (Spring 1982), pp. 555-6. Kaplanは階級意識に加えて、歴史家たちは女性の伝統的な家族の健康と栄養に対する責任から生まれそだってきた戦闘的で、隣近所を基盤とした「女性の意識」の存在を認めなければならないと論じている。この意識のラジカル化が、あまりにしばしば歴史家たちに無視されてきた、都市革命のための必要条件だったと彼女は示唆する。

(206) Harold Benenson, "Victorian Sexual Ideology and Marx's Theory of the Working Class," *International Labor and*

Working-Class History 25 (Spring 1984), p. 6.

(207) Marcel Streng, "The Food Riot Revisted: New Dimensions in the History of 'Contentious Food Politics' in Germany before the First World War," *European Review of History* 20: 6 (2013), pp. 1,081–3.

(208) Karen Hunt, "The Politics of Food and Women's Neighborhood Activism in First World War Britain," *International Labor and Working-Class History* 77 (Spring 2010), p. 8.

(209) Ralf Hoffrogeeは、〈ベルリン職場代表行動委員会〉の唯一の女性メンバーにして、ルクセンブルクやリープクネヒトの同志だったClare Casperについての短い描写でわれわれをじらす。Ralf Hoffrogee, *Working-Class Politics in the German Revolution: Richard Muller, the Revolutionary Shop Stewards and the Origins of the Council Movement* (Chicago: Haymarket, 2015), p. 107.

(210) Kaplan, "Female Consciousness and Collective Action," pp. 561-3.

(211) Geoff Eley, *Forging Democracy: The History of the Left in Europe, 1850–2000* (Oxford: Oxford Univesity Press, 2002), p. 58.

(212) Michael Gordon, "The Labor Boycott in New York City, 1880–1886," *Labor History* 16: 2 (1975), pp. 184-229; Ernest Spedden, *The Trade Union Label* (Baltimore, MD: Johns Hopkins University Press, 1910). を見よ。

(213) Van Ginderachter and M. Kamphuis, "The Transnational Dimensions of the Early Socialist Pillars in Belgium and the Netherlands," *Revue belge de philology et d'histoire* 90: 4 (2012), p. 1,328. See also the fascinating website vooruit.be; and Peter Scholliers, "The Social-Democratic World of Consumption: The Path-Breaking Case of the Ghent Cooperative Vooruit Prior to 1914," *International Labor and Working-Class History* 55 (Spring 1999), pp. 71-91.

(214) Tyler Stovall, *The Rise of the Paris Red Belt* (Berkeley, CA: University of California Press, 1990), p. 24.パリジャンの労働者階級は、反ブルジョアの歌と落首の辛辣なレパートリーにかけては並ぶものがなかったが、法外な家賃を取る家主に対する憎悪ほど彼らの精神的なギロチンの刃を鋭くさせたものはなかった。

(215) Friedrich Engels, *The Housing Question* (1872), CW 23, p. 319.『全集』一八巻、207頁。

(216) Chris Ealham, "An Imagined Geography: Ideology, Urban Space, and Protest in the Creation of Barcelona's 'Chinatown,' c. 1835-1936," *International Review of Social History* 50 (2005), pp. 373-97. を見よ。

(217) エンゲルスは家の所有を、プルードンのように万能薬としてではなく、労働者の足首に巻かれた鎖だとみなした。彼は、エリノア・マルクスが合衆国を訪れたとき、アメリカの労働者はいかに家庭に「繋がれて」いるかについて書いた手紙を引用している。「労働者はこれらの住まいを手に入れるのにさえ重い負債を抱えなければならず、いまや雇用主たちの完全な奴隷となります。彼らは家に縛りつけられ、立ち去ることができず、差し出されたどんな労働条件にも我慢しなければなりません」(ibid., p. 330 fn.)『全集』第一八巻、二〇五-六頁。

(218) Robert Fogelson, *The Great Rent Wars: New York, 1917-1929* (New Haven: Yale University Press, 2013), p. 59.

(219) Stovall, *Paris and the Spirit of 1919*, pp. 46-7.

(220) Fogelson, *The Great Rent Wars*, p. 61.

(221) James Baer, "Tenant Mobilization and the 1907 Rent Strike in Buenos Aires," *Americas* 49: 3 (January 1993), pp. 343-63.

(222) B. Moorehouse, M. Wilson and C. Chamberlain, "Rent Strikes, Direct Action and the Working Class," *Socialist Register 1972* (London: Merlin, 1972), pp. 135-36; and Hinton, *First Shop Stewards' Movement*, pp. 126-27.

(223) Fogelson, *The Great Rent Wars*, pp. 1-2.

(224) Ibid., p. 86; Andrew Wood and James Baer, "Strength in Numbers: Urban Rent Strikes and Political Transformation in the Americas, 1904-1925," *Journal of Urban History* 32: 6 (September 2006), pp. 862-84; Ronald Lawson, "Origins and Evolution of a Social Movement Strategy: The Rent Strike in New York City, 1904-1980," *Urban Affairs Quarterly* 18: 3 (March 1983), pp. 371-95.

(225) 多様で分割された労働者階級のいる合衆国は、しばしば英語をほとんど知らない移民の観衆に向けた、大量消費文化産業とその安っぽい金切り声、そして見世物の苗床となった。歴史的研究は、組合や社会主義者の民族的連合組合を通して組織された共同のレクリエーションは二〇世紀初頭には比較的ありふれていたと確証するが、余暇時間は一般に、ヨーロッパの大部分では一九三〇年代かあるいは一九五〇年代になるまで当たり前になることはなかったような形で私有化された。

(226) いくつかの歴史においては、この組織化された範囲は「労働者文化」そのものと合体させられるが、もちろんそんなことはない。一九〇〇年の産業労働者階級の生活世界はまた、パブ、雇用主提供のレクリエーション、週末の公共空間、商業化された大衆娯楽や見世物といった非公式的な社交も含んだ。初期のソビエト・ロシアではそのうえ、「教養ある娯楽」が労働者のクラブではダンスや映画、すなわちチャールストンやダグラス・フェアバンクスに次ぐ位置を占めた。Diane Koenker, *Republic of Labor: Russian Printers and Soviet Socialism, 1918–1930* (Ithaca, NY: Cornell University Press, 2005), pp. 187, 279-80. を見よ。

(227) Toni Offermann, "The Lassallean Labor Movement in Germany: Organization, Social Structure, and Associational Life in the 1860s," in David Barclay and Eric Weitz, *Between Reform and Revolution: German Socialism and Communism from 1840 to 1990* (New York: Berghahn, 1998), p. 105.

(228) Vernon Lidtke, *The Alternative Culture: Socialist Labor in Imperial Germany* (New York: OUP, 1985), pp. 7-8.

(229) Ibid., p. 194.Helmut Gruberは文化の涵養とプロレタリアの帰属意識に見事に捧げられた、しかし情け容赦もない敵に対してはまったく準備のできていない、一九二〇年代のウィーンの社会主義を描き出す。「ウィーンのすべての実験を正当化した予備的な文化戦略は将来の権力へと到達する過程と何のつながりも持たなかった。また*Bildung*を通した文化的ヘゲモニーと資本主義発展の法則との関係も明らかにされなかった。Helmut Gruber, *Red Vienna: Experiment in Working-Class Culture, 1919–1934* (Oxford: OUP, 1991), p. 39.

(230) Kurt Shell, *The Transformation of Austrian Socialism* (New York: SUNY Press, 1962), pp. 10-11.

(231) Gerald Brenan, *The Spanish Labyrinth: The Social and Political Background of the Spanish Civil War* (Cambridge: CUP, 1943), p. 218

(232) Chris Ealham, *Class, Culture and Conflict in Barcelona, 1898–1937* (London: Routledge, 2005), p. 36.

(233) Brenan, *Spanish Labyrinth*, p. 145. See also Lily Litvak, *Musa libertaria: Arte, literature y vida cultural del anarquismo español (1880–1913)* (Madrid: FELAL, 2001); Eduard Masjuan, *La ecologia humana en el anarquismo iberico* (Madrid: Icaria, 2000).――アナーキストのアーバニズムに関する魅力的な議論である。.

(234) どの程度までプロレタリアのパブ生活ないしは機能上その同等物（カフェ、社交クラブ、その他）が労働者階級の女性に開かれていたか？ おそらく複雑で多様な答えを持つ単純な質問であるが、それに答えるには労働者階級のレジャーと家族生活に関するさらなる研究が必要である。

(235) Pamela Swett, *Neighbors and Enemies: The Culture of Radicalism in Berlin, 1929–1933* (Cambridge: CUP, 2004), pp. 97-9.

(236) Nolan, "Economic Crisis," pp. 128-9.

(237) Peter Nettle, "The German Social Democratic Party 1890–1914 as a Political Model," *Past and Present* 30 (April 1965), pp. 76-7. Klaus Ensslen, "German-American Working-Class Saloons in Chicago," in Hartmut Keil, *German Workers' Culture in the United States, 1850 to 1920* (Washington, D.C.: Smithsonian Institute, 1988), pp. 157-80 も見よ。

(238) Tom Goyens, *Beer and Revolution: The German Anarchist Movement in New York City, 1880–1914* (Urbana, IL: University of Illinois Press, 2007).

(239) Melvyn Dubofsky, *We Shall Be All: A History of the IWW* (New York: Quadrangle, 1969), p. 174.

(240) Margaret Kohn, "The Power of Place: The House of the People as Counterpublic," *Polity* 33: 4 (Summer 2001), p. 513.

(241) 最も有名な例の建築上の短い伝記については*Maisons du Peuple* (Brussels: Archives d'Architecture Moderne, 1984 を見よ。

(242) この表現はTuratiのものである。 Earlene Craver, "The Third Generation: The Young Socialists in Italy, 1907–1915," *Canadian Journal of History* 31 (August 1966), p. 203 を見よ。

(243) 若い労働者たちの鍛え抜かれた “realism” については Nolan, “Economic Crisis,” pp. 122-3 を見よ。

(244) Engels, Introduction to Sigismund Borkheim's panphlet, *In Memory,of the German Blood-and-Thunder Patriots, 1806-1807, CW XXVI*, p451. 『全集』第二一巻、三五七頁。

(245) Karl Marx, “The Belgian Massacres: To the Workmen of Europe and the United States” (leaflet issued by First International, May 5, 1869), *CW*21, p. 47. 『全集』第一六巻、三四五頁。

(246) Karl Liebknecht, *Militarism and Anti-Militarism* (1907) at marxists.org. を見よ。

(247) Carl Schorske, *German Social Democracy, 1905–1917* (Cambridge, MA: Harvard University Press, 1955), p. 99.

(248) Nettle, “German Social Democratic Party,” p. 73.

(249) Schorske, *German Social Democracy*, p. 108.

(250) Williams, *Proletarian Order*, pp. 36-7.

(251) Isabel Tirado, *Young Guard! The Communist Youth League, Petrograd 1917–1920* (New York: Greenwood, 1988), p. 14.

(252) Matthias Neumann, *The Communist Youth League and the Transformation of the Soviet Union, 1917–1932* (London: Routledge, 2012), pp. 21-2.

(253) Anne Gorsuch, *Youth in Revolutionary Russia: Enthusiasts, Bohemians, Delinquents* (Bloomington, IN: Indiana University Press, 2000), pp. 16, 42.

(254) Fritz Wildung, SPD sports spokesman, quoted in David Steinberg, “The Workers' Sport Internationals, 1920–28,” *Journal of Contemporary History* 13 (1978), p. 233

(255) Michael Kruger, “The German Workers' Sport Movement between Socialism, Workers' Culture, Middle-Class Gymnastics and Sport for All,” *International Journal of the History of Sport* 31: 9 (2014), p. 1,100.

(256) Robert Wheeler, “Organized Sport and Organized Labour: The Workers' Sports Movement,” *Journal of Contemporary History* 13: 2 (April 1978), p. 192.

(257) 第一次大戦後、社会主義と自転車は、とりわけドイツとフランスで、恋愛関係を再開した。〈[ドイツ] 労働者サイクリング協会〉は三二万人の会員数を誇った（一九二九年）——世界最大のサイクリング組織——ばかりでなく、自転車の協同工場を持っていた（Wheeler, p. 198）

(258) 第一次大戦後、それは〈社会主義労働者スポーツ・インターナショナル〉として再組織された（一九二〇年）が、今や〈スポートインターン〉（一九二一年）、すなわちコミンテルンのスポーツ・インターナショナルと競合した。後者については Barbara Keys, "Soviet Sport and Transnational Mass Culture in the 1930s," *Journal of Contemporary History* 38: 3 (2003), pp. 413-34 を見よ。

(259) James Riordan, "The Worker Sports Movement," in James Riordan and Arnd Kruger, *The International Politics of Sport in the 20th Century* (London: Spon, 1999), p. 105.

(260) Steinberg, "Workers' Sport Internationals," p. 233. 一八四八年の古強者たちが体操家たちを合衆国にもたらし、〈北米社会主義体操同盟〉は他の反奴隷の *Turnverein*〔体操協会〕と共に、奴隷廃止論の指導者たちの、もっとも有名なのはリンカーンが最初に就任した時の、護衛を供給した。体操家たちはまた北部諸州の最良の連隊の多くに中核を供給した。Annette Hofmann, "The Turners' Loyalty for Their New Home Country: Their Engagement in the American Civil War," *Internatinal Journal of the History of Sport* 12: 3 (1995), p. 156.

(261) Lidtke, *Alternative Culture*, pp. 7-8, 17. 歌と*Liederbücher*〔歌謡集〕に関する章で、リットクは社会主義者がバーレスク風に戦争推進を風刺し、愛国主義をあざ笑う素晴らしい例を上げているが、ブレヒトはそれをのちに舞台に移した。

(262) Richard Evans, *The Third Reich in Power, 1933–1939* (New York: Penguin, 2005), p. 272.

(263) Jonathan Rose, *The Intellectual Life of the British Working Classes* (New Haven: Yale University Press, 2008), p. 8. Dennis Sweeney, "Cultural Practice and Utopian Desire in German Social Democracy: Reading Adolf Levenstein's Arbeiterfrage (1912)," *Social History* 28: 2 (2003), pp. 174–99 も見よ。

(264) 一八五〇年には青年のフランス人男性の四分の三、女性の半数が文字が読め、英国の人口の三分の二も同様だった。

Asaf Shamis, "The 'Industrialists of Philosophy': Karl Marx, Friedrich Engels, and the 'Discourse Network of 1840,'" *Media History* 22: 1 (2016), p. 71.

(265) Thompson, *The Chartists*, p. 6.

(266) Gregory Vargo, "'Outworks of the Citadel of Corruption': The Chartist Press Reports the Empire," *Victorian Studies* 54: 2 (Winter 2012), p. 231. Stephen Coltham, "English Working-Class Newspapers in 1867," *Victorian Studies* 13: 2 (December 1969) も見よ。

(267) Karl Marx, *Economic Manuscripts of 1861–63*, *CW*34, p. 101 ("Relative Surplus Value").

(268) ドイツでは「公式報道」はSPDの出版物の成功に対する反応だった、とAlex Hallは論ずる。「政府は、SPDのプロパガンダを妨害するよう圧力をかけられたことと、以前にもまして自らの立場をより十分に反映させる必要性の両方にさまざまに異なった方法で応え始めた……。短期的には、基本的な要求は、政府の息がかかったニュースの項目と政府側の新聞発表を事実上毎日提供するシステムを作り出すことで、それは社会主義者の主張の無内容さを明らかにし、政府の政策への支持を促進することになっただろう」。Alex Hall, "The War of Words: Anti-Socialist Offensives and Counter-Propaganda in Wilhelmine Germany, 1890-1914," Journal of Contemporary History 11:2-3 (July 1976), p. 15.

(269) 一九一二年に合衆国には社会主義者の英語の新聞が三つあった。the *New York Call*, the *Chicago Daily Socialist*, そして the *Milwaukee Leader*である。それに加えて、ドイツ語を話す者は日刊の*New Yoker Volkszeitung*も読め、イディッシュ語の社会主義者はAbraham Cahanの日刊紙*Forverts*を好み、その全国発行部数は二七万五〇〇〇部だった。

(270) これはエンゲルスの"Marx and the *Neue Rheinische Zeitung* (1848-49)," *CW*26, p.122.『全集』第二一巻、一八頁に出てくるものとは別の翻訳である（甥のJuan Pablo Gonzalesに感謝）。

(271) John Reed, *Ten Days That Shook the World* (New York: Boni & Liveright, 1919), p. 24.

(272) Gerhard Ritter, "Workers' Culture in Imperial Germany," *Journal of Contemporary History* 13 (1978), p. 166. *The*

Class Struggle ［*The Erfurt Program—1892*］の中でカウツキーはこう書いた。「現代社会の最も驚くべき現象の一つはプロレタリアートによって示される知識に対する渇望である……。まさに軽蔑された無知なプロレタリアートのあいだにこそ、アテネの貴族たちの輝かしいメンバーの哲学的精神が蘇っているのだ」。*The Cooperative Commonwealth,* adapted from Kautsky, *Class Struggle* for the *New York People* by Daniel DeLeon, *Labour Library #9* (New York: Labour Library, 1898), p. 37.

(273) 「現代社会におけるこの二対極、すなわち科学と労働者、の結合——この二つが力を合わせれば、文化的前進に対するすべての障碍を鉄の拳で打ち砕くだろう、そしてまさにこの結合にこそ、わたしはこの体に息が残っている限り命をささげようと決心しているのだ」。Ferdinand Lassalle, *Science and the Workingman* (New York: International Library, 1900 ［1863］), pp. 44-5.

(274) Martyn Walker, "'Encouragement of Sound Education amongst the Industrial Classes': Mechanics Institutes and Working-Class Membership, 1838–1881," *Educational Studies* 39: 2 (2013), p. 142. Walkerは協会が中流階級によって支配されていたという主張の誤りを暴く。そうではなく、それらの協会は「階級利害の収束」を表わしていると彼は論じる。"Working-class radicals aligned themselves with middle-class sympathisers in relation to politics and self-help" (p. 145).

(275) Quoted in Ed Block, "T. H. Huxley's Rhetoric and the Popularization of Victorian Scientific Ideas: 1854–1874," *Victorian Studies* 29: 3 (Spring 1986), p. 369.

(276) Ralph Colp, "The Contacts Between Karl Marx and Charles Darwin," *Journal of the History of Ideas* 35: 2 (1974), pp. 329-38; Jenny Marx, "Letter to Johann Becker (29 January 1866)," *CW*42, p. 568. 『全集』第三一巻、四八六−八頁。

(277) E. P. Thompson, "Eighteenth-Century English Society: Class Struggle Without Class?" *Social History* 3: 2 (May 1978), p. 148.

(278) Chapter 24 ("Conflict Over the Labor Contract") of Rudolf Hilferding, *Finance Capital: A Study of the Latest*

Phase of Capitalist Development (Routledge: London, 1981; Schorske, *German Social Democracy*, pp. 29-30.

(279) Leopold Haimson, "The Historical Setting in Russia and the West," in Haimson and Tilly, *Strikes, Wars, and Revolutions*, p. 24.

(280) Hobsbawm, *Age of Empire*, p. 123.

(281) アメリカの例は Chapter 4 ("Workers Organize Capitalists") of John Bowman, *Capitalist Collective Action: Competition, Cooperation and Conflict in the Coal Industry* (Cambridge: CUP, 1989); and Chapter 3 ("Worker Organizing Capitalists") of Colin Gordon, *New Deals: Business, Labor and Politics in America, 1920–1935* (Cambridge: CUP, 1994) を見よ。

(282) Joshua Cole, "The Transition to Peace, 1918–1919," in Winter and Robert, *Capital Cities at War*, p. 222.

(283) Quoted and discussed in Steve Wright, *Storming Heaven: Class Composition and Struggle in Italian Autonomist Marxism* (London: Pluto, 2002), pp. 36-7.

(284) Hobsbawm, *The Age of Extremes* (London: Michael Joseph, 1994), pp. 7-8.

(285) Göran Therborn, "The Rule of Capital and the Rise of Democracy," *New Left Review* I/103 (May–June 1977), pp. 23-4.

(286) Luxemburg, "Mass Strike," p. 145.『ローザ・ルクセンブルク選集2』（現代思潮社）、二二五頁。一九〇五年革命のあいだのストライキの戦術的研究の中で、レーニンは経験的にルクセンブルクの分析の正しさを証明した（*CW* 16, pp. 393–422）。

(287) Eric Hobsbawm, "Mass-Producing Traditions: Europe, 1870–1914," in David Boswell and Jessica Evans, eds, *Representing the Nation: A Reader* (London: Routledge, 1999), p. 62.

(288) Hagen Koo, *Korean Workers: The Culture and Politics of Class Formation* (Ithaca, NY: Cornell University Press, 2001), pp. 18-19.

(289) 言葉遣いはマルクス。"Instructions for the Delegates of the Provisional General Council. The Different Questions"

(August 1866), CW20, p187.『全集』第一六巻、「個々の問題についての暫定中央評議会代議員への指示」、一九一頁。

(290) Sidney Fine, “The Eight-Hour Day Movement in the United States, 1888–1891,” *Mississippi Valley Historical Review* 40: 3 (December 1953), p. 444.

(291) *New York Times*, May 2–4, 1890. を見よ。

(292) Gary Cross, *Quest for Time: The Reduction of Work in Britain and France, 1840–1940* (Berkely: University of California Press, 1989), p. ; Gary Cross, “The Quest for Leisure: Reassessing the Eight-Hour Day in France,” *Journal of Social History* 18: 2 (Winter 1984), p. 200.

(293) Perry Anderson, “The Antinomies of Antonio Gramsci,” *New Left Review* I/100 (November 1976–January 1977), p. 15.

(294) Haimson, “Historical Setting,” pp. 27-8.

(295) Arno Mayer, *The Persistence of the Old Regime: Europe to the Great War* (New York: Pantheon, 1981), pp. 23-34.「数および富も含めてあらゆる点で土地再分論者はビジネスの有力者や自由業の人々を上回り続けた」。英国やその他では、それに加えて田舎の名士はしばしば最大の都市の地主でもあった (pp. 24-5)。

(296) Aminzade, “Class Analysis,” pp. 93-4.

(297) Friedrich Engels, “The Peasant Question in France and Germany,” (1894), *CW*27, pp. 484, 498.『全集』二二巻、「農民問題」、四八一、四九七頁。

(298) Athar Hussain and Keith Tribe, *Marxism and the Agrarian Question*, 2nd edn (London: Macmillan, 1983), p. 26

(299) 「エンゲルスは小農を救うという約束はただ党を反ユダヤ主義のレベルに堕落させ労働者の党をただの*Volkspartei*〔国民党〕に変えてしまうと力説した」。『農業問題』（一八九九年）の中でカウツキーは農民の運命についてもっと微妙な発言をしているが、それでもやはり彼らはすぐに農業プロレタリアートの成長によって追い越されてしまうだろうと断言した。Jairus Banaji, “Review Article: Illusions About the Peasantry: Karl Kautsky and the Agrarian Question,” *Journal of Peasant Studies* 17: 2 (1990), p. 290.

(300) Bruno Schonlank at the Frankfurt Congress. Massimo Salvadori, *Karl Kautsky and the Socialist Revolution, 1880–1938* (London: New Left Books, 1979), p. 50.

(301) Chapter 4 ("The Radomir Rebellion") of Joseph Rothschild, *The Communist Party of Bulgaria: Origins and Development, 1883–1936* (New York: Columbia University Press, 1959) を見よ。

(302) Ivan Berend, *Decades of Crisis: Central and Eastern Europe Before World War II* (Berkeley, CA: University of California Press, 1998), p. 82.

(303) ＳＰＤのモデルにはオランダという例外もある。「ＳＤＡＰ［社会民主労働党］の主要な組織拠点は田舎であるフリースラント州の小作農や土地を持たない労働者のあいだにあり、彼らは一八八〇年代の長引いた経済危機のあいだに政治的に活発になった」。この党の最初の都市の基盤はアムステルダムの〈ダイアモンド労働者組合〉に限られていた。John Gerber, *Anton Pannekoek and the Socialism of Workers' Self-Emancipation, 1873–1960* (Dordrecht: Kluwer, 1989), p. 4.

(304) Tony Judt, *Socialism in Provence, 1871–1914* (Cambridge: CUP, 1979), pp. 6-7.

(305) "The Social Base of Nineteenth-Century Andalusian Anarchism in Jerez de la Frontera"の中で、Temma Kaplanはこの運動の幅の広さと、日雇い労働者に加えて、職人、教師、そして小自作農の重要な役割を実証した。*Journal of Interdisciplinary History* 6: 1 (Summer 1975), pp. 47-70.

(306) Frank Snowden, "The City of the Sun: Red Cerignola, 1900–15," in Martin Blinkhorn and Ralph Gibson, *Landownership and Power in Modern Europe* (London: HarperCollins, 1991), p. 203.

(307) 「［農業労働者は］しばしば総計のストライキ参加者と年あたりの失われた日々に四分の一から三分の一の貢献をおこない、彼らの貢献はとりわけほとんどどのストライキの波においても極めて重要だった（このとき彼らは総計のストライキ行動の五〇パーセントまでの割合を占めた）。Lorenzo Bordogna, Gian Primo Cella and Giancarlo Provasi, "Labor Conflicts in Italy Before the Rise of Fascism, 1881–1923: A Quantitative Analysis," in Haimson and Tilly, *Strikes, Wars and Revolutions*, p. 229.

(308) Thomas Sykes, "Revolutionary Syndicalism in the Italian Labor Movement: The Agrarian Strikes of 1907–08 in the Province of Parma," *International Review of Social History* 21: 2 (1976), p. 176.

(309) Anthony Cardoza, "Commercial Agriculture and the Crisis of Landed Power: Bologna, 1880–1930," in Blinkhorn and Gibson, *Landownership and Power*, p. 194.

(310) Matti Alestalo and Stein Kuhnle, "The Scandinavian Route: Economic, Social, Political Developments in Denmark, Finland, Norway, and Sweden,' *International Journal of Sociology* 16: 3–4 (Fall 1986–Winter 1987), p. 24. See also Timothy Tilton, "The Social Origins of Liberal Democracy: The Swedish Case," *American Political Science Review* 68: 2 (June 1974), pp. 561-71.

(311) Stefano Bartolini, *The Political Mobilization of the European Left, 1860–1980: The Class Cleavage (Cambridge Studies in Comparative Politics)* (Cambridge: CUP, 2007), p. 481.

(312) Esther Kingston-Mann, "A Strategy for Marxist Bourgeois Revolution: Lenin and the Peasantry, 1907–1916," *Journal of Peasant Studies* 7: 2 (1998), p. 135.

(313) Robert Linhart, *Lénine, les Paysans, Taylor*, 2nd edn (Paris: Seuil, 2010). を見よ。

(314) D. A. Longley, "Officers and Men: A Study of the Development of Political Attitudes Among the Sailors of the Baltic Fleet in 1917," *Soviet Studies* 25: 1 (1973), pp. 28-50.

(315) Pierre Broué, *The German Revolution, 1917–1923* (Chicago: Haymarket, 2006), p. 97.

(316) Ibid., p. 100.

(317) Marx, *Poverty of Philosophy*, CW6, p. 176. 『全集』第四巻、「哲学の貧困」、一四五頁。

(318) Lukács, *History and Class Consciousness*, pp. 63, 66. 強調は原文。『歴史と階級意識』（城塚登＋古田光訳、白水社）、一二二、一二八、一三三、一三四、一三八－九頁。

(319) Ibid., pp. 69, 76-7. 『歴史と階級意識』一五一－二頁。

(320) Stephen Perkins, *Marxism and the Proletariat: A Lukácsian Perspective* (London: Pluto, 1993), p. 171.

(321) Lukács, *History and Class Consciousness*, pp. 74, 80.『歴史と階級意識』、一四八、一五五、一五七頁。

(322) Lenin, "The Tasks of the Revolution" (October 1917), *CW*26, p. 60.『レーニン全集』第二六巻、「革命の任務」、四九頁。

(323) Alexander Rabinowitch, *The Bolsheviks Come to Power: The Revolution of 1917 in Petrograd* (Chicago: Haymarket, 2004), pp. 311-12.

(324) W. A. Preobrazhensky, "The Average Communist," in *The Preobrazhensky Papers, Volume 1: 1886–1920* (Chicago: Haymarket, 2015), p. 557.

(325) 五〇〇〇万人から五五〇〇万人のヨーロッパ人が一九世紀と二〇世紀の初めに海を越えて移民したと推計されている。Dirk Hoerder, *Cultures in Contact: World Migrations in the Second Millennium* (Durham, NC: Duke University Press, 2002), pp. 331-2.

(326) Speech of George Julian Harney reprinted in Friedrich Engels, "The Festival of Nations in London," *CW*6, p. 11.『全集』第二巻、六四〇頁。

(327) Jacques Grandjonc, "Les etrangers a Paris sous la monarchie de Juillet et la seconde République," *Population* (French edn) 29 (March 1974), p. 84.Stanley Nadelは「普通のjourneymanは限られた期間だけパリに留まり、自分の職に磨きをかけると他に移って行った」と記して、「一〇万人から五〇万人のパリの職場の古参兵がこの一〇年間［一八四〇年代］の終わりまでにドイツに戻っていた」と計算している。Stanley Nadel, "From the Barricades of Paris to the Sidewalks of New York: German Artisans and the European Roots of American Labor Radicalism," *Labor History* 30: 1 (Winter 1989), pp. 49-50.

(328) Yvonne Kapp, *Eleanor Marx*, vol. 2 (New York: Pantheon, 1976), p. 161.

(329) 〔『全集』第四巻、一八九–一九〇頁。〕『党宣言』の大雑把な草稿である「共産主義の原理」の中でエンゲルスはこう宣言している。「すべての人に十分なものがあるだけでなく、社会資本が増大するための、そして生産諸力のさらなる発展のための余剰も生み出せない限りは、社会の生産諸力を自由にする支配階級と、貧しく、抑圧された

階級が常にいるに違いない」（CW6, p. 349.『全集』第四巻、三八八頁）

(330) Marx, *Grundrisse*, pp. 704-8. 逆に、自由時間の抑圧と規律に従った苦役への転換はブルジョアジーによって、文明のではないにしろ、まさに産業の基盤だとみなされている。マルクスは初期の経済学者Cunningham (1770) を引用する。「この王国の働く貧者たちのあいだには贅沢品の大量の消費が存在する。とりわけ製造業の大衆のあいだで、そしてそれによって彼らはまた時間という、消費の中でも最も致命的なものを消費している」（CW34, p. 294.）

(331)「彼が見るところの問題は、現存する富のより公正でより平等な再分配ではない。マルクスにとって共産主義とは新しい富、新しいニーズとそれを満足させる条件の創造なのである」。Shlomo Avineri, *The Social and Political Thought of Karl Marx* (Cambridge: CUP, 1968), p. 64.

(332) Michael Lebowitz, "Review: Heller on Marx's Concept of Needs," *Science and Society* 43: 3 (Fall 1979), pp. 349-50; Agnes Heller, *The Theory of Need in Marx* (London: Allison & Busby, 1976).

(333) マルクスとエンゲルスは、自らを階級闘争から切り離すフーリエ主義者のファランステール〔共同生活団体〕やオーウェン流のコロニーと、労働者運動の統合された一部分である協同組合制度とを区別した。

(334) Karl Marx, *The Civil War in France*, CW22, p. 335.『全集』第一七巻、「フランスの内乱」、三一九－二〇頁。

(335)「[資本主義の下では] 労働者は自らの労働の社会的本質を、すなわち共通の目的のためにそれが他者の労働と結びついているのを、外部の力を見るのと同じように見る……。これは例えばロッチデールにおけるように労働者自身によって所有されている工場においては状況が全く異なる。*Capital Volume III* (Moscow: Progress, 1962), p. 85.『資本論 第三部』一四九－一五〇頁。

(336) Massimo Salvadori, *Karl Kautsky and the Socialist Revolution, 1880-1938* (London: Verso, 1979), p. 14

(337) Kendall Bailes, *Origins of the Soviet Technical Intelligentsia, 1917-1941* (Princeton, NJ: Princeton University Press, 1978).

(338) 有名なハンガリーの経済学者で、以前のマルクス主義改革家のJános Kornaiは「社会主義下の電話」という惨めな状態を、計画経済が革命的な新製品を導入することも発達させることもできなかった主要な例として抜き出す。

János Kornai, *Dynamism, Rivalry and the Surplus Economy* (Oxford: OUP, 2014), pp. 57-60.

(339) Pekka Sutela and Vladimir Mau, "Economics Under Socialism: The Russian Case," in Hans-Jürgen Wagener, *Economic Thought in Communist and Post-Communist Europe* (London: Routledge, 1998), p. 43.

(340) Eden Medina, *Cybernetic Revolutionaries: Technology and Politics in Allende's Chile* (Cambridge, MA: MIT Press, 2011), p. 159.

(341) 例えば生産計画分野においては一九八二年だったら八二年の計算時間を必要としたであろうひどく複雑な問題が二〇〇三年には「約一分で解けるようになっていただろう——約四三〇〇万倍の進歩である。

(342) Leon Trotsky, "Report on the World Economic Crisis," Third Congress of the Communist International, atwsws.org.

【第二章】

(1) Rogers Brubaker, "Ethnicity, Race, and Nationalism," *Annual Review of Sociology* 35 (2009), p. 22; J. G. A. Pocock, "Review of *British Identities Before Nationalism* by Colin Kidd," *Scottish Historical Review* 79: 2 (October 2000), p. 262.

(2) Anthony D. Smith, *Nationalism* (Cambridge: Polity, 2010), p. 3.

(3) Clifford Geertz, ed., *Old Societies and New States* (New York: Free Press, 1963), p. 107.

(4) Erica Benner, *Really Existing Nationalisms: A Post-Communist View from Marx and Engels* (Oxford: Clarendon, 1995), p. 222.

(5) 一九三三年から一九六七年のあいだに出版された一ダース以上の本の中でKohnは「東洋」とロシア、そしてスイス、イングランド、ドイツ、合衆国、フランスのナショナリズムを検証した。幻滅を感じたシオニストで、パレスチナにおける二民族国家の指導的提唱者であるKohnは、それでも、ユダヤ人の「民族的ナショナリズム」は、世界性は国民性と結合しうるという最初の証拠を提出したと論じた――のちにアングロ‐アメリカおよびオランダの進歩主義、フランスの共和主義に体現された理想である。冷戦のあいだKohnはソ連邦に対するシンパシー（一九二〇年代に熱烈だった）の名残を捨て自由世界の宣伝者になった。*American Nationalism: An Interpretative Essay*（1957）の中で彼は合衆国の歴史を、前例のない経済的機会という土壌における英国の自由主義とフランスの合理主義の魅力的な開花だとして称揚した。暴徒と銃剣がリトルロック・セントラル高校で、裁判所が命じた人種統合を阻止していたのと同じ年に出版されたにもかかわらず、彼の本はアメリカの「市民のナショナリズム」を国民形成の世界的な理想として激賞した。

（6）Quotes from Rogers Brubaker: "The Manichean Myth: Rethinking the Distinction between 'Civic' and 'Ethnic' Nationalism," in Hanspeter Kriesi, Klaus Armington, Andreas Wimmer and Hannes Siegrist, eds, *Nation and National Identity*（Zurich: Verlag Rüeger, 1999）, p. 69; Brubaker, "Ethnicity, Race and Nationalism," pp. 13, 30; Rogers Brubaker, *Nationalism Reframed: Nationhood and the National Question in the New Europe*（Cambridge: CUP, 1996）, p. 16.

（7）Brubaker, *Nationalism Reframed*, pp. 7, 15-17, 21.

（8）Siniša Malešević, "The Chimera of National Identity," *Nations and Nationalism* 17: 2（2011）, pp. 272-3.

（9）Siniša Malešević, *Identity as Ideology: Understanding Ethnicity and Nationalism*（New York: Palgrave Macmillan, 2006）, p. 7.

（10）Siniša Malešević, *The Sociology of Ethnicity*（London: Sage, 2004）, p. 4.マレシェビッチャは同僚に対して、ウェーバーはまた非本質主義者で民族性は「実際の集団の特色としてではなしに、潜在的な社会の属性」として概念化されるべきだと信じていたということを思い出させている。

（11）Malešević, *Identity as Ideology*, p. 28.

（12）Ernst Haas, *Beyond the Nation-State: Functionalism and International Organization*（Stanford: Stanford University Press, 1964）, p. 455; Malešević, *Nation-States and Nationalisms*（Cambridge: Wiley, 2013）, p. 15.

(13) Anthony D. Smith, *Chosen Peoples: Sacred Sources of National Identity* (Oxford: OUP, 2003); Régis Debray, *Critique of Political Reason* (London/New York: Verso, 1983).

(14) Siniša Malešević, "'Divine *Ethnies*' and 'Sacred Nations': Anthony D. Smith and the Neo-Durkheimian Theory of Nationalism," *Nationalism and Ethnic Politics* 10: 4 (2004), pp. 561, 587. For Debray's view of Durkheim's circular reasoning, see *Critique of Political Reason*, pp. 172-3.

(15) 民族誌学的・社会学的道具の双方を使い、マレシェビッチャとブルベイカーは別個にこうした団結を現場で調査した。ブルベイカーは地元の同僚たちと共にナショナリストの政治と「日常の民族性」についての野心的な並行研究をトランシルバニアの都市クルジューナポカでおこなったが、そこでは以前チャウシェスクの独裁時代に拍車をかけられた激しく、扱いづらいエリート・レベルの民族–政治的紛争が現在も続いている。マジャール人とルーマニア人が何世紀にもわたって共存してきたこの町の最も興味深い発見の一つは極端な排他主義者の政治圏の内側と、その外の、それぞれの民族的文化のヘゲモニーよりも経済的沈滞の方に人々が関心ある日常生活とのあいだの、ナショナリストの激しい温度差だった。同様に、マレシェビッチャはいくつかの独創的な事例研究の中で、以前のユーゴスラビアにおける民族–国民的憎悪は、軍事指導者たちが支配するメディアが極端に不安をあおることでトップ・ダウンで掻き立てられたほど下からは噴出しなかったと実証した。

(16) Benner, *Really Existing Nationalisms*, p. 98 n. 4.

(17) Franz Borkenau, *World Communism* (New York: W. W. Norton, 1939), p. 94.

(18) Tom Nairn, "The Modern Janus," *New Left Review* I/94 (November–December 1975), p. 3; Ernesto Laclau, "Introduction" in Ephraim Nimni, *Marxism and Nationalism: Theoretical Origins of a Political Crisis* (London: Pluto, 1991), p. vi.

(19) Régis Debray, "Marxism and the National Question," *New Left Review* I/105 (September–October 1977), pp. 26, 31, 32.

(20) Erica Benner, *Machiavelli's* Prince: *A New Reading* (Oxford: OUP, 2013) ; and *Machiavelli's Ethics* (Princeton,

NJ: Princeton University Press, 2009).

(21) Benner, *Really Existing Nationalisms*, pp. 9, 50, 228. 強調は引用者。

(22) この議論は残念ながらあまりにもしばしば、選択的引用、省略法の推論、学問的に不正確な思惑などという方法を通しておこなわれてきた。著者たちはマルクスの見解が、特に同時代の政治に情熱的に係わることを通して、劇的に進化したことを決まって認めそこなった。一八四四年からの引用が一八七〇年からの引用と、まるでそれが同等の権威をもつかのように、並べて置かれた。こうしたわけで、Solomon Frank Bloom's *The World of Nations: A Study of the National Implications in the Work of Karl Marx* (New York: Columbia University Press, 1941) は相変わらずマルクスのナショナリズムに関する思考の発展を理解するための、英語では最良の出発点になっている。長いこと絶版になっていて、めったに引用されることはないが、このエレガントに書かれた本は、とりわけマルクスは純粋に反ナショナリストだったと考えていたり、社会主義の下では自動的に国民が消滅すると信じていたと考えていたりする者の目を開いてくれる。ブルームは当時手に入った事実上すべてのマルクスの著作をドイツ語で読んで、テキストを、その考えののちの改定のみならず歴史的な時点にまで細心の注意を払って解釈した。それだから彼は、ベナーを読むためのほとんど必要不可欠な手引きである。

(23) 一八六〇年代の前にマルクスとエンゲルスは、全体としての労働者階級の利害と人類一般の社会経済的進歩という二重の基準で国際政治を評価し、それだから「国民的野心に対する首尾一貫した態度はどこでもいつでも可能だったわけではなく……同様の国際的推測も、どこか他の国民に対して眉をひそめずにある一国にだけに微笑むわけにはいかないだろう」(Bloom, *World of Nations*, p. 7)。しかしながら、アメリカの南北戦争、ポーランドの反乱、フェニアンの陰謀があたらしい戦術的問題構成を生み出し、そこにおいてマルクスは人種的平等と植民地の解放を、白人のアメリカ人・イギリス人労働者のあいだでの革命的意識の前提条件として考え始めた。一八七〇年代には、ロシア帝国の潜在的な内部崩壊の中での農業階級闘争の考え直しがそれに続いた。エンゲルスはアイルランド人を勇敢に支持したにもかかわらず、スラブの小国民の権利に対しては死ぬまで「大ドイツ」という態度を貫き、しばしば衝撃的に表現した。Kevin Anderson, *Marx at the Margins: On Nationalism, Ethnicity, and Non-*

Western Societies（Chicago: University of Chicago Press,2010）におけるこれらの話題すべてに関する印象的な議論を見よ。

（24）Friedrich Engels, "The Debate on Poland in the Frankfurt Assembly," in Karl Marx, *The Revolutions of 1848: Political Writings, Volume 1*（London/New York: Verso, 2010）, p. 152.『全集』第五巻、三三三頁。

（25）Terrell Carver, "Marx's *Eighteenth Brumaire of Louis Bonaparte*: Eliding 150 Years," *Strategies* 16:1（2003）, p. 9.

（26）Jeffrey Mehlman, *Revolution and Repetition: Marx/Hugo/Balzac*（Berkeley: University of California Press, 1977）, p. 82.

（27）Maurice Agulhon, *The Republican Experiment, 1848-1852*（Cambridge: CUP, 1983）, pp. 115, 196-7.

（28）Karl Marx, *The Eighteeth Brumair of Louis Bonaparte*, in Karl Marx, *CW Vol. 11*, pp. 112-13 強調原文『全集』第八巻、一一七頁。

（29）Marx, *Eighteenth Brumaire, p. 190*『全集』第八巻、一九七頁; *Bloom, World of Nations*, p. 76; Marx, *Eighteenth Brumaire*, p. 192.『全集』第八巻、一九九頁。

（30）Benner, *Really Existing Nationalisms*, p. 103.

（31）Ibid., p. 52.

（32）『ブリュメール』の方法論はマルクスが一八四三年後半から一八四四年前半にかけておこなった、提案はしたが書かれることはなかったフランス議会の歴史のための集中的な研究（いわゆる『クロイツナハ・ノート』）の影響を示している。代議士だったジャコバン党員René Levasseur de la Sartheの「回想録」は、若きマルクスが諸党派とそれらを駆り立てた社会的勢力との絶えず変化する連合再構成しようとするときのとりわけ豊かな源泉だった。See CW3, pp. 361-74.『全集』補巻一、二一-三七頁、『R・ルバスール（ド・ラ・サルト）の回想録』パリ、一八二九年、全四巻、から」を見よ。

（33）Karl Marx and Frederick Engels, *The German Ideology*, in *CW* Vol. 5, p. 77.

（34）フランスでの一八四八-五一年の出来事は、どんな革命における出来事とも同じく、たえず力のバランスが変わるのに加え、多数の登場人物が出たり入ったりするために複雑になったが、ボブ・ジェソップが強調したように、マルクスの分析は従来通りの直線的な説明ではない。「マルクスのテキストは単純な年代記というより同時代の歴史の複雑な時代区分を提示する。このことがそれを政治的分析の手本とし、これまで数多くのマルクス主義者の分析を鼓舞し、その理論的な力と経験的洞察のために正統的歴史家の敬意をも勝ち取ってきた。彼は連続した三つの時期、すなわち第一の短い期間、それぞれ三つの段階を持つ第二・第三の期間、そして四つの局面を持つ第三の期間の第三の段階を区別し……マルクスはそれぞれの時期について三つの説明を提出する。時期を区別するにあたって彼は第一にそれらの直接の情勢的意味について言及し、それからそこにおいてあるいはその周辺で政治的ドラマが展開される主要な制度的現場に言及する。それに加えてそれぞれの期間（そして区別できるところではその段階）の過去、現在、そしてそれがすでに公式な記録に載っているか、あるいはマルクスが知りうると思うかした範囲で、将来の意味という観点から議論する」。Bob Jessop, "The Political Scene and the Politics of Representation: Periodizing Class Struggle and the State in *The Eighteenth Brumaire*," preprint and unpaginated version of his "The Politics of Representation and The Eighteenth Brumaire," in Mark Cowling and James Martin, eds, *The Eighteenth Brumaire Today:* (*Post*) *Modern Interpretations* (London: Pluto, 2002).

（35）いくつかの重要な面で、第二共和政の失敗はDavid Abrahamが述べたようにドイツの第一共和国のそれを先取りしていた。「ワイマール共和国の最後の何年間かの危機は一部分は支配的諸階級の利害を、部分的な利害を超えて自律的に組織化できなかったことから生じた。共和国はいかなる革命的な脅威ゆえにでもなく、支配階級のブロック内の抗争と矛盾のゆえに、それに先行する年月の政治的不確実さと合わさって、現存の社会的諸関係を保全することができなかった」。David Abraham, *The Collapse of the Weimar Republic: Political Economy and Crisis* (New York: Lynne Rienner, 1986), pp. 2-3.

（36）エンゲルスによるビスマルクの性格づけはHal Draper, *Karl Marx's Theory of Revolution, Volume 1: State and Bureaucracy* (New York: Monthly Review, 1977), pp. 385-590において論じられている。タールハイマーについてはMartin Kitchen, "August Thalheimer's Theory of Fascism," *Journal of the History of Ideas* 34: 1 (January-

March 1973); V. I. Lenin, "The Beginning of Bonapartism," *CW Vol. 25*; Leon Trotsky, "German Bonapartism" (October 30, 1932), in Leon Trotsky, *The Struggle Against Fascism in Germany* (New York: Pathfinder, 1971) を見よ。トロツキーによる "The Bonapartist Philosophy of the State," *New International* 5: 6 (June 1939) 中の第二帝政とスターリン主義の泥棒政治的な面の比較はあまり説得力がない。

(37) Sergio Bologna, "Money and Crisis: Marx as Correspondent of the *New York Daily Tribune, 1856–57*" (1973), transl. Ed Emery in *Common Sense* 13 (January 1993).

(38) Karl Marx, "The Economic Crisis in Europe," *CW Vol. 15*, p. 109.『全集』第一一巻、四八―九頁。

(39) Karl Marx, "The French Crédit Mobilier, III," *CW Vol. 15*, p. 21.『全集』第一一巻、二三二頁。

(40) 引用については Marx to Engels, December 26, 1865, *CW Vol. 42*, p. 206.『全集』第三一巻、一三七頁を見よ。

(41) Sudir Hazareesingh, *The Saint-Napoléon: Celebrations of Sovereignty in Nineteenth-Century France* (Cambridge, MA: Harvard University Press, 2004), pp. 22-3, p. 31.バスティーユ・デイ〔パリ祭〕は一八八〇年に公式に祝日と定められた。

(42) Karl Marx, *The Class Struggles in France, CW Vol. 10*, p. 58.『全集』第七巻一九―二〇頁。

(43) Friedrich Engels, *Briefwechsel*, IV, pp. 339-40: translated and quoted in Bloom, *World of Nations*, pp. 146-7.

(44) Friedrich Engels, *The Magyar Struggle* (January 1849), およびAugust Bebel への手紙 (September 29, 1891), *CW Vol. 49*, p. 246. 強調は引用者。『全集』第三八巻、一三二頁。

(45) Debray, "Marxism and the National Question," p. 31.

(46) Ronald Aminzade, *Ballots and Barricades: Class Formation and Republican Politics in France, 1830–1871* (Princeton, NJ: Princeton University Press, 1993), p. 9.

(47) Marx, *Class Struggles in France*, pp. 57, 50. 強調は引用者。『全集』第七巻、一一頁、九頁。

(48) Ibid., pp. 122, 100, 80.『全集』第七巻、六一頁、四一頁、四二頁。強調は原文。

(49) Charles Beard, *An Economic Interpretation of the Constitution of the United States* (New York: Macmillan,

1913), pp. 14-16. Beardの考えの見事な解釈は、Clyde Barrow, *More Than a Historian: The Political and Economic Thought of Charles A. Beard* (New Brunswick, NJ: Routledge, 2000)である。

(50) James Madison, "The Federalist 10," in Alexander Hamilton, John Jay and James Madison, *The Federalist Papers* (Createspace, 2018).

(51) Jessop, "Politics of Representation."

【第三章】

(1) 「すべての実際的な目的と決定のために、気象は一定だと考えられると思われていた」。Hubert Lamb, *Climate, History and the Modern World* (London: Routledge, 1995), p. 2.

(2) George Woodcock and Ivan Avakumovic, *The Anarchist Prince: The Biography of Prince Peter Kropotkin* (London: T. V. Boardman, 1950), p. 71.

(3) Prince Kropotkin, "The Orography of Asia," *Geographical Review* 23: 2-3 (February–March 1904).

(4) Woodcock and Avakumovic, *Anarchist Prince*, pp. 61-86. On his recognition of the plateau as a fundamental landform, see Alexander Vucinich, *Science in Russian Culture: 1861–1917* (Palo Alto, CA: Stanford University Press, 1970), p. 88.

(5) Woodcock and Avakumovic, *Anarchist Prince*, p. 73. 後年、カスピ海の水平的・空中的広がりの歴史的変動に関して激しい議論が起こることになるが、この論争は他の非常に多くの論争と同じで地面の特徴の年代決定をする技術が欠けていては解決不能だった。しかしながら、世紀半ばから中央アジアに忍び寄る乾燥化という仮定は教育のある大衆のあいだではなじみのものだった。例としてはFriedrich Engels, *The Dialectics of Nature* (New York: International, 1940 [1883]), p. 235を見よ。

(6) Tobias Kruger, *Discovering the Ice Ages: International Reception and Consequences for a Historical*

Understanding of Climate (Leiden: Brill, 2013), pp. 348-51.

（7）「わたしが話している乾燥化は降水量の減少によるものではない。それは氷河期が続いていた何万年ものあいだユーラシア大陸の表面に蓄積した凍った水の膨大なたくわえが溶けて消滅したことによるのである。降水量の減少は（そうした減少が起こったところでは）、従って、そうした乾燥化の原因ではなく結果なのである。Kropotkin, "On the Desiccation of Eurasia and Some General Aspects of Desiccation," *Geographical Journal* 43: 4 (April 1914). Peter Kropotkin, *Memoirs of a Revolutionist* (Garden City, NY: Doubleday, 1962 [1899]), pp. 156-7. も見よ。

（8）兄のアレクサンドルが長さ八二八頁の第一巻、*Issledovanie o lednikovom periode* ("Researches on the Glacial Period") (St Petersburg: zap. russk. geogr.vol. 1, 1876)の刊行を監督した。一八七七年六月二三日の*Nature*に短い書評が載った。第二巻の未刊の草稿は秘密警察に奪われ、一九九八年まで出版されなかった。Tatiana Ivanova and Vyacheslav Markin, "Piotr Alekseevich Kropotkin and His Monograph *Researches on the Glacial Period* (1876)," in Rodney Grapes, David Oldroyd and Algimantas Grigelis, eds. *History of Geomorphology and Quaternary Geology* (London: Geological Society, 2008), p. 18. を見よ。

（9）有名なカリフォルニアのJosiah Whitney（彼の名にちなんでホイットニー山は名づけられた）もまた少なくとも一八七〇年代から進行的な乾燥という概念を唱えていた。彼は森林伐採が気候変動に責任があるという通俗的な考えを退け、それに代わって、地球は過去何百万年にもわたって同時に乾燥もすれば寒冷化もしてきたと提案した。この理論は、アメリカ西部の現代の気候は氷河期よりも寒いと論じる奇妙な立場に彼を置いた——この矛盾を彼は大陸の氷床が存在したという証拠を退けることで解決した。彼の考えでは、アガシーやその他の人々は厳密に局地的な氷河の前進という現象を地球の冷却と混同していたのだ。J. D. Whitney, *The Climatic Changes of Later Geological Times: A Discussion Based on Observations Made in the Cordilleras of North America* (Cambridge: University Press, John Wilson & Son, 1882), p. 394. を見よ。

（10）Theophrastus of Eresus, *Sources for His Life, Writings, Thought and Influence: Commentary Vol. 3.1, Sources on Physics* (Texts 137–233) (Leiden: Brill, 1998), p. 212.

(11) すでに十八世紀半ばまでには植民地の役人たちは豊かなプランテーションのトバゴ島やモーリシャス島の乾燥化を防ぐために森林保護地区を設けるための改革運動に乗り出していた。環境保護主義が植民地に起源を持つと立証するために最も尽くしたRichard Groveは、モーリシャスの*commissaire-intendant*〔総督代理〕だったPierre Poivreの例を引いている。Poivreは一七六三年にリヨンで森林伐採の気象的脅威について重要な演説をおこなった。「この演説ははっきりと広範な気候変動の恐怖に基づいた最初の環境保護主義者の言葉として歴史に残されるかもしれない」。Richard Grove, "The Evolution of the Colonial Discourse on Deforestation and Climate Change, 1500-1940," in Richard Grove, *Ecology, Climate and Empire* (Cambridge: White Horse, 1997), p. 11. 七十年後、七月王政の宣伝家たちはアラビア人たちによる北アフリカの砂漠化をアルジェリア征服のための言い訳として持ち出した。フランス人は気候を変え大量の植林で砂漠を押し戻すと約束した。Diana Davis, *Resurrecting the Granary of Rome: Environmental History and French Colonial Expansion in North Africa* (Athens, OH: Ohio University Press, 2007), pp. 4-5, 77.

(12) Buffonは土地を切り開くことが降雨ばかりでなく温度も変えると信じていた。パリとケベック市は同じ緯度にあるから、この二つの都市の気候の違いのもっとも考えられそうな説明は、パリ周辺の湿地を排水し森林を伐採したことから生じた温暖化だと彼は示唆した。Clarence Glacken, *Traces on the Rhodian Shore* (Berkeley: University of California Press, 1976), p. 699.

(13) Jérôme-Adolphe Blanqui quoted in George Perkins Marsh, *Man and Nature* (Cambridge, MA: Harvard University Press, 1965 [1864]), pp. 160ff, 209-13.

(14) Michael Williams, *Deforesting the Earth: From Prehistory to Global Crisis* (Chicago: University of Chicago Press, 2003), p. 431

(15) Karl Fraas, *Klima und Pflanzenwelt in der Zeit: ein Beitrag zur Geschichte Beider* ("Climate and Plant World Over Time: A Contribution to History") (Landshut: J. G. Wölfe, 1847). Fraasは、Perkins Marshと、*Man and Nature* 中の人間は全世界的規模で破局的に自然を再編しつつあるという彼の有名なテーゼに対して最も大きな影

響を与えた。

（16）Marx to Engels, March 25, 1868, in *CW Vol. 42*, pp. 558-9.『全集』第三二巻、四五頁。

（17）Friedrich Engels, "The Part Played by Labour in the Transition from Ape to Man," in *Dialectics of Nature*, pp. 291-2.『全集』第二〇巻、四九一頁。今日の産業文明の場合でも、「企てられた目的と到達した結果とのあいだには依然として大きな不均衡が存在することに、予見しなかった結果が優勢を占めるということに、そして制御されない力が計画に従って動き出させた力よりはるかに強力だということに、気づく」と彼は書いた。『全集』第二〇巻、三五四頁。

（18）*CW Vol. 25*, p. 511.『全集』第二〇巻、五三九頁。

（19）ニュートンもハレーも、「地球の代替わり、一連の創造と浄化」ということを信じていた。「歴史的時期は彗星による破滅によって区切られ、彗星は神の代理を務め、太陽系全体を再編成し新たなる創造の場所を準備し、至福千年の到来を告げた」。Sara Genuth, "The Teleological Role of Comets," in Norman Thrower, ed. *Standing on the Shoulders of Giants: A Longer View of Newton and Halley* (Berkeley, CA: University of California Press, 1990), p. 302.

（20）Anne O'Connor, *Finding Time for the Old Stone Age: A History of Palaeolithic Archaeology and Quaternary Geology in Britain, 1860-1960* (Oxford: OUP, 2007), pp. 28-30.

（21）Kruger, *Discovering the Ice Ages*, p. 475. 二〇世紀の初めに、年層（湖に毎年沈殿したものの層）及び年輪年代学が氷河後退の諸事象を算定するために使われ始めたが、戦後になって炭素14の分析が改善されるまで信頼できる年代決定はできるようにならなかった。

（22）James Fleming, *Historical Perspectives on Climate Change* (Oxford: OUP, 1998), pp. 52-3.

（23）一世紀にわたる中央アジアの乾燥化に関する論争については、David Moon, "The Debate over Climate Change in the Steppe Region in Nineteenth-Century Russia," *Russian Review* 69 (2010). Contemporary perspectives include François Herbette, "Le problème du dessèchement de l'Asie intérieure," *Annales de Geographie*, 23: 127 (1914);

and John Gregory, "Is the Earth Drying Up?" *Geographical Journal* 43: 2 (March 1914)を見よ。

(24) Peter Kropotkin, "The Desiccation of Eur-Asia," *Geographical Journal*, 23: 6 (June 1904).

(25) Kropotkin, *Memoirs of a Revolutionist*, p. 239.

(26) もちろん乾燥化は多くの地勢において地形学的事実であるが、ヨーロッパの探検家たちの印象主義的考古学は廃墟と砂漠化とのあいだの因果関係を証明しなかったし、比較年代学を確立もしなかった。たとえばペトラは破局的な気候変動の例としてしばしば引かれるが、この都市国家の衰退は実際には交易路の変化と、西暦三三三年の地震で精巧な給水設備が破壊されたこととの結果である。

(27) David Moon, *The Plough that Broke the Steppes: Agriculture and Environment on Russia's Grasslands, 1700–1914* (Oxford: OUP, 2013), pp. 91-2, 130-3.

(28) Eduard Brückner, *Klimaschwankungen seit 1700* (Vienna: Hölzel, 1890), p. 324.

(29) Nico Stehr and Hans von Storch, "Eduard Brückner's Ideas: Relevant in His Time and Today," in Stehr and von Storch, eds, *Eduard Brückner: The Sources and Consequences of Climate Change and Climate Variability in Historical Times* (Dordrecht: Springer, 2000), pp. 9, 17.

(30) Robert Cromie, *A Plunge into Space* (London: Frederick Warne & Co., 1890).

(31) 「火星の生き物と言う時、それは火星人を意味しない。可能性はそうであると指し示すかもしれないしそうでないと指し示すかもしれない。この地球上でも人間は偶然の性質のものである。人間は決して最高の肉体的器官が生き残ったものではない。哺乳類の最高形態ですらない。精神が進歩の原因であった。おそらく何かあるトカゲか両生類が競争の早い時期に人間の位置に飛び込んできて、現在この地球の支配的な生き物だったとしてもおかしくはない。異なった物理的条件のもとではきっとそうしただろう。われわれの環境とは全く違う、火星に存在する環境の真っただ中ではわれわれの知らない他の生物が進化してきたと言ってもまず間違いないだろう。Percival Lowell, *Mars* (Boston: Houghton Mifflin, 1895), p. 211.

(32) Alfred Russel Wallace, *Is Mars Habitable?* (London: Macmillan, 1907)

(33) Percival Lowell, *Mars and its Canals* (New York: Macmillan, 1906), pp. 153, 384.わたしはローウェルの命題についてのクロポトキンの意見を確かめることができなかった。科学的な気質から彼は友人のウォレスのほうにより意見が一致しそうだ。

(34) Percival Lowell, *Mars as Abode of Life* (New York: Macmillan, 1908), pp. 122, 124, 142-3.

(35) Gabriele Gramelsberger, "Conceiving Processes in Atmospheric Models," *Studies in the History and Philosophy of Modern Physics* 41: 3 (September 2010).

(36) Nils Ekholm, "On the Origins of the Climate of the Geological and Historical Past and Their Causes," *Quarterly Journal of the Royal Meteorological Society* XXVII: 117 (January 1901).

(37) Curzon's comments described in Sidney Burrard, "Correspondence," *Geographical Journal* 43: 6 (June 1914). Curzonは友人である工兵隊のSir Thomas Holdichを弁護していたのだが、Holdichは生涯をかけてインドの北西部辺境を調査したあとで断固たる乾燥論者となった。

(38) Biennio Rosso〔赤い二年間〕のあいだに家族の地所の労働者たちが土地を占拠するとカエターニは爵位を弟に譲って、ブリティッシュ・コロンビア州の雄大なセルカーク山脈の麓の町バーノンへと移り、そこで若いころグリズリー狩りをしたことがあった。一九三五年に死んだあと、妻と有能な画家であった娘は伝説的な世捨て人となった。Sveva Caetani, *Recapitulation: A Journey* (Vernon, BC: Coldstream, 1995); "Sveva Caetani: A Fairy Tale Life," available online at en.copian.ca. を見よ。

(39) Premysl Kubat, "The Desiccation Theory Revisited," *Les carnets de l'ifpo* (Institute français du Proche-Orient), April 18, 2011, at www.ifpo. hypotheses.org; Nimrod Hurvitz, "Muhibb ad-Din al-Khatib's Semitic Wave Theory and Pan-Arabism," *Middle Eastern Studies* 29: 1 (January 1993) を見よ。

(40) Ellsworth Huntington, "The Rivers of Chinese Turkestan and the Desiccation of Asia," *Geographical Journal* 28: 4 (October 1906).

(41) Geoffrey Martin, *Ellsworth Huntington: His Life and Thought* (Hamden, CT: Shoe String Press, 1973), pp. 92-3.

（42）Douglas（1867-1962）は、太陽の黒点活動と降雨の関係の可能性に興味を抱く前はローウェルの第一助手として火星の運河の「地図作成」をおこなっていた。彼は木の年輪の幅を気象の代用として使う、まさに適切にも樹木気象学と呼ばれる試みを精密化した。だが彼の技術はまたとても古い樹木の年代決定と、さらにプエブロ遺跡の木製の梁の年代決定にも可能性を開いた。初期には浮動的floating（相対的）年代順配列しかできなかったが、一九二九年にDouglasは西暦七〇〇年から現在までの連続した一連の計測を結びつけることができる梁「HH－39」をアリゾナの遺跡から発見し、こうして歴史以前の考古学的遺跡の暦年決定が最初にできるようになった。

（43）Ellsworth Huntington, *The Pulse of Asia* (Boston: Houghton, Mifflin & Co., 1907), p. 385. For his original endorsement of Kropotkin's ideas, and his subsequent modification of them, see Huntington, "Climatic Changes," *Geographical Journal* 44: 2 (August 1914).

（44）Owen Lattimore, "The Geographical Factor in Mongol History" (1938), in Lattimore, *Studies in Frontier History: Collected Papers, 1928–1958* (Oxford: OUP, 1962).

（45）ToynbeeはGeoffrey MartinのHuntingtonの伝記に高く評価するまえがきを書いた。

（46）Philippe Fôret, "Climate Change: A Challenge to the Geographers of Colonial Asia," *Perspectives* 9 (Spring 2013). 一九一四年にロシア中央アジアについての本の中でアレクサンドル・ボエイコフはハンティントンの「アジアの鼓動」理論を「愚論」と記した。Aleksandr Voeikov, *Le Turkestan Russe* (Paris: Colin, 1914), p. 360.

（47）Martin, *Ellsworth Huntington*, p. 86.

（48）Ibid., p. 86.

（49）Transcript of his lecture in *Physics Today*, October 1989, p. 43.

（50）Emmanuel Le Roy Ladurie, *Histoire du climat depuis l'an mil* (Paris: Flammarion, 1967), p. 17.

（51）Charles Brooks, *Climate Through the Ages: A Study of the Climate Factors and Their Variations*, rev. edn (New York: McGraw Hill, 1949［1926］), p. 327.

（52）Rhoads Murphey, "The Decline of North Africa since the Roman Occupation: Climatic or Human?" *Annals of* the *Association of American Geographers* 41: 2 (1951).

(53) Martin, *Ellsworth Huntington*, pp. 102-3, 111.

(54) Fleming, *Historical Perspectives on Climate Change*, p. 100. 彼はこうつけ加える。「ハンティントンの考えはその時代には実際に影響力があったが、それ以後は彼の人種的偏見と粗雑な決定論は大部分退けられてきた。それにもかかわらず、彼の絶対的な誤りは、気象と気候の影響をあまりに劇的に主張する者たちによって繰り返される運命にあるように思える」(p. 95)。

(55) ロシアで一九九八年に出版された。クロポトキンの科学的著作――地理、氷河学、生態学、進化論――の英語版アンソロジーが必要とされてから長い。

(56) "Appendix A: The Published Works of Ellsworth Huntington," in Martin, *Ellsworth Huntington*. を見よ。

(57) Martin, *Ellsworth Huntington*, pp. 249-50.

(58) David Blackbourn, *The Conquest of Nature: Water, Landscape, and the Making of Modern Germany* (New York: Pimlico, 2006), pp. 278, 285-6.

(59) Sir Gilbert Walker, "Climatic Cycles: Discussion," *Geographical Journal* 89: 3 (March 1937).

(60) Stehr and von Storch, "Eduard Brückner's Ideas," p. 12.

(61) Aaron Putnam et al., "Little Ice Age Wetting of Interior Asian Deserts and the Rise of the Mongol Empire," *Quaternary Science Reviews* 131 (2016), pp. 333-4, 340-1.共著者の一人はthe Lamont-Doherty Earth Observatoryの「法王」であるWallace Broeckerで彼は北大西洋での南方反転循環――有名な「コンベア・ベルト」の理論を最初に提案した。

(62) Colin P. Kelley, Shahrzad Mohtadi, Mark A. Cane, Richard Seager and Yochanan Kushnir, "Climate Change in the Fertile Crescent and Implications of the Recent Syrian Drought," *Proceedings of the National Academy of Sciences* 112: 11 (17 March 2015).

(63) Akio Kitoh, Akiyo Yatagai and Pinhas Alpert, "First Super-High-Resolution Model Projection that the Ancient

'Fertile Crescent' Will Disappear in This Century," *Hydrological Research Letters* 2 (2008).

【第四章】

(1) この論文は二〇〇九年一月にＵＣＬＡの〈社会理論および比較歴史センター〉での講演として発表された。
(2) The Cato Institute's execrable Patrick Michaels, in the *Washington Times*, February 12, 2005.
(3) Jan Zalasiewicz et al., "Are We Now Living in the Anthropocene?" *GSA Today* 18: 2 (February 2008).
(4) Ibid.
(5) 実際、作業部会1の主要な寄稿者はたちはこの報告は海面上昇を意図的に控えめに述べ、グリーンランドと西南極の棚氷の不安定さに関する新しい調査を無視していると非難している。
(6) James Hansen, "Global Warming Twenty Years Later: Tipping Point Near," 議会での証言。June 23, 2008.
(7) Scientific Committee on Problems of the Environment (SCOPE), *The Global Carbon Cycle* (Washington, DC: SCOPE, 2004), pp. 77–82; IPCC, *Climate Change 2007: Mitigation of Climate Change: Contribution of Working Group III to the Fourth Assessment Report* (Cambridge: IPCC, 2007), pp. 172, 218-24.
(8) SCOPE, *Global Carbon Cycle*, p. 82.
(9) International Energy Agency, *Energy Technology Perspectives: In support of the G8 Plan of Action—Executive Summary* (Paris: IEA, 2008), p. 3.
(10) Josep Canadell et al., "Contributions to Accelerating Atmospheric CO2 Growth," *Proceedings of the National Academy of Sciences* 104: 20 (November 2007), pp. 18, 866-70
(11) Global Carbon Project, *Carbon Budget 2007*, at globalcarbonproject.org, p. 10.
(12) Elisabeth Rosenthal, "Europe Turns Back to Coal, Raising Climate Fears," *New York Times*, April 23, 2008.
(13) Stephen Ansolabehere et al., *The Future of Coal* (Cambridge, MA: MIT Press, 2007), p. xiv.
(14) Pew Center on Global Climate Change, quoted in Matthew Wald, "Coal, a Tough Habit to Kick," *New York*

Times, September 25, 2008.

(15) UN *Human Development Report 2007/2008: Fighting Climate Change: Human Solidarity in a Divided World*, p. 7.

(16) IEA report quoted in *Wall Street Journal*, November 7, 2008.

(17) Clifford Krauss, "Alternative Energy Suddenly Faces Headwinds," *New York Times*, October 21, 2008.

(18) Peggy Hollinger, "EU Needs Stable Energy Policy, EDF Warns," *Financial Times*, October 5, 2008.

(19) オバマによる合意という必死の策略でもって最後を飾ったコペンハーゲンでの恥ずべきジェスチャーゲームは諸国間の政治的な隔たりよりも諸政府と人類とのあいだにある道徳的な底知れない深い穴を明らかにした。その一方で、大統領や首相が阻止すると誓っていた有名な摂氏二度の温暖化は、すでに世界の海洋を通して進行しつつある。すべての炭素排出が明日止まっても起こってしまう未来である。「のっぴきならない」温暖化と裏に潜んだコペンハーゲンの幻想についてはスクリップス海洋研究所研究員のV. Ramanathan とY. Fengによる、ぎこちない表題ではあるが痛ましい論文 "On Avoiding Dangerous Anthropogenic Interference with the Climate System: Formidable Challenges Ahead," *Proceedings of the National Academy of Science* 105 (September 23, 2008), pp. 14, 245-50を見よ。

(20) UN *Human Development Report 2007/2008*, p. 6.

(21) U. Srinivasan et al., "The Debt of Nations and the Distribution of Ecological Impacts from Human Activities," *Proceedings of the National Academy of Science* 105 (February 5, 2008), pp. 1 768-73.

(22) William Cline, *Global Warming and Agriculture: Impact Estimates by Country* (Washington, DC: Center for Global Development, 2007), pp. 67-71, 77-8.

(23) UN *Human Development Report 2007/2008*, p. 6.

(24) Turning Blight into Bloom," *Nature* 455 (September 11, 2008), p. 137.

ヤ行

ラ行

マ行

ナ行

ハ行

タ行

サ行

カ行

索　引

（「n」は注を示す）

アルファベット

ア行

〈訳者紹介〉

佐復　秀樹（さまた　ひでき）

1952年群馬県生まれ。東京大学大学院人文科学研究科修士課程修了。イギリス演劇専攻。主な訳書にM・ガーバー『シェイクスピア　あるいはポストモダンの幽霊』（平凡社）、M・シルババーグ『中野重治とモダン・マルクス主義』（平凡社、共訳）、スチュアート・ホール編『カルチュラル・アイデンティティの諸問題』（大村書店、共訳）、A・ウェイリー『ウェイリー版　源氏物語』（平凡社）、G・ガリー『宮澤賢治とディープエコロジー』（平凡社）、他。

〈解説者紹介〉

宇波　彰（うなみ　あきら）

1933年静岡県浜松市生まれ。東京大学大学院修士課程修了（哲学専攻）。明治学院大学、札幌大学などで講じ、現在、明治学院大学名誉教授。主な著書に『引用の想像力』（冬樹社）、『同時代の建築』（青土社）、『デザインのエートス』（紀伊国屋書店）、『記号論の思想』（講談社学術文庫）、『記号的理性批判』（御茶の水書房）、『ラカン的思考』（作品社）、他多数。

[著者紹介]

マイク・デイヴィス（Mike Davis）

1946年カリフォルニア州フォンタナ生まれ。精肉工場の工員やトラック運転手、SDSの活動家といった経歴の持ち主。リード大学で歴史学を学んだあとUCLAに進むが学位をとっていなかったために教職につかない時代を長く過ごした。南カリフォルニア大学建築学部とカリフォルニア大学アーヴァイン校歴史学部を経て現在はカリフォルニア大学リバーサイド校クリエイティブ・ライティング学部の名誉教授。『ニューレフト・リビュー』誌の編集委員でもある。日本語に訳されている著作としては『要塞都市LA』（青土社、2001年、増補新版2008年）、『感染爆発』（紀伊国屋書店、2006年）、『自動車爆弾の歴史』（河出書房新社、2007年）、『スラムの惑星』（明石書店、2010年）がある。最近になってもニューオーリンズの災害や金融危機、コロナウィルスといった時事的なトピックについてのエッセイを精力的に発表するなど、アカデミズムの枠にとらわれることのない斬新なスタイルを依然として堅持している。

マルクス　古き神々と新しき謎——失われた革命の理論を求めて

2020年7月10日　初版第1刷発行

著　者　マイク・デイヴィス
訳　者　佐復　秀樹
発行者　大江　道雅
発行所　株式会社明石書店
〒101-0021 東京都千代田区外神田6-9-5
電　話　03 5818 1171
FAX　03 5818 1174
振　替　00100-7-24505
http://www.akashi.co.jp

組　版　朝日メディアインターナショナル株式会社
装　丁　清水　肇（プリグラフィックス）
カバー装画　Konstantin Yuon／New Planet
印刷／製本　モリモト印刷株式会社

（定価はカバーに表示してあります）　ISBN978-4-7503-5040-0

図表でみる世界の保健医療
OECDインディケータ(2015年版)
OECD編著　鐘ヶ江葉子訳
◎6000円

図表でみる世界の行政改革
OECDインディケータ(2017年版)
OECD編著　平井文三訳
◎6800円

図表でみる世界の主要統計
OECDファクトブック(2015-2016年版)
経済、環境、社会に関する統計資料
経済協力開発機構(OECD)編著　トリフォリオ翻訳・製作
◎8200円

図表でみる世界の社会問題4
OECD社会政策指標
貧困・不平等・社会的排除の国際比較
OECD編著　高木郁朗監訳　麻生裕子訳
◎3000円

マイクロファイナンス事典
ベアトリス・アルメンダリズ、マルク・ラビー編
笠原清志監訳　立木勝訳
◎25000円

国連大学 包括的「富」報告書
自然資本・人工資本・人的資本の国際比較
国連大学地球環境変化の人間・社会的側面に関する国際研究計画、国連環境計画編　植田和弘、山口臨太郎訳　武内和彦監修
◎8800円

グローバル環境ガバナンス事典
リチャード・E・ソーニア、リチャード・A・メガンク編
植田和弘、松下和夫監訳
◎18000円

オフショア化する世界
人・モノ・金が逃げ込む「闇の空間」とは何か?
ジョン・アーリ著　須藤廣、濱野健監訳
◎2800円

左派ポピュリズムのために
シャンタル・ムフ著　山本圭、塩田潤訳
◎2400円

ポピュリズムの理性
エルネスト・ラクラウ著　澤里岳史、河村一郎訳
◎3600円

政治的なものについて
闘技的民主主義と多元主義的グローバル秩序の構築
シャンタル・ムフ著　酒井隆史監訳　篠原雅武訳
◎2500円

黒い匣 密室の権力者たちが狂わせる世界の運命
元財相バルファキスが語る「ギリシャの春」鎮圧の深層
ヤニス・バルファキス著　朴勝俊ほか訳
◎2700円

ギリシャ危機と揺らぐ欧州民主主義
緊縮政策がもたらすEUの亀裂　尾上修悟著
◎2800円

BREXIT 「民衆の反逆」から見る英国のEU離脱
緊縮政策・移民問題・欧州危機　尾上修悟著
◎2800円

「社会分裂」に向かうフランス
政権交代と階層対立　尾上修悟著
◎2800円

「黄色いベスト」と底辺からの社会運動
フランス庶民の怒りはどこに向かっているのか
尾上修悟著
◎2300円

〈価格は本体価格です〉